DEUTSCH ALS FREMDSPRACHE

Susanne Kalender
Petra Klimaszyk

Schritte 3
international

Lehrerhandbuch

Hueber Verlag

Quellenverzeichnis
Kopiervorlagen zu den Zwischenspielen: Ulrike Haas, München
S. 96: © PantherMedia / Haus Eder
alle anderen Fotos: Hueber Verlag / Alexander Keller

Symbole / Piktogramme

 Binnendifferenzierung

! Achtung / Hinweis

TIPP Methodisch-didaktischer Tipp

LÄNDER landeskundliche Informationen
INFO über Deutschland, Österreich und die Schweiz

7.   6.   5.   Die letzten Ziffern
2020   19   18   17   16   bezeichnen Zahl und Jahr des Druckes.
Alle Drucke dieser Auflage können, da unverändert,
nebeneinander benutzt werden.
1. Auflage
© 2007 Hueber Verlag GmbH & Co. KG, Ismaning, Deutschland
Zeichnungen: Hueber Verlag / Jörg Saupe
Layout und Satz: Schack, Ismaning
Verlagsredaktion: Daniela Niebisch, Erding; Isabel Krämer-Kienle, München
Druck und Bindung: Kessler Druck + Medien GmbH & Co. KG, Bobingen
ISBN 978-3-19-021853-0

Art. 530_03198_001_05

Inhalt

Das Lehrerhandbuch – Überblick

Konzeption und praktische Tipps für den Unterricht mit *Schritte international*

Schritte international basiert auf den Grundsätzen des Gemeinsamen Europäischen Referenzrahmens. Dieser wird zunächst kurz erläutert. Anschließend werden der Aufbau des Lehrwerks sowie die methodisch-didaktischen Grundlagen vorgestellt und beschrieben. Außerdem werden praktische Tipps zum Umgang mit wiederkehrenden Rubriken des Lehrwerks gegeben.

Methodisch-didaktische Hinweise

Die Hinweise zu den einzelnen Lektionen sind klar strukturiert: Zu jeder Episode der Foto-Hörgeschichte und jeder Modulseite A bis E finden Sie ab Seite 18 konkrete Hinweise zum Vorgehen im Unterricht sowie methodische Tipps, Vorschläge zur Binnendifferenzierung, landeskundliche Informationen und Verweise auf die Übungen im Arbeitsbuch.

Kopiervorlagen

Das Lehrerhandbuch bietet durch ein differenziertes Übungsangebot die Möglichkeit, den Unterricht auf die jeweiligen Bedürfnisse eines Kurses und die jeweilige Kursdauer abzustimmen:

- Zahlreiche Zusatzübungen und Spiele zu jeder Lektion erweitern das Angebot des Arbeitsbuchs (siehe Seite 82 ff.).

- Zu jedem Zwischenspiel finden Sie nachbereitende und erweiternde Übungen.

- Wiederholungsübungen und -spiele: Regelmäßige Wiederholungssequenzen sind besonders im Anfängerunterricht wichtig (siehe Seite 116 ff.).

- Testvorlagen zu jeder Lektion: So können Sie oder Ihre TN die Kenntnisse überprüfen (siehe Seite 122 ff.).

Anhang

Hier finden Sie die Transkriptionen aller Hörtexte des Kursbuchs und des Arbeitsbuchs sowie die Lösungen zu den Übungen im Arbeitsbuch und den Tests. Diese können Sie bei Bedarf auch für Ihre TN kopieren und zur Selbstkontrolle bereitstellen.

1. Rahmenbedingungen

Schritte international ist ein Lehrwerk für Lernende der Grundstufe. In seiner Konzeption berücksichtigt *Schritte international* sprachhomogene Gruppen und eignet sich deshalb auch sehr gut für den Deutschunterricht im Ausland.

Die Komponenten von *Schritte international*

Schritte international führt in sechs Bänden zur Niveaustufe B1 des Gemeinsamen Europäischen Referenzrahmens:

Schritte international 1 und *Schritte international 2*	→	Niveaustufe A1
Schritte international 3 und *Schritte international 4*	→	Niveaustufe A2
Schritte international 5 und *Schritte international 6*	→	Niveaustufe B1

Jeder Band enthält das Kursbuch und das Arbeitsbuch sowie eine CD mit den Hörtexten des Arbeitsbuchs und interaktiven Übungen für den PC. Zusätzlich gibt es zu jedem Band Hörmaterialien zum Kursbuch auf CD/Kassette sowie Glossare für verschiedene Ausgangssprachen. Im Internetservice unter www.hueber.de/schritte-international finden Sie weiteres Material und methodische Tipps für Ihre Unterrichtsvorbereitung sowie Online-Übungen für die Kursteilnehmer/innen (TN).

Schritte international und der Gemeinsame Europäische Referenzrahmen

- *Schritte international* orientiert sich am Gemeinsamen Europäischen Referenzrahmen. Der Referenzrahmen definiert mehrere Kompetenzniveaus, die den Sprachstand der Lernenden zeigen und Lernfortschritte messbar machen:

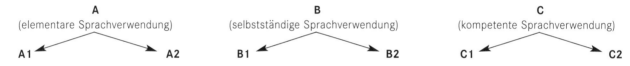

A	B	C
(elementare Sprachverwendung)	(selbstständige Sprachverwendung)	(kompetente Sprachverwendung)
A1 ⟷ A2	B1 ⟷ B2	C1 ⟷ C2

Der Sprachstand wird mit Hilfe von Skalen – den sogenannten Kann-Bestimmungen – beschrieben. Eine ausführliche Beschreibung zu Inhalt und Zielen des Referenzrahmens finden Sie unter www.hueber.de.

- Der Referenzrahmen betrachtet Sprachlernende und Sprachverwendende als sozial Handelnde, die kommunikative Aufgaben bewältigen müssen. *Schritte international* trägt dem durch die alltagsrelevanten Themen und die Auswahl der Texte (z.B. Briefe, Informationsbroschüren, Zeitungsmeldungen, Telefongespräche, Nachrichten etc.) Rechnung und richtet sich in seinen Lernzielen an den Kann-Bestimmungen des Referenzrahmens aus. Welches Lernziel Ihre TN auf einer Kursbuchseite erreichen können, ist bei den methodisch-didaktischen Hinweisen in diesem Lehrerhandbuch jeweils explizit ausgewiesen.
- Im Referenzrahmen werden Lernerautonomie und Selbstbeurteilung großgeschrieben: Anhand von Übungen zum selbstentdeckenden Lernen im Arbeitsbuch erarbeiten die TN sich grammatische Schemata und lernen, Strukturen zu ordnen und zu systematisieren. Mithilfe des Lerntagebuchs (siehe Seite 11 und 17) lernen die TN verschiedene Lerntechniken kennen und werden befähigt, ihr Lernen individuell und selbstständig zu gestalten. Im Kursbuch auf den Seiten 78–79 finden Sie eine Vorlage, mit der die TN ihren Sprachstand nach Abschluss des Kurses selbst evaluieren können.

Schritte international und die Prüfungen *Start Deutsch* und *Zertifikat Deutsch*

Schritte international 1–4 richten sich in Themen, Sprachhandlungen, Wortschatz und Grammatik nach den Lernzielbeschreibungen von *Start Deutsch* und bereiten gezielt auf die Prüfungen vor:

- Prüfungsaufgaben zu allen Prüfungsteilen im Arbeitsbuch
- Modelltest und Prüfungstipps zu *Start Deutsch 1* in *Schritte international 2* und zu *Start Deutsch 2* in *Schritte international 4*

Die Bände *Schritte international 5* und *Schritte international 6* führen zur Niveaustufe B1. Nach Abschluss von B1 kann das *Zertifikat Deutsch* abgelegt werden.

2. Aufbau

Jeder Band von *Schritte international* enthält sieben kurze Lektionen mit einem klaren und einheitlichen Aufbau:

Die Foto-Hörgeschichte
Motivierender Einstieg über eine Foto-Hörgeschichte

Die Seiten A–C
In sich abgeschlossene Module zur Einführung und Einübung des neuen Lernstoffs

Die Seiten D–E
In sich abgeschlossene Module zum Training und zur Erweiterung der rezeptiven und produktiven Fertigkeiten

Die Übersichtsseite
Übersicht über Grammatik und wichtige Wendungen der Lektion zur Orientierung und schnellen Wiederholung

Das Zwischenspiel
Abschluss durch das Zwischenspiel mit landeskundlichen Lese- und Hörtexten und spielerischen Aktivitäten

2.1 Aufbau einer Kursbuchlektion

Die Foto-Hörgeschichte

Ausgehend von der Erfahrung vieler TN mit Fotoromanen und Soaps im Fernsehen und der Tatsache, dass wir heute in einer visuellen Welt leben, beginnt jede Lektion mit einer Foto-Hörgeschichte. Sie …

- ist authentisch: Sprache wird im Kontext gelernt. Die TN können sich intensiv mit nur einer Situation auseinandersetzen, was die Memorierung von Wörtern und Strukturen erleichtert und verbessert.
- ist motivierend: Die Fotos erleichtern eine situative und lokale Einordnung der Geschichte und aktivieren das Vorwissen. Durch die Kombination von Fotos und Hörtext/Geräuschen verstehen die TN eine zusammenhängende Episode. Sie erkennen, dass sie am Ende der Lektion in der Lage sein werden, eine ähnliche Situation sprachlich zu meistern.
- bietet anhand der Personen und Situationen Identifikationsmöglichkeiten. Im Vordergrund stehen die Erfahrungen eines Ausländers, der mit der deutschsprachigen Lebenswelt in Berührung kommt. Die Foto-Hörgeschichte vermittelt implizit landeskundliches Wissen.
- bietet einen unterhaltsamen Einstieg in das Thema der Lektion: Das Interesse der TN wird geweckt.
- bildet den sprachlichen und thematischen Rahmen der Lektion: Die Foto-Hörgeschichte führt das Sprachmaterial und den grammatischen Stoff ein und entlastet damit den Lektionsstoff vor. Gleichzeitig trainiert sie das globale Hörverstehen.

Die Seiten A, B, C

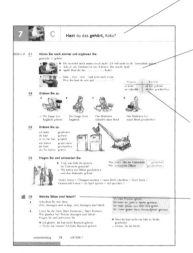

Die **Kopfzeile** enthält ein Zitat aus der Foto-Hörgeschichte und präsentiert den Lernstoff der Seite. Die neue Struktur ist fett hervorgehoben. So können Sie und die TN sich rasch orientieren.

Die erste Aufgabe dient der **Einführung** des neuen Stoffs. Sie bezieht sich ebenfalls im weiteren Sinne auf die Foto-Hörgeschichte und veranlasst die TN bereits zur aktiven Anwendung der neuen Struktur. Das stärkt das Vertrauen der TN in die Erlernbarkeit des Stoffs.

Der **Grammatikspot** fasst den Lernstoff übersichtlich zusammen und macht ihn bewusst.

In den **anschließenden Aufgaben** üben die TN den Lernstoff zunächst meist in gelenkter, dann in freierer Form.

Die **Abschlussaufgabe** dient dem Transfer des Gelernten in den persönlichen Anwendungsbereich (Informationen über sich geben, die eigene Meinung sagen usw.) oder bietet auf spielerische Art Möglichkeiten, den Lernstoff aktiv und interaktiv anzuwenden. *Hinweis:* Zur Vereinfachung und Unterstützung Ihrer Unterrichtsvorbereitung finden Sie Kopiervorlagen zu vielen Abschlussaufgaben im Internet unter <u>www.hueber.de/schritte-international</u> unter dem Stichwort „Lehren" bzw. „Interaktionsaufgaben".

Die Seiten D und E

Diese Seiten dienen der Vertiefung und Erweiterung der rezeptiven (Lesen und Hören) und produktiven (Sprechen und Schreiben) Fertigkeiten.

Lesen
Die TN üben das Lesen authentischer Textsorten, wie sie im Referenzrahmen und der Prüfung *Start Deutsch* für die Niveaustufe A2 festgelegt sind. Dazu gehören z.B. kurze Zeitungsmeldungen, einfache Informations-Broschüren, Kataloge, Hinweisschilder und kurze Notizen.

Hören
Die TN lernen, Kernaussagen und wichtige Informationen aus alltagsrelevanten Textsorten zu entnehmen. Dazu gehören z.B. Lautsprecherdurchsagen, automatische Telefonansagen, Meldungen im Rundfunk (z.B. Wetter).

Sprechen
Die TN üben die verbale Bewältigung einfacher Alltagssituationen, wie z.B. Austauschen von Information, Verabredungen treffen, Entschuldigungen und Einladungen. Sprechen auf der Niveaustufe A2 heißt vor allem: Fragen stellen und Antworten geben, Gespräche führen, die aber über ein „zweizügiges" Aktion-Reaktions-Schema hinausgehen. In *Schritte international 3* und *4* üben die TN daher häufig Frage-Antwort-Dialoge, die in Richtung Konsensfindung, Beschreibung und Erzählung über etwas gehen.

Schreiben
Die TN lernen, einfache formelhafte Notizen zu machen und persönliche Briefe und kurze Notizen und Mitteilungen zu schreiben. Um die Schreibfertigkeit der TN aufzubauen, enthält das Arbeitsbuch ein systematisches Schreibtraining.

Die Übersichtsseite

Die letzte Seite jeder Lektion gibt einen Überblick über die neue Grammatik und wichtige Wendungen der Lektion. Mit Hilfe der Übersicht kann der Stoff der Lektion selbstständig wiederholt und nachgeschlagen werden.

Das Zwischenspiel

Jede Lektion wird durch landeskundliche Lese- und Hörtexte passend zum Lektionsthema abgerundet. Diese Seiten haben einen freieren Charakter, d.h. der Fokus liegt nicht mehr auf dem Erwerb und Einüben von Strukturen, sondern die TN können hier das Lese- und Hörverstehen vertiefen und ihr in der Lektion erworbenes Wissen aktiv und spielerisch anwenden. Zusätzlich erhalten sie interessante landeskundliche Informationen über Deutschland, Österreich und die Schweiz.

2.2 Aufbau des Arbeitsbuchs

Im Arbeitsbuch finden Sie vielfältige Übungen zu den Lernschritten A bis E für die Still- und Partnerarbeit im Kurs oder als Hausaufgabe. Auch hier erscheinen – wie auf der entsprechenden Kursbuchseite – in der Kopfzeile ein Zitat und ein Foto aus der Foto-Hörgeschichte als Strukturierungs- und Memorierungshilfe. Die Übungen berücksichtigen unterschiedliche Lernniveaus innerhalb des Kurses und bieten so Möglichkeiten zur Binnendifferenzierung:

schwarze Arbeits-anweisungen	blaugraue Arbeits-anweisungen	blaue Arbeits-anweisungen
Basisübungen, die alle TN machen sollten	Vertiefende Übungen für alle, die noch üben wollen/müssen	Erweiternde Übungen als Zusatzangebot oder Alternative für schnellere TN

Das Arbeitsbuch enthält außerdem:
* Übungen zur Phonetik
* Anregungen zum autonomen Lernen und Informationen über verschiedene Lerntechniken (Lerntagebuch)
* Übungen zum selbstständigen Entdecken grammatischer Regelmäßigkeiten („Grammatik entdecken")
* Prüfungsaufgaben zu *Start Deutsch 2*
* **ein systematisches Schreibtraining**
* **ab *Schritte international 3* explizit gekennzeichnete Wiederholungsübungen**
* den Lernwortschatz der Lektion, nach Oberbegriffen sortiert und nach Wortarten getrennt

Weitere Übungen zur selbstständigen Wiederholung am PC finden die TN auf der integrierten CD, die auch alle Hörtexte des Arbeitsbuchs enthält.
Am Ende des Arbeitsbuchs steht eine Grammatikübersicht, in der alle Strukturen des Bands nach Wortarten gegliedert zusammengefasst sind.

3. Methodisch-didaktische Grundlagen

3.1 Grammatik

Die Grammatikprogression in *Schritte international* orientiert sich an den Vorgaben des Referenzrahmens und der Prüfungen *Start Deutsch* und *Zertifikat Deutsch*. In übersichtlichen, kurzen Lernschritten werden die Strukturen in kleinen „Portionen" eingeführt und intensiv geübt. Häufige Wiederholungsschleifen festigen das Gelernte und bereiten auf die Erweiterung einer grammatischen Struktur vor.

Lexikalische Einführung von Strukturen
* Grammatische Strukturen werden durch Variations- und Einsetzübungen eingeführt. Sie werden von den TN hier auch schon aktiv benutzt und memoriert.
* Der Einstieg erfolgt über Formeln, an denen anschließend die dahinterstehende Struktur aufgezeigt werden kann.
* Ziel ist es, die Angst vor Neuem zu nehmen und das Vertrauen in die Erlernbarkeit der Struktur zu stärken.

Grammatikspot
* Der Grammatikspot fasst den neuen Stoff anhand von Beispielen einfach und verständlich zusammen.
* Farbsignale ersetzen Regelerklärungen, die die TN besonders im Anfängerunterricht auf Deutsch gar nicht verstehen würden.
* Grammatische Termini werden nur moderat eingesetzt, um auch weniger kognitive Lernertypen einzubeziehen.

Infospot
* Der Infospot hebt Redemittel hervor, die in ihrer grammatischen Struktur unbekannt sein können, den TN aber als Ausdrucksmöglichkeit zur Verfügung stehen sollten.
* Diese Redemittel sollen als Formeln gelernt und angewendet werden.

Grammatik entdecken

Selbstentdeckendes Lernen

Übungen, die die TN zu einem gelenkten Entdecken grammatikalischer Regelmäßigkeiten führen sollen, finden Sie im Arbeitsbuch unter der Rubrik „Grammatik entdecken":

- Die TN ordnen neues Sprachmaterial in vorgegebene, optisch markierte Schemata.
- Dadurch wird die zugrunde liegende Systematik einer Struktur erkennbar.
- Die TN können die Strukturen besser verstehen und behalten.

3.2 Wiederholung

Damit sprachliche Strukturen – und Wörter natürlich – gefestigt werden können, müssen sie immer wieder aktiviert werden. *Schritte international* setzt daher auf häufige Wiederholungssequenzen:

- Mit den Wiederholungsstationen am Ende jeder Niveaustufe *(Schritte international 2, 4, 6)* kann der komplette Lernstoff einer Stufe noch einmal trainiert werden.
- Sogenannte Wiederholungsspots im Kursbuch erinnern die TN ab *Schritte international 3* an schon gelernte Strukturen, die nun erweitert werden.
- Ausgewiesene Wiederholungsübungen greifen ab *Schritte international 3* grammatische Strukturen aus den vorhergehenden Bänden noch einmal auf, vertiefen sie oder dienen als Vorübung für neuen Lernstoff, der in Zusammenhang zu schon bekanntem Lernstoff steht.
- Möglichkeiten zur selbstständigen Wiederholung finden die TN auf der in jedem Band integrierten CD mit interaktiven Übungen für den PC.
- Spiele zur Wiederholung finden Sie nach jeder zweiten Lektion auch in diesem Lehrerhandbuch (ab Seite 116).

3.3 Wortschatz

Die Wortschatzprogression orientiert sich ebenfalls an den Vorgaben des Referenzrahmens und der Prüfungen *Start Deutsch* und *Zertifikat Deutsch*. Die Wortschatzvermittlung orientiert sich an folgenden Prinzipien:

- Neuer Wortschatz wird mit bekannten Strukturen eingeführt, damit die TN sich auf die Wörter konzentrieren können.
- Nach Möglichkeit werden Wortfelder eingeführt (z.B. Lektion 3, Wortfeld „Essen und Trinken").
- Die Sprachlernerfahrung der TN wird einbezogen: Deutsch wird heute häufig erst als zweite oder dritte Fremdsprache gelernt. Auf das Vorwissen der TN aus dem Englischen oder anderen zuerst gelernten Sprachen (auch die Muttersprache) wird zurückgegriffen. Dem Deutschen ähnliche, den TN bekannte Wörter werden bewusst gemacht, um den Wortschatzerwerb positiv zu unterstützen und den TN ein Hilfsmittel für das Verstehen von Hör- und Lesetexten an die Hand zu geben.
- Der Lernwortschatz einer jeden Lektion ist im Arbeitsbuch zusammengestellt. Schreiblinien ermöglichen die Übersetzung in die eigene Sprache und damit ein klassisches Vokabeltraining: Die TN können sich auf diese Weise selbstständig abfragen.

Am Ende eines jeden Bands von *Schritte international* finden Sie außerdem eine alphabetische Wortliste.

3.4 Binnendifferenzierung

Auch in sprachhomogenen Kursen haben die TN meist unterschiedliche Lernerfahrungen und Lernziele. Binnendifferenzierung ist eine Möglichkeit, den Unterricht für alle TN interessant zu gestalten, auf die unterschiedlichen Bedürfnisse der TN einzugehen und jeden möglichst optimal zu fördern. Binnendifferenzierung bedeutet Gruppenarbeit: Innerhalb des Kurses werden (zeitweise) mehrere Gruppen gebildet, die unterschiedliche Lerninhalte bearbeiten. Das kann beispielsweise heißen, dass leistungsstärkere Gruppen mehr oder schwierigere oder freiere Aufgaben erhalten oder dass für einzelne Gruppen verschiedene Lernziele gesetzt werden, die sich an den Bedürfnissen der TN ausrichten: Eine Gruppe übt z.B. Grammatik, eine andere wiederholt Wortschatz und eine dritte macht Phonetikübungen.

Schritte international bietet vielfache Unterstützung für einen binnendifferenzierten Unterricht:

- Explizit im Arbeitsbuch durch z.B. farblich gekennzeichnete Übungstypen in verschiedenen Schwierigkeitsstufen (siehe auch Seite 9 und 16).
- Implizit im Kursbuch durch unterschiedlich schwiere/lange Lesetexte und Auswahlmöglichkeiten (gelenkter-freier) bei verschiedenen Aufgaben, z.B. Rollenspielen.
- In diesem Lehrerhandbuch durch praktische Vorschläge zur binnendifferenzierten Arbeit mit *Schritte international*. Diese erkennen Sie an diesem Signal ∨ .

3.5 Phonetik

Häufig erwerben Lernende gute Kenntnisse in Wortschatz und Grammatik und haben damit bereits einen wichtigen Schritt für die Kommunikation mit Muttersprachlern der Zielsprache getan. Aber selbst wenn die Wörter von ihrer Semantik her richtig verwendet werden, kann es durch eine falsche Aussprache und Betonung zu Missverständnissen bis hin zum völligen Scheitern der Kommunikation kommen. Deshalb wird in *Schritte international* von Anfang an Wert auf eine gründliche Ausspracheschulung gelegt: In *Schritte international 3* stehen neben der Schulung einzelner Laute und Lautkombinationen vor allem Wortakzent, Satzakzent und Satzmelodie im Vordergrund. Bei der Lautartikulation wird in *Schritte international 3* der Schwerpunkt auf Konsonanten und Konsonantenhäufung gelegt. Auch orthographische Besonderheiten spielen dabei eine Rolle. Die Selbstständigkeit der TN wird gefördert: Sie sollen selbst Beispiele erfinden und das Geübte kreativ und frei anwenden (z.B. Lektion 5, Übung 26).

Die Ausspracheschulung in *Schritte international* hält sich an folgende Prinzipien:
- Sie erfolgt in einem Wechselspiel aus imitativem und kognitivem Lernen, z.B. durch Hören, Erkennen und Nachsprechen oder Hören, Erkennen und Markieren oder Hören und Nachsprechen.
- Die Laute werden zunächst im Wort und darauf aufbauend im ganzen Satz geübt.
- Die Beispiele ergeben sich aus der Lektion. Dadurch steht die Phonetik in einem für die TN relevanten und nachvollziehbaren Kontext. Zudem ergibt es wenig Sinn, Wörter nachzusprechen, die man nicht versteht.

3.6 Die eigene Sprache

Die Muttersprache kann den TN beim Deutschlernen helfen, z.B. beim Wortschatzerwerb (siehe oben) oder beim kontrastiven Vergleich grammatischer Strukturen. In *Schritte international* wird die Muttersprache der TN für bestimmte Aufgaben bewusst in den Unterricht einbezogen:
- an Stellen, wo die TN erfahrungsgemäß den Wunsch haben werden, sich zu äußern, aber auf Deutsch noch nicht in der Lage dazu sind (z.B. Meinungen zur Foto-Hörgeschichte).
- dort, wo es der Vorentlastung einer Aufgabe dient, z.B. wenn die TN vor dem Hören Überlegungen zur Foto-Hörgeschichte anstellen oder vor dem Lesen anhand der Überschrift Vermutungen über einen Lesetext äußern sollen.

3.7 Lerntechniken

Der Referenzrahmen misst der Lernerautonomie großes Gewicht bei. Daher werden die TN in *Schritte international* zum Führen eines Lerntagebuchs angeregt:
- Der Gedanke des Lerntagebuchs sieht vor, dass sich alle TN einen Ringbuchordner anschaffen. In diesem können sie verschiedene Kategorien anlegen, die sie individuell erweitern können. Zudem können jederzeit neue Blätter einfügt werden.
- In diesem Lerntagebuch können die TN ihre Lernfortschritte dokumentieren: Hier können sie alles, was im Unterricht oder als Hausaufgabe erarbeitet wurde, abheften. Zu Hause können die TN in ihrem Lerntagebuch den Lernstoff nachschlagen oder Lerntechniken selbstständig ausprobieren.
- Mit Hilfe expliziter Übungen im Arbeitsbuch lernen die TN verschiedene Lerntechniken kennen und wenden sie praktisch an, um so die für sie geeignetste(n) Form(en) des Lernens herauszufinden.

3.8 Landeskunde

Die Vermittlung von Landeskunde ist für Deutschlernende im Ausland, die keinen oder wenig Kontakt mit den deutschsprachigen Ländern haben, besonders wichtig. In *Schritte international* werden landeskundliche Informationen gezielt angeboten:
- durch die Foto-Hörgeschichte, die auf authentische Art und Weise deutschen Alltag abbildet und dabei implizit landeskundliches Wissen vermittelt sowie interkulturelle Diskussionsanlässe bietet.
- in zahlreichen Lese- und Hörtexten authentischer Textsorten, die den Alltag in den deutschsprachigen Ländern abbilden.
- durch das Zwischenspiel mit landeskundlichen Lese- und Hörtexten über Deutschland, Österreich und die Schweiz und mit Anregungen zum interkulturellen Vergleich (z.B. ein Tanztheater in Deutschland, Tanzen als Hobby oder ein typischer Tanz aus meinem Land).
- im Internet, wo Sie Aufgaben für Internetrecherchen finden, mit denen die TN ihr landeskundliches Wissen selbstständig erweitern können.

Landeskundliche Hintergrundinformationen, die Sie auch an die TN weitergeben können, finden Sie auch in diesem Lehrerhandbuch und im Internet unter www.hueber.de/schritte-international.

1. Die Foto-Hörgeschichte

Beginnen Sie den Unterricht nicht direkt mit dem Hören der Geschichte. Die TN lösen zu jeder Episode Aufgaben vor dem Hören, während des Hörens und nach dem Hören. Generell sollten Sie die Geschichte so oft wie nötig vorspielen und ggf. an entscheidenden Passagen stoppen. Achten Sie darauf, jede Episode mindestens einmal durchgehend vorzuspielen.

Hören Sie am Ende jeder Lektion die Geschichte mit den TN noch einmal. Das ermutigt sie, denn sie können erleben, wie viel sie im Vergleich zum allerersten Hören nun schon verstehen, und das fördert die Motivation zum Weiterlernen.

1.1 Aufgaben vor dem Hören

Die Aufgaben vor dem Hören machen eine situative Einordnung der Geschichte möglich. Sie führen neue, für das Verständnis wichtige Wörter der Geschichte ein und lenken die Aufmerksamkeit auf die im Text wichtigen Passagen und Schlüsselwörter. Für die Vorentlastung bieten sich außerdem viele weitere Möglichkeiten:

Fotosalat und Satzsalat
Kopieren Sie die Fotos und schneiden Sie die einzelnen Fotos aus. Achten Sie darauf, die Nummerierung auf den Fotos wegzuschneiden. Die Bücher bleiben geschlossen. Verteilen Sie je ein Fotoset an Kleingruppen mit 3 bis 4 Personen. Die TN legen die Fotos in eine mögliche Reihenfolge, hören die Geschichte mit geschlossenen Büchern und vergleichen die Foto-Hörgeschichte mit ihrer Reihenfolge. Sie korrigieren ggf. ihre Reihenfolge.
Diese Übung kann um Satzkarten erweitert werden: Schreiben Sie zu den Fotos einfache Sätze oder Zitate aus der Geschichte auf Kärtchen, die die TN dann den Fotos zuordnen. Sie können hier auch zwischen geübteren und ungeübteren TN differenzieren, indem Sie geübteren TN weniger Vorgaben und Hilfen an die Hand geben als den ungeübten.
Auf etwas fortgeschrittenerem Niveau können sich die TN zu ihrer Reihenfolge der Fotos eine kleine Geschichte ausdenken oder Minidialoge schreiben. Ihre Geschichte können sie dann beim Hören mit dem Hörtext vergleichen.

Poster
Jede Foto-Hörgeschichte gibt es auch als großes Poster, das Sie im Kursraum aufhängen können oder ebenfalls für einen Fotosalat verwenden können. Wenn Sie nur ein Poster haben, geben Sie je ein aus dem Poster ausgeschnittenes Foto an eine Kleingruppe. Die Gruppen versuchen dann gemeinsam, den richtigen Platz in der Geschichte für ihr Foto zu finden, und entwickeln eine gemeinsame Reihenfolge. So müssen sich alle beteiligen und mitreden. Alternativ können die TN aus ihrer Gruppe auch je einen TN bestimmen, der sich mit den anderen gewählten TN vor dem Kurs in der richtigen Reihenfolge aufstellen muss, sodass diese acht TN die Reihenfolge der Geschichte bilden und das Foto vor sich halten. Das macht Spaß, weil die TN sich bewegen müssen und womöglich mehrmals umgestellt werden, bis alle mit der Reihenfolge einverstanden sind.

Hypothesen bilden
Verraten Sie den TN nur die Überschrift der Lektion und zeigen Sie ggf. noch eines der Fotos auf Folie. Die TN spekulieren, worum es in der Geschichte gehen könnte (Wo? Wer? Was? Wie viele? Wie? Warum?). Oder sie sehen sich die Fotos im Buch an und stellen Vermutungen über den Verlauf der Handlung an. Das motiviert und macht auf die Geschichte neugierig. Sprechen Sie anfangs auch in Ihrer Sprache und lassen Sie die TN in der Muttersprache kommunizieren. Es ist hier nur wichtig, dass sich die TN intensiv mit der Geschichte beschäftigen. Auch das erleichtert das spätere Hören in der Fremdsprache, weil eine bestimmte Hör-Erwartung aufgebaut wird. Die Kommunikation in der Muttersprache sollte mit zunehmenden Deutschkenntnissen der TN immer weniger werden. Fortgeschrittenere Anfänger können sich im Vorfeld Minidialoge zu den Fotos überlegen und ein kleines Rollenspiel machen. Nach dem Hören vergleichen sie dann ihren Text mit dem Hörtext.

Situationsverwandte Bilder/Texte
Vielleicht finden Sie einen passenden Text oder ein Bild / einen Comic, den Sie verwenden können, um in das Thema einzuführen und unbekannten Wortschatz zu klären. Diese Übungsform eignet sich, wenn Sie erst ganz allgemein auf ein Thema hinführen wollen, ohne die Fotos aus der Foto-Hörgeschichte schon zu zeigen. Zeigen Sie z.B. beim Thema „Wohnen" das Bild eines Zimmers und führen Sie die Namen wichtiger Möbelstücke ein.

1.2 Aufgaben während des Hörens

Die TN sollten die Geschichte mindestens einmal durchgehend hören, damit der vollständige Zusammenhang gegeben ist. Dabei ist es nicht wichtig, dass die TN sofort alles erfassen. Sie haben verschiedene Möglichkeiten, den TN das Verstehen zu erleichtern:

Mitzeigen

Beim Wechsel von einem Foto zum nächsten ist ein „Klick" zu hören, der es den TN erleichtert, dem Hörtext zu folgen. Bei jedem Klick können die TN wieder in die Geschichte einsteigen und mithören, falls sie den Faden einmal verloren haben sollten. Als weitere Hilfestellung können Sie zumindest in den ersten Stunden die Foto-Hörgeschichte auch auf eine Folie kopieren und einen TN bitten, am Tageslichtprojektor mitzuzeigen. Die übrigen TN zeigen in ihrem Buch mit, sodass Sie kontrollieren können, ob alle der Geschichte folgen können.

Wort-/Bildkärtchen

Stellen Sie im Vorfeld Kärtchen mit Informationen aus der Foto-Hörgeschichte her (z.B. Lektion 3: Kärtchen mit Marias Auswahlmöglichkeiten zum Frühstücken). Die TN hören die Geschichte mit geschlossenen Büchern und legen die Kärtchen während des Hörens in die Reihenfolge, in der die Informationen in der Geschichte vorkommen.

Antizipation

Wenn die TN allgemein wenig Verständnisschwierigkeiten beim Hören haben bzw. wenn die TN schon geübter sind, können Sie die Foto-Geschichte natürlich auch während des Hörens immer wieder stoppen und die TN ermuntern, über den Fort- und Ausgang der Geschichte zu spekulieren. Allerdings sollten Sie die Geschichte im Anschluss auch einmal durchgehend vorspielen.

1.3   Aufgaben nach dem Hören

Die Aufgaben nach dem Hören dienen dem Heraushören von Kernaussagen. Sie überprüfen, ob die Handlung global verstanden wurde. Lesen Sie die Aufgaben gemeinsam mit den TN, klären Sie ggf. unbekannten Wortschatz und spielen Sie die Geschichte noch weitere Male vor, um den TN das Lösen der Aufgaben zu erleichtern. Stoppen Sie die Geschichte ggf. an den entscheidenden Passagen, um den TN Zeit für die Eintragung ihrer Lösung zu geben. Darüber hinaus können Sie die Foto-Hörgeschichte für weitere spielerische Aktivitäten im Unterricht nutzen und so den Wortschatz festigen und erweitern:

Rollenspiele

Vor allem schon geübtere TN können kleine Dialoge zu einem oder mehreren Fotos schreiben. Diese Dialoge werden dann vor dem Plenum als kleine Rollenspiele nachgespielt. Regen Sie die TN auch dazu an, die Geschichte weiterzuentwickeln und eine Fortsetzung zu erfinden.

Pantomime

Stoppen Sie die CD/Kassette beim zweiten oder wiederholten Hören jeweils nach der Rede einer Person. Bitten Sie die TN, in die jeweilige Rolle zu schlüpfen. Lassen Sie die TN pantomimisch darstellen, was sie soeben gehört haben. Fahren Sie dann mit der Foto-Hörgeschichte fort. Wenn die TN schon geübter sind, können die TN die Geschichte pantomimisch mitspielen, während Sie diese noch einmal vorspielen.

Kursteilnehmerdiktat

Die TN betrachten die Fotos. Ermuntern Sie einen TN, einen beliebigen Satz zu einem der Fotos zu sagen, z.B. „Eine Frau ruft Maria an." Alle TN schreiben diesen Satz auf. Ein anderer TN setzt die Aktivität fort, z.B. „Sie lädt Susanne zum Geburtstag ein." usw. So entsteht eine kleine Geschichte oder ein Dialog. Die TN sollten auch eine Überschrift für ihren gemeinsam erarbeiteten Text finden. Schreiben Sie oder einer der TN auf der Rückseite der Tafel oder auf Folie mit, damit die TN abschließend eine Möglichkeit zur Korrektur ihrer Sätze haben. Diese Übung trainiert nicht nur eine korrekte Orthografie, sondern dient auch der Wiederholung und Festigung von Wortschatz und Redemitteln.

Situationsverwandte Bilder/Texte

Auch nach dem Hören können Sie situationsverwandte Bilder oder Texte zur Vertiefung des Themas der Foto-Hörgeschichte nutzen. Die TN können die Unterschiede zwischen der Foto-Hörgeschichte und dem Text oder der Situation herausarbeiten. So könnte z.B. mit Hilfe einer Statistik über das Sportverhalten der Deutschen bei Lektion 5 dargestellt werden, welchen sportlichen Aktivitäten die Deutschen nachgehen.

Texte oder Bilder können auch in eine andere Situation überleiten und nach dem Hören der Foto-Hörgeschichte zur Erweiterung eingesetzt werden (z.B. Lektion 4: Arbeitswelt in einer Bäckerei; weiterführend: in anderen handwerklichen Betrieben). Damit werden Wörter und Redemittel in einen anderen Zusammenhang transferiert und erweitert. Sie können so individuell auf die Interessen Ihres Kurses eingehen.

Phonetik

Die Foto-Hörgeschichte bietet sich sehr gut für das Aussprachetraining an, denn sie enthält viele für den Alltag wichtige Redemittel, die sich gut als Formeln merken lassen. Greifen Sie wesentliche Zitate/Passagen aus der Geschichte heraus, spielen Sie diese isoliert vor und lassen Sie die TN diese Sätze nachsprechen. Der Hörspielcharakter und der situative Bezug innerhalb der Foto-Hörgeschichte erleichtern den TN das Memorieren solcher Redemittel. Außerdem lernen die TN, auch emotionale Aspekte (Empörung, Freude, Trauer, Wut, Mitgefühl …) auszudrücken. Schließlich kommt es nicht nur darauf an, was man sagt, sondern vor allem darauf, wie man es sagt. In jeder Sprache werden ganz unterschiedliche Mittel benutzt, um solche emotionalen Aspekte auszudrücken.

Nicht zuletzt können auch Modalpartikeln wie „doch", „aber", „eben" etc. unbewusst eingeschleift werden. Die Bedeutung von Modalpartikeln zu erklären ist im Anfängerunterricht schwierig und daher oft wenig sinnvoll. Mit Hilfe der Zitate aus der Foto-Hörgeschichte können die TN diese aber internalisieren und automatisch anwenden, ohne dass Erklärungen erforderlich werden.

2. Variationsaufgaben

Sie finden wiederholt kurze, alltagsbezogene Modelldialoge, die die TN mit vorgegebenen grammatischen Strukturen variieren. Diese Modelldialoge sind durch eine orangefarbene geringelte Linie links neben der Aufgabe für Sie und Ihre TN sofort erkennbar. Durch das Variieren der Modelldialoge bekommen die TN ein Gespür für die neuen Strukturen. Durch das aktive Verwenden und Memorieren werden diese zu beherrschbarem Sprachmaterial. Die TN gewinnen Vertrauen in die Erlernbarkeit des Neuen. Für die Variationsaufgaben bietet sich folgendes Vorgehen an:

- Die TN decken den Modelldialog zu und hören ihn zunächst nur. Falls vorhanden, sehen sie dabei zugehörige Bilder/Fotos an. Wenn Sie die Fotos/Bilder auf Folie kopieren, können die TN die Bücher geschlossen lassen und sich auf die Situation konzentrieren.
- Stoppen Sie den Modelldialog beim zweiten Hören nach jedem einzelnen Sprechpart. Die TN sprechen – immer noch ohne mitzulesen – im Chor nach.
- Die TN hören den ganzen Dialog und lesen mit.
- Die TN lesen und sprechen den Dialog in Partnerarbeit in verteilten Rollen.
- Die TN lesen die Varianten und markieren im Modelldialog die Satzteile, die variiert werden sollen.
- Die TN sprechen den Dialog in Partnerarbeit mit Varianten. Achten Sie darauf, dass die TN den Dialog erst dann mit Varianten sprechen, wenn sie Sprechsicherheit beim Modelldialog erreicht haben. Wichtig ist auch, dass die Partner ihre Sprech(er)rollen abwechseln, damit jeder TN auch einmal Varianten bilden muss.
- Abschließend können einige TN ihre Dialoge im Plenum präsentieren. Hier reichen ein bis zwei Dialoge aus. Es ist nicht nötig, alle Varianten präsentieren zu lassen.

Die TN können den Modelldialog auch schriftlich festhalten, um durch Abschreiben ihre Orthografie zu verbessern und sich wichtige Redemittel besser einzuprägen. Bitten Sie die TN auch, den Dialog auswendig zu lernen und vorzuspielen. Bitten Sie schnelle TN, die Dialoge mit den Varianten auf einer Folie oder an der Tafel zu notieren. Die anderen TN können dann kontrollieren, ob sie die Varianten richtig gebildet haben. Schnelle TN können außerdem zusätzliche Varianten erfinden.

3. Grammatikspot

Schreiben Sie die Beispiele aus dem Grammatikspot an die Tafel und heben Sie die neuen Strukturen – wie im Grammatikspot – visuell hervor. Verweisen Sie auf die Einführungsaufgabe und zeigen Sie jetzt die dahinterstehende Struktur auf. Nach Möglichkeit sollten Sie dabei grammatische Terminologie nur sparsam verwenden. Die TN sollten das Gefühl haben, Grammatik als Hilfsmittel für das Sprechen zu lernen und nicht als Selbstzweck.

Verweisen Sie auch später immer wieder auf den Grammatikspot. Er soll den TN auch bei den anschließenden Anwendungsaufgaben als Gedächtnisstütze und Orientierungshilfe dienen.

4. Aktivität im Kurs

In den Abschlussaufgaben auf den Seiten A bis C wird der Lernstoff in den persönlichen Bereich der TN übertragen. Sie befragen sich gegenseitig nach ihren Hobbys, ihren Vorlieben und Abneigungen usw. oder üben den Lernstoff durch eine spielerische Aktivität in Kleingruppen. Bei dieser Art von Aufgaben geht es häufig darum, dass die TN selbst Kärtchen, Plakate oder Formulare herstellen, was nicht nur ein sehr gutes Schreibtraining, sondern auch sehr förderlich für das Kursklima ist (Gemeinsam etwas tun!). Die selbst hergestellten Kärtchen dienen wie in der Prüfung *Start Deutsch* als Impuls für kurze Frage-Antwort-Dialoge. Wenn Sie nicht genug Zeit im Unterricht für Bastelarbeiten haben, können Sie zu diesen Aufgaben Kopiervorlagen aus dem Internet unter www.hueber.de/schritte-international herunterladen.

In den Abschlussaufgaben sollten die TN die Gelegenheit haben, frei zu sprechen und sich frei auszudrücken. Vermeiden Sie daher in dieser Phase Korrekturen. Gerade bei den Aktivitäten im Kurs wird auf einen Wechsel der Sozialform geachtet. Versuchen Sie, die TN auch sonst möglichst oft abwechselnd in Stillarbeit, Partnerarbeit oder Kleingruppen arbeiten zu lassen. Es gibt viele Möglichkeiten, Gruppen zu bilden:
Paare:
- Verteilen Sie Kärtchen wie bei Memory, auf denen z.B. Frage und Antwort stehen. TN mit einer Frage suchen den TN mit der passenden Antwort. Dies können Sie später auch mit Verbformen (Infinitiv und Partizip), Gegensatzpaaren, Komposita oder mehrsilbigen Wörtern etc. durchführen.
- Kleben Sie vor dem Unterricht unter oder hinter die Stühle der TN Zettelchen, von denen je zwei die gleiche Farbe haben. Das geht auch mit Bonbons. So können Sie ggf. die Partnerfindung steuern.
- Nehmen Sie ein Bündel Schnüre, Anzahl: die Hälfte Ihrer TN. Die TN fassen je ein Ende einer Schnur, am anderen Ende der Schnur finden sie ihre Partnerin / ihren Partner.
- Das „Atomspiel": die TN stehen auf und bewegen sich frei im Raum, evtl. können Sie Musik dazu vorspielen. Als Stoppzeichen rufen Sie „Atom 2" (alternativ: 3/4/5/...). Die TN finden sich paarweise (bzw. zu Dreier-, Vierer-, Fünfergruppen ...) zusammen.
Gruppen:
- Zerschneiden Sie einen Satz in seine Bestandteile: Die TN müssen den Satz zusammenfügen (z.B. „Und wie heißen Sie?") und bilden eine Gruppe.
- Lassen Sie die TN abzählen (bei einer Gruppe von 21 TN von 1-7, alle Einser gehen zusammen, alle Zweier etc. = sieben Gruppen à drei Personen)
- Zerschneiden Sie eine Postkarte (Bilderpuzzle) oder nehmen Sie Spielkarten und verteilen Sie sie: Die TN suchen die fehlenden Puzzleteile und finden so gleichzeitig ihre Partner.
- Definieren Sie bestimmte Merkmale, z.B. alle mit Brille, alle mit blauen Augen, ... bilden eine Gruppe.

5. Das Zwischenspiel

Beim Zwischenspiel zwischen den Lektionen liegt der Fokus nicht mehr auf dem Üben von bestimmten Strukturen oder dem expliziten Fertigkeitentraining, es hat – wie der Name schon sagt – einen mehr spielerischen Charakter. Die TN sollten den Eindruck haben, dass sie hier nichts lernen „müssen", sondern ihr aus der Lektion erworbenes Wissen anwenden können und außerdem interessante Informationen über die deutschsprachigen Länder erhalten. Deshalb sollten Sie den TN hier die Möglichkeit geben, sich frei zu äußern, und möglichst wenig mit Korrekturen eingreifen.

Wenn Sie wenig Zeit haben, können Sie die Texte des Zwischenspiels mit den TN einfach lesen bzw. hören und die Aufgaben dazu lösen, ohne sie didaktisch aufzubereiten. Für eine ausführlichere Behandlung der Zwischenspiele finden Sie in diesem Lehrerhandbuch Didaktisierungsvorschläge und eine Kopiervorlage als zusätzliches Übungsangebot. Diese Kopiervorlage sowie landeskundliche Hintergrundinformationen und Vorschläge für Internetrecherchen finden Sie auch im Internet unter www.hueber.de/schritte-international.

6. Binnendifferenzierung

6.1 Allgemeine Hinweise

Wichtig: Es ist nicht nötig, dass immer alle alles machen! Teilen Sie die Gruppen nach Kenntnisstand und/oder Neigung ein. Die einzelnen Gruppen können ihre Ergebnisse dem Plenum präsentieren: So lernen die TN miteinander und voneinander.

- Stellen Sie Mindestaufgaben, die von allen TN gelöst werden sollen. Besonders schnelle TN bekommen zusätzliche Aufgaben. Entziehen Sie geübteren TN Hilfen, indem Sie z.B. Schüttelkästen wegschneiden. Dadurch werden diese TN mehr gefordert.
- Binden Sie schnellere TN als Co-Lehrer mit ein: Wenn diese eine Aufgabe beendet haben, können sie die Lösung schon an die Tafel oder auf eine Folie schreiben.
- Stellen Sie Gruppen nach Neigung oder Lerntypen zusammen. Haben Sie beispielsweise visuell und kognitiv orientierte TN, können Sie neue grammatische Formen für visuelle Lerntypen mit Beispielen und Farben an der Tafel präsentieren. Kognitive Lerntypen erhalten eine Tabelle, in der sie Formen selbstständig systematisch eintragen können und sich so ein Schema erarbeiten. Für diesen Lerntyp bieten sich die Übungen im Arbeitsbuch zum selbstentdeckenden Lernen der Grammatik sehr gut an.
- Lassen Sie bei unterschiedlich schwierigen Aufgaben die TN selbst wählen, welche sie übernehmen möchten. Die TN entscheiden dadurch selbst, wie viel sie sich zumuten möchten. Damit vermeiden Sie eine feste Rollenzuweisung, denn ein TN kann sich einmal für die einfachere Aufgabe entscheiden, weil er sich selbst noch unsicher fühlt, ein anderes Mal aber für die schwierigere, weil er sich in diesem Fall schon sicher fühlt.

6.2 Binnendifferenzierung im Kursbuch

Lesen
Nicht alle TN müssen alle Texte lesen: Bei unterschiedlich langen/schwierigen Texten verteilen Sie gezielt die kürzeren/leichteren an ungeübtere TN und die längeren/schwierigeren an geübtere TN bzw. geben Sie den TN die Möglichkeit, selbst zu entscheiden, welchen Text sie bearbeiten möchten.

Hören
Sie können die TN auch hier in Gruppen aufteilen: Jede Gruppe achtet beim Hören auf einen bestimmten Sprecher und beantwortet anschließend Fragen, die sich auf diesen Sprecher beziehen.

Sprechen
TN, die noch Hilfestellung benötigen, können bei Sprechaufgaben auf die Redemittel auf den Kursbuchseiten und auf der Übersichtsseite als Orientierungs- und Nachschlagehilfe zurückgreifen. Geübtere TN sollten das Buch schließen.

Schreiben
Achten Sie auch hier auf Vorlieben der TN. Nicht alle haben Freude am kreativen Erfinden von kurzen Texten. Bieten Sie auch Diktate an (siehe www.hueber.de/schritte-international) oder helfen Sie TN, die Schwierigkeiten beim Schreiben haben, indem Sie ihnen Beispieltexte mit Lücken zum Ausfüllen gegen. Sie können dann die Fertigkeit „Schreiben" allmählich aufbauen.

6.3 Binnendifferenzierung im Arbeitsbuch

Die binnendifferenzierenden Übungen im Arbeitsbuch (siehe auch Seite 9) können im Kurs oder als Hausaufgabe bearbeitet werden. Es empfiehlt sich folgendes Vorgehen:

- Die Basisübungen mit der schwarzen Arbeitsanweisung sollten von allen TN gelöst werden.
- Zusätzlich können die Vertiefungsübungen (blaugraue Arbeitsanweisung) und die Erweiterungsübungen (tiefblaue Arbeitsanweisungen) gelöst werden. Lassen Sie nach Möglichkeit die TN selbst entscheiden, wie viele Aufgaben sie lösen möchten, oder geben Sie bei der Stillarbeit im Kurs einen bestimmten Zeitrahmen vor, in dem die TN die Übungen lösen sollten. So vermeiden Sie, dass nicht so schnelle TN sich unter Druck gesetzt fühlen.

Die schwarzen und blaugrauen Übungen sollten Sie im Plenum kontrollieren – durch Vorlesen im Kurs oder durch Selbstkontrolle der TN mit Hilfe einer Folie, auf der Sie oder ein TN zuvor die Lösungen notiert haben. Erweiterungsübungen führen über den Basiskenntnisstand hinaus. Hier gibt es auch freiere Übungsformen, z.B. das Schreiben von Dialogen anhand von Vorgaben. Die TN können sich bei diesen Übungen selbstständig zu zweit kontrollieren oder Sie verteilen eine Kopie mit den Lösungen. Bei freien Schreibaufgaben sollten Sie die Texte einsammeln und in der folgenden Unterrichtsstunde korrigiert zurückgeben.

7.   Das Lerntagebuch

Gehen Sie bei der Arbeit mit dem Lerntagebuch folgendermaßen vor:
*   Machen Sie die Eintragungen zu einer neuen Lerntechnik am Anfang mit den TN gemeinsam, um die Arbeitstechnik zu verdeutlichen. Später können die TN dann selbstständig entscheiden, ob sie diese Lerntechnik anwenden wollen.
*   Aufgaben, die eine eindeutige Lösung haben, z.B. eine Tabelle erstellen, sollten im Kurs kontrolliert werden, indem die Lösung z.B. auf einer Folie präsentiert wird und die TN vergleichen und korrigieren.
*   Achten Sie darauf, dass die TN sich mit der Zeit regelmäßig selbstständig Notizen zu dem machen, was sie im Unterricht gelernt haben.
*   Auf fortgeschrittenerem Niveau kann im Unterricht auch über die verschiedenen Lerntechniken diskutiert werden (Wer wendet was warum an oder nicht an?) und die TN können ihre Tipps austauschen.
*   Regen Sie die TN immer wieder dazu an, auch Dinge im Lerntagebuch zu notieren, die sie außerhalb des Unterrichts gelernt und entdeckt haben und die sie in den Unterricht einbringen könnten.
*   Regen Sie die TN auch dazu an, Ergebnisse von Gruppenarbeiten und Projekten, z.B. aus Internetrecherchen, im Lerntagebuch abzuheften und sich so ein individuelles Tagebuch zusammenzustellen, in dem sie ihre Lernfortschritte dokumentiert haben. Das ist nicht nur eine gute Hilfe zum späteren Nachschlagen und Wiederholen von Lernstoff, sondern auch eine schöne Erinnerung.

Die erste Stunde im Kurs

Materialien
2 *Variante:* flotte Musik

1   **Spiel: Sich vorstellen**

1. In einem neuen Kurs, insbesondere wenn dieser sehr groß ist, ist es für Sie und die TN eine Herausforderung, sich die vielen Namen zu merken. Um ein intensives Zusammenarbeiten im Kurs und ein Gefühl des Miteinanders zu ermöglichen, sollten sich aber alle mit Namen kennen und ansprechen können. Bitten Sie die TN daher, heute und für die ersten gemeinsamen Kursstunden ein Namensschild aufzustellen.

2. Bilden Sie mit den TN einen Stuhlkreis: Beginnen Sie als Kursleiterin/Kursleiter und stellen Sie sich vor. Nennen Sie außerdem etwas, was Sie gern mögen. Nun stellt der links neben Ihnen sitzende TN zunächst Sie und dann sich selbst und eine Sache, die er gerne mag, vor. Der links daneben sitzende TN muss nun alle Personen, die sich bereits vorgestellt haben, und sich selbst vorstellen usw.
Variante: Wenn der Kurs sehr groß ist, teilen Sie die TN für das Spiel in zwei bis drei Gruppen ein.

2   **Partnerinterviews: Sich kennenlernen**

1. Die TN lesen die Fragen im Buch und notieren sie in Frageform auf ihrem Notizblock.

2. Die TN gehen im Kursraum und befragen verschiedene Partner. Sie notieren bei Ja-Antworten den Namen des jeweiligen TN auf ihrem Interviewbogen. Geben Sie einen Zeitraum von etwa zehn Minuten vor.
Variante: Wenn Sie die Übung etwas gelenkter gestalten möchten, bringen Sie Musik mit. Spielen Sie die Musik vor. Die TN gehen im Kursraum umher. Sobald Sie die Musik stoppen, finden sich die TN paarweise zusammen und befragen sich gegenseitig. Wenn die meisten TN mit ihrem Interview fertig sind, spielen Sie wieder Musik. Die TN gehen wieder im Kursraum umher, bis Sie die Musik stoppen usw. Wiederholen Sie das Vorgehen maximal viermal.

3. Gehen Sie die Fragen im Kursbuch nacheinander durch. Die TN nennen die Namen, die sie sich zu den einzelnen Fragen notiert haben.
Variante: In sehr großen Kursen sollten Sie wiederum zwei bis drei Gruppen bilden, die dann einen Gruppenleiter bestimmen, der die Fragen im Kursbuch vorliest. Die TN der Gruppen nennen und vergleichen ihre Ergebnisse.

4. *fakultativ:* Die TN schreiben als Hausaufgabe einen kurzen Text über sich selbst, in dem sie die Fragen aus dem Interview für sich beantworten. Fortgeschrittenere TN können weitere Informationen ergänzen. Sammeln Sie die Texte ein und korrigieren Sie sie. Die TN schreiben sie noch einmal fehlerfrei ab. Abschließend werden die Texte zur Ansicht für alle im Kursraum aufgehängt. So können alle in den Pausen über ihre Kurskollegen nachlesen.

Materialien
1 Folie der Fotos 1, 3, 4, 6 oder Poster zur Foto-
  Hörgeschichte zerschnitten
2/3 dicke Filzstifte, weißes Papier oder Poster zur
  Foto-Hörgeschichte zerschnitten

KENNENLERNEN

Folge 1: *Maria*
Einstieg in das Thema: Sich kennenlernen

1

1   Vor dem Hören: Vermutungen äußern

1. Die Bücher sind geschlossen. Schreiben Sie an die Tafel: „Junge Leute kommen nach Deutschland. Sie bleiben ein paar Monate, ein Jahr." Fragen Sie die TN: „Was sind das für junge Leute? Warum kommen Sie?" Notieren Sie die Vermutungen der TN in Stichworten an der Tafel. Achten Sie darauf, dass allen TN die Begriffe, die Sie notieren, bekannt sind. Klären Sie andernfalls die Bedeutung.
mögliche Antworten: Studenten, Au-pair-Mädchen, Besuch, Urlaub …
Hinweis: An dieser Stelle empfiehlt es sich noch nicht, diesen Schritt in Gruppenarbeit anzubieten, weil die TN sich zu Beginn eines neuen Kurses noch nicht gut kennen und in der Gruppe Hemmungen haben, sich zu äußern. Außerdem haben Sie die Gelegenheit, die TN und ihren individuellen Sprachstand einzuschätzen. So können Sie später Partner- und Gruppenarbeit besser steuern.
2. Präsentieren Sie die Fotos 1, 3, 4, 6 auf einer Folie oder schneiden Sie sie aus dem Poster zur Foto-Hörgeschichte aus.
3. Fragen Sie: „Wohin fährt die Familie? Wen holt die Familie ab? Wer ist die junge Frau auf Foto 4? Was meinen Sie?" Machen Sie ggf. deutlich, dass die TN nur Vermutungen äußern können, da sie die Personen und die Geschichte ja noch nicht kennen. Notieren Sie als Hilfestellung für TN, die noch nicht mit *Schritte international* gearbeitet haben, mögliche Redemittel auf der Folie unter den Fotos: „Ich glaube, …", „Ich meine, …", „Vielleicht …"

2/3   Beim ersten Hören

1. Schreiben Sie die Namen der Protagonisten (Kurt, Susanne, Larissa, Simon, Maria) an die Tafel. Bitten Sie die TN, sich beim ersten Hören darauf zu konzentrieren, wer wer ist. Die TN können die Namen zunächst auf die Fotos ins Buch schreiben.
2. Bitten Sie einen TN, auf der Folie Kurt zu zeigen. Verfahren Sie mit den anderen Personen ebenso. Die TN korrigieren, wenn nötig, ihre Notizen auf den Fotos.
3. *fakultativ*: Machen Sie ein kleines Ratespiel, bei dem es um Schnelligkeit geht. Fragen Sie die TN: „Wo ist Maria nicht zu sehen?" (Foto 1, 2, 3), „Wo fehlt Simon?" (Foto 3, 7) etc. Sie können die TN die Ergebnisse in die Klasse rufen lassen oder die TN notieren mit dicken Filzstiften die Zahlen auf weißem Papier, das sie dann hochhalten.

4   Nach dem ersten Hören: Angaben zu den Personen

1. Die TN lesen die Informationen zu den Personen und ergänzen die passenden Namen. Wenn nötig, hören sie die Foto-Hörgeschichte ein zweites Mal.
2. Die TN vergleichen ihre Ergebnisse in Partnerarbeit.
3. Abschlusskontrolle im Plenum. Sollte der Begriff „Au-pair-Mädchen" bis jetzt noch nicht gefallen sein, klären Sie die Bedeutung: Was macht ein Au-pair-Mädchen? Wie lange darf es bleiben? Was muss die Gastfamilie tun?
Lösung: a) Susanne; c) Kurt; d) Simon; e) Maria

LÄNDER
INFO

Au-pair-Mädchen gehen für ein Jahr in ein fremdes Land, nicht nur nach Deutschland. Au-pair-Mädchen gibt es weltweit. Der Aufenthalt kann nicht verlängert werden. Sie leben dort in einer Familie. Sie müssen ein paar Stunden am Tag im Haushalt helfen. Dafür haben sie freies Wohnen und bekommen Taschengeld. Sie müssen ein eigenes, abschließbares Zimmer bekommen. Das ist der Standard für Deutschland.

5   Nach dem Hören: Den Inhalt genau verstehen

Die TN lesen die Aussagen. Da es sich hier um detaillierte Informationen handelt, sollten die TN die Foto-Hörgeschichte noch einmal hören. Die Informationen finden sich alle im Hörtext zu Foto 5 (Track 6). Sie können auch nur diesen Ausschnitt vorspielen. Machen Sie Pausen, damit die TN ihre Lösung notieren können.
Lösung: richtig: b, d; falsch: a, c

1  **A** **Warum** fahren wir eigentlich alle zum Flughafen? – **Weil** Maria ...

Nebensätze mit *weil*
Lernziel: Die TN können Gründe nennen.

Materialien
A3 Kopiervorlage L1/A3;
Tipp: weicher Ball oder Tuch
A4 Kopiervorlage zu A4 (im Internet);
Kopiervorlage L1/A4

A1 **Präsentation der Konjunktion *weil* und der Wortstellung im Nebensatz**
1. Die TN lesen die Beispiele und ordnen die passenden Sätze zu.
2. Abschlusskontrolle im Plenum. Lassen Sie die TN die Lösungen laut vorlesen, damit die neue Struktur sich durch das Lesen und Hören besser festsetzen kann.
   Lösung: b) weil sie viel arbeiten und das Baby bald kommt. c) Weil es das einzige freie Zimmer ist.
3. Schreiben Sie Satz b) an die Tafel und markieren Sie die Verben.

> *Susanne und Kurt* | *brauchen* | *ein Au-pair-Mädchen,* | *weil* *sie viel* | *arbeiten.*
>
> *Warum* *bekommt Maria das Wohnzimmer?* *Weil* *es das einzige freie Zimmer* | *ist.*

Erläutern Sie den TN, dass „weil" hier das Kennzeichen für einen sogenannten Nebensatz ist, und zeigen Sie, dass das Verb am Ende des Satzes steht. Mit „weil" gibt man Gründe an. Wenn man Gründe wissen will, macht man Fragen mit „Warum". Weisen Sie die TN auch auf das Komma hin, das zwingend vor „weil" stehen muss. Die TN kennen bereits die Konjunktion „denn" aus *Schritte international 2*, Lektion 14.
4. Erweitern Sie das Tafelbild um Beispiel a) aus der Aufgabe.

Arbeitsbuch 1–2: in Stillarbeit: In Übung 2 sollten die TN zur Verdeutlichung die Verben im Nebensatz unterstreichen.

A2 **Anwendungsaufgabe zur Konjunktion *weil* und zur Wortstellung im Nebensatz**
1. Die TN lösen die Übung in Stillarbeit.
2. Die TN vergleichen ihre Lösungen mit der Partnerin / dem Partner.
3. Abschlusskontrolle im Plenum. Lassen Sie die Lösungen an die Tafel schreiben und markieren Sie noch einmal die Endstellung des Verbs.
   Lösung: Weil ich gern mit Kindern spiele. Weil ich Deutschland interessant finde. Weil ich gern koche.
4. *fakultativ*: Wenn Sie genügend Zeit haben, sehen Sie sich mit den TN zusammen noch einmal die Foto-Hörgeschichte an. Fallen den TN noch weitere „Warum"-Fragen ein? Sie können diese Aufgabe auch in Gruppenarbeit machen lassen: Je vier TN notieren „Warum"-Fragen zur Foto-Hörgeschichte. Anschließend fragen die Gruppen sich gegenseitig und antworten. Achten Sie auf die korrekte Satzstellung.

Arbeitsbuch 3: als Hausaufgabe: Die TN systematisieren selbstständig den Unterschied der Verbstellung im Haupt- und im Nebensatz.

A3 **Variation: Anwendungsaufgabe zur Konjunktion *weil* und zur Wortstellung im Nebensatz**
1. Verteilen Sie vorab die Kopiervorlage L1/A3. Bitten Sie die TN, die Kopie so zu knicken, dass die Übung 2 zunächst nicht zu sehen ist. Die TN suchen die Partizipien. Wer zuerst die zwölf Verben gefunden hat, ruft „Stopp" und beendet die Übung. Sammeln Sie mit den TN die Partizipien an der Tafel. Fragen Sie nach dem Infinitiv und notieren Sie ihn in Klammern.
   Hinweis: Das Perfekt ist den TN schon aus *Schritte international 1*, Lektion 7, bekannt. Die Übung hat also den Status einer Wiederholung, die hier wichtig ist, weil die TN in A3 das Perfekt im Nebensatz anwenden sollen. Außerdem wird in Lernschritt B und C erstmals das Perfekt der trennbaren Verben und der nicht-trennbaren Verben eingeführt. Rufen Sie den TN in Erinnerung, dass das Partizip Perfekt für Vergangenes benutzt wird. Eine ausführliche Wiederholung des Perfekts sollte vor Aufgabe B1 (siehe Lehrerhandbuch Seite 22) erfolgen.
2. Die TN lösen Übung 2 auf der Kopiervorlage.
3. Abschlusskontrolle im Plenum.
   Lösung: a) gefahren; b) gelesen; c) geschrieben; d) gespielt; e) gemacht; f) gegangen; g) gekauft; h) gegessen; i) gesehen; j) geregnet; k) gehört; l) geschlafen
4. Die TN schlagen die Bücher auf und hören den Dialog. Gehen Sie weiter vor wie auf Seite 14 beschrieben.
   ! Wenn Sie viele neue TN im Kurs haben, die bisher noch nicht mit *Schritte international* Deutsch gelernt haben, können Sie TN, die bereits mit dem Buch vertraut sind, auffordern, ein oder zwei Variationsbeispiele vorzumachen, um die Aufgabenstellung zu verdeutlichen.
5. Verdeutlichen Sie die Endstellung des Verbs noch einmal an der Tafel. Machen Sie die TN darauf aufmerksam, dass die Position 2 aus dem Hauptsatz im Nebensatz ganz am Ende steht. Das gilt auch für Sätze im Perfekt und Sätze mit Modalverben. Gehen Sie auch auf den Beispielsatz mit dem trennbaren Verb ein. Erläutern Sie den TN, dass das trennbare Verb im Nebensatz mit seiner Vorsilbe als Ganzes am Ende steht.

Materialien
A3 Kopiervorlage L1/A3
Tipp: weicher Ball oder Tuch
A4 Kopiervorlage zu A4 (im Internet);
Kopiervorlage L1/A4

Warum fahren wir eigentlich alle zum Flughafen? – **Weil** Maria …

Nebensätze mit *weil*
Lernziel: Die TN können Gründe nennen.

A **1**

Ich habe die ganze Nacht nicht geschlafen.

Weil ich die ganze Nacht nicht geschlafen habe.

Du holst mich ab.

Weil du mich abholst.

Ich kann heute Abend nicht mit dir essen gehen.

Weil ich heute Abend nicht mit dir essen gehen kann.

TIPP

Um die Endstellung des Verbs einzuschleifen, bietet sich folgende Wiederholungsübung an: Teilen Sie den Kurs in zwei Gruppen. Lassen Sie die Gruppen an der Tafel oder auf Plakaten einen Wortigel zum Thema „Wie kann ein Mensch sein?" erstellen. Die TN sammeln alle Adjektive, die ihnen dazu einfallen. Geben Sie eine Zeit vor, z.B. fünf Minuten. Klären Sie mit den TN die Bedeutung der notierten Adjektive. Danach stellen sich alle TN in einem Kreis auf. Sie werfen sich einen weichen Ball oder ein Tuch zu und fragen: „Warum bist du so reich?" Der TN, der das Tuch geschnappt hat, antwortet und wirft seinerseits das Tuch und stellt eine Frage.

Arbeitsbuch 4: in Stillarbeit oder als Hausaufgabe; **7–9:** in Stillarbeit oder als Hausaufgabe; **10:** als Hausaufgabe für geübte TN

LERNTAGEBUCH

Arbeitsbuch 11: Schreiben Sie die Frage und die ersten beiden Antworten an die Tafel. Bitten Sie einen TN, aus diesen beiden Sätzen einen Satz mit „weil" zu machen. Notieren Sie den Satz und markieren Sie die Verben wie im Arbeitsbuch. Weisen Sie die TN noch einmal auf die Endstellung des Verbs bei „weil" hin. Verfahren Sie mit den nächsten Beispielen genauso. Erklären Sie den TN, dass immer das Wort, das im Hauptsatz auf Position 2 steht, im Satz mit „weil" ans Ende rückt. Die TN sammeln weitere Beispiele und notieren sie in ihrem Lerntagebuch. Gehen Sie herum und helfen Sie bei Schwierigkeiten.
Wenn Sie genug Zeit haben, können Sie an diese Übung anschließend eine kleine Fragekette bilden lassen. Die TN fragen sich gegenseitig, warum sie nach Deutschland bzw. nach Österreich oder in die Schweiz fahren möchten.

PHONETIK

Arbeitsbuch 5–6: im Kurs: Die TN haben in *Schritte international 1* und *2* schon mehrfach die Satzmelodie in Fragen und Aussagen sowie den Satzakzent geübt. Die Übungen sollten ihnen daher keine Schwierigkeiten bereiten. Spielen Sie Übung 5 vor und fragen Sie die TN, nach welcher Information in der Frage gesucht wird und welche die wichtige Information in der Antwort ist. Die TN sollten feststellen, dass der Satzakzent darauf liegt, wonach gefragt wird, bzw. auf der wesentlichen Information in der Antwort. Die TN sprechen den Dialog in Partnerarbeit. Fragen Sie bei Übung 6 nach dem jeweils wichtigen Wort in der Frage bzw. in der Antwort. Die TN markieren diese im Buch und vergleichen anschließend beim Hören. Spielen Sie die Mini-Dialoge ggf. mehrmals vor. Die TN sprechen diese wiederum in Partnerarbeit.

A4

Aktivität im Kurs: Begründungen finden

1. Die TN sehen sich die Bilder im Kursbuch an. Fragen Sie die TN, was zuerst passiert ist? Was denkt der Mann am Bahnhof, wenn er zwei Stunden wartet?
2. In Partnerarbeit notieren die TN fünf Minuten lang alle Gründe, die ihnen einfallen.
   Variante: Wenn Sie überwiegend ungeübtere TN im Kurs haben, verteilen Sie die Kopiervorlage zu A4 (im Internet). Hier sind mögliche „Ausreden" schon vorgegeben und die TN müssen diese nur noch in „weil"-Sätze umformulieren.

3. Wer die meisten Gründe gefunden hat, darf diese zuerst vortragen. Die anderen TN achten auf die richtige Satzstellung. Anschließend tragen andere TN ihre Gründe vor.
4. *fakultativ:* Verteilen Sie die Kärtchen der Kopiervorlage L1/A4. Führen Sie die Übung durch wie angegeben. Hier sollen die TN freie Antworten geben, die aber dennoch fiktiv bleiben, da die TN nicht unbedingt authentisch auf jede Frage antworten können. Machen Sie die TN ggf. darauf aufmerksam, dass sie sich etwas ausdenken können. Diese Übung können Sie auch als Wiederholung zu einem späteren Zeitpunkt einsetzen.

1 **B** Ich **bin** schon um drei Uhr
aufgestanden.

Perfekt der trennbaren Verben
Lernziel: Die TN können von Reiseerlebnissen berichten.

Materialien
B1 Kopiervorlage L1/A3
Tipp: Tuch oder weicher Ball
B2 vergrößerte Folie von B2; Kopiervorlage L1/B2
B3 Folie der Bilder von B3

B1 **Präsentation des Perfekts der trennbaren Verben: Eine E-Mail lesen**

1. Bevor Sie mit Lernschritt B beginnen, sollten Sie das Perfekt wiederholen. Die TN sehen sich noch einmal die Verben der Kopiervorlage L1/A3 an.
   Variante: Wenn Sie die Kopiervorlage nicht mehr aufgreifen wollen, lassen Sie jeden TN ein Verb im Infinitiv nennen und notieren Sie es an der Tafel. Achten Sie darauf, dass die TN nur einfache Verben nennen, keine trennbaren oder solche mit nicht-trennbarer Vorsilbe. Zeigen Sie dann auf ein Verb und fragen Sie einen TN nach dem Partizip. Löschen Sie den Infinitiv und notieren Sie an seiner Stelle das Partizip. Weisen Sie auf das „ge-" und „-t" oder „-en" hin. Dazu können Sie die TN die Verben in einer Tabelle sortieren lassen. Die TN können noch weitere Verben nennen, die sie kennen. Lassen Sie die TN die Verben in solche, die mit „sein", und solche, die mit „haben", benutzt werden, sortieren. Den TN sollte klar werden, dass alle Verben, die eine Ortsveränderung anzeigen, das Perfekt mit „sein" bilden. Da diese Regel nicht immer greift, sollten die TN die Verben, die das Perfekt mit „sein" bilden, gesondert lernen.
2. Die TN lösen die Übungen 12 und 13 im Arbeitsbuch.
3. Die TN lesen die E-Mail und markieren die Verben im Perfekt. Anschließend tragen sie sie in die Tabelle ein.
4. Weisen Sie auf den Grammatikspot hin und erklären Sie den TN, dass bei trennbaren Verben das „ge-" zwischen die Vorsilbe und den Verbstamm rutscht. Trennbare Verben kennen die TN bereits aus *Schritte international 1*, Lektion 5, und *Schritte international 2*, Lektion 12.
5. *fakultativ:* Die TN stellen sich in Partnerarbeit Fragen zur E-Mail. Machen Sie, wenn nötig, ein paar Beispiele: „Wann haben sich Karin und Maria zum letzten Mal gesehen?", „Wie lange ist Maria geflogen?" Gehen Sie herum und helfen Sie bei Schwierigkeiten.

TIPP
> Übungen zum Perfekt kann man nicht genug machen. Hier eine ganz schnelle: Die TN stellen sich in einem Kreis auf. Ein TN wirft einem anderen einen weichen Ball oder ein Tuch zu, dabei sagt sie/er ein beliebiges Verb. Die Fängerin oder der Fänger sagt die Perfektform, z.B. „Ich habe gespielt". Dann wirft sie/er das Tuch weiter und nennt ein Verb. Achten Sie auf ein schnelles Tempo, damit keine Langeweile aufkommt. Diese Übung können Sie auch später zum Wiederholen nutzen, z.B. regelmäßig vier Minuten, bevor Sie mit dem Unterricht beginnen, oder wenn Sie am Ende noch ein paar Minuten Zeit haben.

B2 **Variation: Anwendungsaufgabe zum Perfekt der trennbaren Verben**

1. Die TN sehen sich das Bild im Kursbuch an. Sprechen Sie mit den TN darüber, wo die Leute sind, was sie machen und was das für Leute sind. Anhand der Kleidung, der Sonnenbrille und dem Ball kann man auch sagen, woher sie gerade kommen (Urlaub am Meer).
2. Spielen Sie den Dialog vor und legen Sie dazu eine Folie von B2 auf. Markieren Sie im ersten Satz das Verb und die Vorsilbe und fragen Sie nach dem Infinitiv. Markieren Sie dann im zweiten Satz das Perfekt wie in B1.
3. Gehen Sie weiter vor wie auf Seite 14 beschrieben.
4. *fakultativ:* Wenn Sie ausreichend Zeit haben, erstellen Sie mit den TN zusammen eine Liste, was man nach einem Urlaub alles erledigen muss. Die TN sprechen anhand der Liste weitere Dialoge in Partnerarbeit oder im Plenum.
5. *fakultativ:* Kopieren Sie die Kopiervorlage L1/B2 einmal für jeden TN. Die TN gehen herum, suchen einen TN, auf den diese Information zutrifft, und notieren den Namen. So können die TN sich auch gegenseitig besser kennenlernen. Achten Sie darauf, dass die TN die Sätze als Fragen formulieren: „Hast du gestern im Supermarkt eingekauft?" Sie können das „unauffällig" tun, wenn Sie mitspielen. Um die Ergebnisse vorzustellen, bilden die TN einen Kreis. Ein TN tritt in die Mitte. Die anderen TN berichten, was sie über diesen TN erfahren und notiert haben. Dann geht ein anderer TN in die Mitte. Bei dieser Übung müssen immer wieder dieselben Perfektformen angewendet werden, die sich so gut einprägen.

Arbeitsbuch 14–15: in Stillarbeit oder als Hausaufgabe

B3 **Anwendungsaufgabe zum Perfekt bei trennbaren Verben: Eine Erzählung chronologisch strukturieren**

1. Die TN sehen sich die Bilder im Kursbuch an und ergänzen den Lückentext.
2. Die TN vergleichen ihre Lösung mit ihrer Partnerin / ihrem Partner.
3. Abschlusskontrolle im Plenum. *Lösung:* 1 aufgestanden; 3 ausgestiegen; 4 zurückgefahren, angekommen
4. Weisen Sie die TN auf den Infospot hin, der zeitliche Verbindungswörter auflistet, die man benutzt, wenn man eine Geschichte erzählt. Die TN schließen ihre Bücher und erzählen in Partnerarbeit anhand der Bilder, was passiert ist. Legen Sie dazu eine Folie auf, auf der nur die Bilder aus B3 zu sehen sind. Bitten Sie die TN, auch zu erzählen, warum sie zu spät aufgestanden sind, warum sie den falschen Zug genommen haben, warum sie vollkommen fertig gewesen sind, um auch die Nebensatzkonstruktion weiter zu üben. Jeder der Partner erzählt die Geschichte einmal.

Arbeitsbuch 16–17: in Stillarbeit oder als Hausaufgabe

Materialien
B1 Kopiervorlage L1/A3
Tipp: Tuch oder weicher Ball
B2 vergrößerte Folie von B2; Kopiervorlage L1/B2
B3 Folie der Bilder von B3

Ich **bin** schon um drei Uhr
aufgestanden.

Perfekt der trennbaren Verben
Lernziel: Die TN können von Reiseerlebnissen berichten.

<u>B4</u> **Aktivität im Kurs: Freies Gespräch über persönliche Missgeschicke**

1. Die TN sitzen in Gruppen zu viert zusammen. Bitten Sie zwei TN, den Musterdialog vorzulesen. Fragen Sie einen TN, ob er schon einmal in den falschen Zug eingestiegen ist. Wenn ja, fragen Sie genauer nach (Warum?, Wann?, Wo?), um auch den TN eine Anregung dazu zu geben.

2. Die TN sprechen in den Gruppen über ihre Missgeschicke.
   Variante: Diese Übungsform nennt sich „Kugellager": Stellen Sie die Stühle so zusammen, dass sie einen Außen- und einen Innenkreis bilden. Je ein TN vom Innenkreis sitzt einem TN vom Außenkreis gegenüber. Die TN stehen zunächst vor ihren Stühlen und laufen im Kreis. Die TN des Außenkreises laufen links herum, die des Innenkreises rechts herum. Wenn Sie „Stopp" rufen, setzen die TN sich auf den Stuhl, vor dem sie gerade stehen. Jeder TN hat nun eine Partnerin / einen Partner. Geben Sie ein Thema aus dem Buch vor, z.B. „in den falschen Zug einsteigen". Die Partner befragen sich gegenseitig nach ihren Erlebnissen. Auf Ihr Zeichen nehmen die TN ihre Wanderung wieder auf. Wieder rufen Sie „Stopp" und nennen ein Thema usw. Da die Partner ständig wechseln, können Sie die Themen auch mehrmals nennen, das schult vor allem nicht so lerngeübte TN.

Arbeitsbuch 18: als Hausaufgabe; **19–20:** in Stillarbeit oder als Hausaufgabe: Lassen Sie die TN selbst entscheiden, welche Übung sie lösen möchten/können. **21:** als Hausaufgabe

Aber ich **habe** fast das Flugzeug **verpasst**!

Perfekt der nicht-trennbaren Verben und der Verben auf *-ieren*
Lernziel: Die TN können von Reiseerlebnissen berichten.

Materialien
Lerntagebuch: Folie der Tabelle; Wörterbücher
C4 Kopiervorlage zu C4 (im Internet)

C1 · **Hörverstehen: Einem Gespräch folgen; Präsentation der nicht-trennbaren Verben und der Verben auf *-ieren***
1. Die TN lesen die Aufgabenstellung und hören den Dialog. Sie tragen ihre Lösungen ein.
2. Abschlusskontrolle im Plenum. *Lösung:* 1; 4; 3

C2 · **Systematisierung des Perfekts der nicht-trennbaren Verben und der Verben auf *-ieren***
1. Die TN ergänzen mit Hilfe des Gesprächs aus C1 die Partizip-II-Formen.
2. Abschlusskontrolle im Plenum. *Lösung:* verloren; bekommen; versucht; passiert
3. Weisen Sie die TN auf den Grammatikspot hin. Erklären Sie, dass bei Verben mit den Vorsilben „ver-", „be-", „er-" im Perfekt kein „ge-" vorangestellt wird. Die Verben auf „-ieren" haben im Perfekt lediglich ein „-t." Machen Sie die TN darauf aufmerksam, dass die Vergangenheit von „passieren" mit „sein" gebildet wird. Die TN sollten diese Form als Ausnahme auswendig lernen.
4. Sammeln Sie mit den TN weitere Verben an der Tafel und schreiben Sie das Perfekt daneben.

Arbeitsbuch 22: als Hausaufgabe

LERN
TAGEBUCH

Arbeitsbuch 23: Übertragen Sie die Tabelle aus dem Arbeitsbuch auf eine Folie. Sortieren Sie gemeinsam mit den TN einige Beispiele in die jeweils richtige Spalte. Erklären Sie den TN, dass das Sortieren hilft, unterschiedliche Formen zu strukturieren, um sie leichter erinnern und lernen zu können Danach arbeiten die TN selbstständig weiter. Wenn sie eine Perfektform nicht kennen, schlagen sie im Wörterbuch nach. Gehen Sie herum und zeigen Sie den TN, wo sie die entsprechende Information in ihrem Wörterbuch finden.

C3 · **Anwendungsaufgabe zum Perfekt der nicht-trennbaren Verben und der Verben auf *-ieren***
1. Die TN lesen die E-Mail und ergänzen die passenden Partizipien.
2. Die TN vergleichen ihre Lösung mit der Partnerin / dem Partner.
3. Abschlusskontrolle im Plenum. *Lösung:* vergessen – erklärt – verstanden – besichtigt – diskutiert – passiert

PHONETIK

Arbeitsbuch 24: im Kurs: Wiederholen Sie anhand dieser Übung die Aussprache von geschlossenem „e" und vokalischem „r" (vgl. *Schritte international 2*, Lektion 8).

Arbeitsbuch 25–27: in Stillarbeit oder als Hausaufgabe: Nicht so geübte TN lösen Übung 27a, während geübtere TN 27b bearbeiten. Da es sich um einen freien Text handelt, sammeln Sie die Texte ein und korrigieren Sie sie. Schreiben Sie eine Musterlösung, in die Sie Fehler einbauen, die von den TN häufig gemacht worden sind. Lassen Sie den Mustertext von allen TN zunächst in Partnerarbeit korrigieren. Besprechen Sie anschließend die Fehler im Plenum.

C4 · **Aktivität im Kurs: Ein eigenes Erlebnis erzählen**
1. Die TN lesen die Frage im Kursbuch. Geben Sie eine Zeit vor, vielleicht drei Minuten, in der die TN sich Notizen machen.
2. Die TN erzählen ihrer Partnerin / ihrem Partner von ihrem Erlebnis. Erinnern Sie die TN noch einmal an die Verbindungswörter aus B3.
Variante: Wenn Sie das flüssige Erzählen von kurzen Begebenheiten mehr üben möchten, lassen Sie die TN die Partner wechseln. Durch mehrfaches Erzählen kann man seine Geschichte perfektionieren. Dazu eignet sich auch die Übungsform des „Kugellagers", die unter B4 als Variante vorgestellt wurde. Die TN schreiben als Hausaufgabe ihr Erlebnis auf.
3. Wenn Ihre TN noch weitere Ideen brauchen oder noch mehr üben möchten, dann verteilen Sie die Kopiervorlage zu C4 (im Internet).

Materialien
D1 Folie des Stammbaums ohne die
    Bezeichnungen, leere Folie
D2 Kopiervorlage L1/D2
D3 Plakate und Filzstifte; Kopiervorlage zu D3 (im
    Internet) als Folie und Arbeitsblatt

Familie und Verwandtschaft

Das Wortfeld „Familienmitglieder"
Lernziel: Die TN können über ihre Familie berichten.

D **1**

D1   Wiederholung und Erweiterung des Wortfelds „Familienmitglieder"

1. Fertigen Sie von dem Stammbaum in D1 eine Folie an, auf der sie alle Familienbezeichnungen tilgen. Legen Sie die Folie auf und legen Sie darauf eine zweite leere Folie. Die Bücher bleiben zunächst geschlossen. Sagen Sie den TN, dass das Julias Familie ist. Erklären Sie auch, dass man ein solches Schema „Stammbaum" nennt.
2. Zeigen Sie auf Julias Eltern, schreiben Sie „die Eltern" über das Foto. Klären Sie mit den TN die Bezeichnungen, die im Buch bereits eingetragen sind („die Großeltern", „die Großmutter / Oma", „der Onkel", „der Cousin", „der Neffe"), und schreiben Sie diese auf die Folie.
3. Die TN öffnen ihr Buch und ergänzen die restlichen Bezeichnungen.
4. Die TN vergleichen ihre Lösung in Partnerarbeit. Währenddessen überträgt ein TN seine Lösung auf die Folie.
5. Der TN erläutert seine Lösung dem Plenum. Die anderen TN vergleichen und korrigieren ggf.
6. Geben Sie in einem weiteren Schritt die Artikel und die Pluralformen an.
7. Notieren Sie jetzt über dem Stammbaum auf der Folie: „Julias Familie = die Familie von Julia". Markieren Sie das „-s" und „von" und erklären Sie den TN, dass die Bedeutung identisch ist. Weisen Sie auch auf den Grammatikspot im Kursbuch hin. Den Genitiv mit „-s" kennen die TN bereits aus *Schritte international 1*, Lektion 2.
8. Zeigen Sie auf ein beliebiges Foto und fragen Sie: „Wer ist das?" Die TN antworten: „Das ist Julias Vater" oder „Das ist der Vater von Julia". Nachdem die TN das eine Weile geübt haben, entfernen Sie die Folie mit den Bezeichnungen, sodass nur noch die Folie mit den Fotos aufliegt. Die TN schließen ihre Bücher. Zeigen Sie wieder auf ein Foto und fragen Sie, wer das ist. Diese Übung setzen Sie fort, bis die TN Sicherheit in der Verwendung der neuen Bezeichnungen gewonnen haben.

Arbeitsbuch 28: in Stillarbeit oder als Hausaufgabe

D2   Erweiterung des Wortfelds „Familienmitglieder"

1. Die TN bearbeiten die Aufgabe und vergleichen ihre Lösungen in Partnerarbeit.
2. Abschlusskontrolle im Plenum. *Lösung*: a) Enkelkind; b) Schwägerin; c) Schwiegervater
3. Legen Sie noch einmal die Folie von D1 auf und ergänzen Sie mit Hilfe der TN die neuen Bezeichnungen. Führen Sie dabei auch „Schwiegermutter", „Schwiegereltern" und „Schwager" ein.
4. Fragen Sie: „Der Bruder von Julias Vater ist Julias …?" Sie können auch die Perspektive wechseln. Erklären Sie den TN, sie seien jetzt Julias Großvater. „Was ist Julia für Sie?" – „Sie ist mein Enkelkind." Wenn die TN das Prinzip begriffen haben, befragen sie sich in Partnerarbeit weiter.
5. Die TN erhalten die Kopiervorlage L1/D2 und tragen die Namen ihrer Familienmitglieder in den Stammbaum ein. Gehen Sie herum und helfen Sie bei Schwierigkeiten.
6. Die TN berichten über ihre Familie. Schreiben Sie dazu einige Stichwörter an die Tafel: Wohnort? Alter? Verheiratet? Beruf? Kinder?

Arbeitsbuch 29–31: als Hausaufgabe

D3   Aktivität im Kurs: Kursstatistik

1. Teilen Sie die TN in gleich große Gruppen ein. Jede Gruppe erhält einen Filzstift und ein Plakat, auf dem sie eine Liste anlegt, wie im Buch vorgegeben. Die TN der Gruppe befragen sich gegenseitig nach dem Beispiel im Buch. Statt des Plakats können Sie auch die Kopiervorlage D3 (im Internet) auf Folie ziehen und als Arbeitsblatt verteilen.
2. Wenn die Liste fertig ist, rechnet jede Gruppe zusammen: Wie viele Tanten, Onkel, Schwestern usw. hat die Gruppe insgesamt?
3. Die Gruppen nennen ihre Ergebnisse. Die Gruppe, die jeweils die meisten Tanten, Onkel usw. hat, bekommt einen Punkt. „Gewonnen" hat die Gruppe mit den meisten Punkten.

Arbeitsbuch 32: als Hausaufgabe für geübte TN

1 **E** Lebensformen

Gespräche über Wohn- und Lebensformen
Lernziel: Die TN können über Wohn- und Lebensformen berichten.

Materialien
E3 Kopiervorlage zu E3 (im Internet)
Test zu Lektion 1

E1 Präsentation des Wortfelds „Lebensformen"

1. Fragen Sie die TN, wie die Menschen heute zusammenleben. Machen Sie einen Wortigel an der Tafel. An den ersten Strich schreiben Sie „Familie = Mutter, Vater, Kinder". Fragen Sie die TN, welche Formen des Zusammenlebens sie noch kennen. Ergänzen Sie den Wortigel entsprechend.
2. Klären Sie anhand des Bildes im Kursbuch die Begriffe „Erdgeschoss", „Stock" und „Dachwohnung".
   Hinweis: In einigen Sprachen ist der erste Stock gleichbedeutend mit dem Erdgeschoss! Weisen Sie auch auf den Infospot im Kursbuch hin. Zur Einübung fragen Sie die TN: „Wo wohnt Herr Kaiser?" usw. Fragen Sie auch, wo die TN selbst wohnen, in welchem Stock der Kursraum ist usw.
3. Die TN sehen sich in Partnerarbeit das Bild an, lesen die Beispieltexte und überlegen gemeinsam, wer in welchem Stock lebt.
4. Die TN hören die Dialoge und tragen ihre Lösungen ins Kursbuch ein.
5. Abschlusskontrolle im Plenum. *Lösung (von oben nach unten):* der Single, die alleinerziehende Mutter, die Kleinfamilie

E2 Hörverstehen: Kernaussagen verstehen

1. Die TN lesen die Aufgabenstellung und die Beispielsätze. Klären Sie mit den TN, wenn nötig, den unbekannten Wortschatz.
2. Die TN hören die Hörtexte. Stoppen Sie hinter jedem Text und geben Sie den TN Zeit, ihre Lösung anzukreuzen. Wenn nötig, spielen Sie die Texte mehrmals vor.
3. Abschlusskontrolle im Plenum. *Lösung:* richtig: 1 (die zweite Aussage); 3; 4; falsch: 1 (die erste Aussage), 2
4. Weisen Sie die TN auf den Grammatikspot hin und erinnern Sie die TN, dass die lokale Präposition „bei" mit dem Dativ steht (vgl. *Schritte international 2*, Lektion 11).

Arbeitsbuch 33: als Hausaufgabe

E3 Aktivität im Kurs: Über die Lebensformen von Freunden, Bekannten, Nachbarn berichten

1. Die TN sitzen in Kleingruppen zusammen. Sie lesen die Aufgabenstellung und die Beispiele im Buch. Anschließend sprechen sie frei über ihre Freunde, Bekannten, Nachbarn. Regen Sie die TN auch dazu an, Nachfragen zu stellen.
   Variante: Wenn Sie die Übung spielerischer gestalten wollen, können Sie auch diese Übung als „Kugellager" (siehe B4, Variante, S. 23) durchführen oder mit den Kärtchen aus der Kopiervorlage zu E3 (im Internet) arbeiten.
2. Als Hausaufgabe oder – wenn Sie genügend Zeit haben – im Kurs schreiben die TN einen kleinen Text über die „Lebensform" einer Person ihrer Wahl. Sammeln Sie die Texte ein und korrigieren Sie sie. Besprechen Sie Fehler, die häufig gemacht werden, im Plenum.

Arbeitsbuch 34: in Stillarbeit

LÄNDER INFO Wohngemeinschaften sind insbesondere unter Studenten und jüngeren Menschen in Großstädten beliebt: Mehrere Personen teilen sich die Kosten einer Wohnung, benutzen Bad und Küche gemeinsam und haben jeder für sich ein Zimmer. Hier handelt es sich nicht unbedingt um Freunde, die sich für eine gemeinsame Wohnung entscheiden. Oft wohnen Personen zusammen, die sich vor dem Zusammenwohnen gar nicht gekannt haben, unterschiedliche Berufe oder Ausbildungen und einen eigenen Freundeskreis haben.

Einen Test zu Lektion 1 finden Sie auf Seite 122 f. Weisen Sie die TN auf die interaktiven Übungen auf ihrer Arbeitsbuch-CD hin. Die TN können mit diesen Übungen den Stoff der Lektion selbstständig wiederholen und sich ggf. auch auf den Test vorbereiten.

Zwischenspiel 1
Ich kenn' dich
Landeskunde: Partnerstädte

1

Lese-/Hörverstehen: Sich über eine Stadt informieren; Ein Lied hören

1. Verteilen Sie die Kopiervorlage „Zwischenspiel zu Lektion 1". Die TN überfliegen die Infotexte zu den Städten Rostock, Magdeburg und Braunschweig im Buch und ergänzen die Informationen in der Tabelle.

2. Abschlusskontrolle im Plenum. Sprechen Sie dabei auch darüber, ob die Städte auch Partnerstädte in Ihrem Land haben. *Lösung:* Rostock: 1218, an der Ostsee, 200.000 Einwohner, Mecklenburg-Vorpommern, Fußballverein „Hansa Rostock"; Magdeburg: 805, an der Elbe, 230.000 Einwohner, Landeshauptstadt von Sachsen-Anhalt, Magdeburger Reiter, Magdeburger Dom; Braunschweig: 1031, 240.000 Einwohner, Niedersachsen, Braunschweiger Löwe

3. Fragen Sie die TN, was Partnerstädte sind. Vielleicht hat die Heimatstadt der TN auch eine Partnerstadt im Ausland. Gibt es Aktivitäten und Programme zwischen den Städten? Geben Sie ggf. die Informationen aus der Länder-Info unten.

4. Die TN betrachten das große Foto und überlegen gemeinsam, was hier wohl passiert ist. Wie stehen die beiden jungen Leute zueinander? Kennen sie sich? Worüber sprechen sie?

5. Teilen Sie den Kurs in zwei Gruppen: Eine Gruppe soll beim anschließenden Hören des Liedes darauf achten, wo die beiden jungen Leute sich treffen, die andere Gruppe darauf, woher der Mann die junge Frau zu kennen meint.

6. Spielen Sie das Lied vor.

7. Abschlusskontrolle im Plenum. *Lösung:* a) In Braunschweig. b) Aus Rostock oder aus Magdeburg.

8. Spielen Sie das Lied noch einmal vor und bitten Sie die TN, darauf zu achten, wie der junge Mann das Gespräch mit der Frau sucht und wie sie reagiert. Die TN lesen dabei die Aussagen <u>a</u> bis <u>e</u> auf der Kopiervorlage mit (Übung 2). Sammeln Sie die Reaktionen der Frau.

9. Die TN überlegen paarweise, wie eine Frau in ihrem Land reagieren würde, und schreiben die Antworten auf.

10. Die TN vergleichen im Plenum ihre Antworten. Wenn die TN sich am Thema interessiert zeigen, fragen Sie sie, wie sie den Mann empfinden, wie die Frau? Führen Sie ggf. Begriffe wie „jemanden anmachen", „jemanden kennenlernen wollen", „jemanden freundlich ansprechen", „aufdringlich sein" usw. ein, um den TN Ausdruckshilfen für ihre Meinung zu geben. *Hinweis:* Es gibt hier keine eindeutige „Lösung", geben Sie den TN daher Raum für eine Diskussion und lassen Sie verschiedene Ansichten gelten.

LÄNDER INFO

Eine Städtepartnerschaft ist eine Partnerschaft zwischen zwei Städten mit dem Ziel, sich kulturell und wirtschaftlich auszutauschen. Die meisten Partnerschaften bestehen zwischen Städten in verschiedenen Ländern. Die erste offizielle Partnerschaft sollen im Jahr 1930 die Städte Wiesbaden und Klagenfurt (Österreich) miteinander geschlossen haben. Seit der Wiedervereinigung Deutschlands gibt es auch viele Partnerschaften zwischen West- und Ostgemeinden oder -kreisen, die vor allem der Unterstützung der ostdeutschen Kommunen dienen. Häufig finden zwischen den Partnerstädten offizielle Besuche der Stadtverwaltung oder von Vereinen statt. Es gibt auch gegenseitige kulturelle Veranstaltungen, z.B. Konzert eines Chors in der Partnerstadt.

2

Ein Lied singen

1. Teilen Sie die Transkription des Kennenlern-Liedes (Seite 138) aus. Die TN hören das Lied und lesen oder singen mit. *Hinweis:* Vorschläge zur Didaktisierung von Liedern im Unterricht finden Sie im Lehrerhandbuch zu *Schritte international 1*, Seite 27.

2. *fakultativ:* Die TN schreiben als Hausaufgabe analog zu den Städtetexten im Buch einen kurzen Infotext zu ihrer eigenen Stadt.

Weitere Materialien für noch mehr Abwechslung im Unterricht finden Sie unter www.hueber.de/schritte-international.

ZU HAUSE

Folge 2: *Wieder was gelernt!*
Einstieg in das Thema: Mülltrennung

Materialien
1 leere Glasflasche + Joghurtbecher, Plastikverpackung, Tetrapak, alte Zeitung, Prospekt, leere Zigarettenschachtel, Coladose, Glühbirne, Kartons oder Tüten; Poster zur Foto-Hörgeschichte
4 Lesetext auf Folie

1

Vor dem Hören: Hinführung zum Thema; Schlüsselwörter verstehen

1. Bereiten Sie vorab unterschiedliche Kartons oder Tüten als Müllbehälter für Plastik, Papier, Bioabfall etc. vor. Bringen Sie unterschiedlichen „Müll" mit in den Kurs und legen Sie diesen gut sichtbar aus.
2. Sammeln Sie zunächst mit den TN die Wörter zu den mitgebrachten Gegenständen an der Tafel und führen Sie ggf. den Begriff „Container" bzw. „Tonne" mit Hilfe der Fotos im Buch ein.
3. Vielleicht haben die TN schon gehört, dass der Müll in den deutschsprachigen Ländern getrennt wird. Stellen Sie Ihre vorbereiteten Müllbehälter auf. Einige TN werfen die kaputten Gegenstände und gebrauchten Verpackungsmaterialien in den jeweils passenden Müllbehälter.
4. Korrigieren Sie anschließend gemeinsam mit allen TN die Zuordnung, indem Sie die Gegenstände nach und nach wieder aus den Müllbehältern nehmen und die TN fragen: „Gehört das da rein?" Abschließend können Sie noch einmal alle Gegenstände benennen, die nun auf jeden Fall neben dem richtigen Müllbehälter liegen sollten. Sagen Sie: „Die gehören da rein."
   ! Verwenden Sie „reingehören" hier als Floskel. Die TN werden das Wort durch Ihr deutliches Zeigen auf den Müllbehälter verstehen. Die Direktionaladverbien „rein", „raus" etc. sind Thema von Lernschritt C in dieser Lektion.
5. Die TN sehen sich die Fotos im Buch an. Deuten Sie willkürlich auf einige Fotos und fragen Sie: „Wo sehen Sie den Hausmeister?"; „Wo sehen Sie Müll aus Plastik?", „Wo sehen Sie Müll aus Glas?" Die TN nennen die Fotonummer oder zeigen auf das entsprechende Foto im Kursbuch oder auf dem Poster zur Foto-Hörgeschichte. Wenn die TN eines der Wörter nicht kennen, helfen Sie.

LÄNDER INFO

Deutschland gilt als das Land mit den international strengsten Umweltauflagen. Daher wundert es kaum, dass der Müll getrennt wird und zwar nicht nur an öffentlichen Plätzen, sondern auch in privaten Haushalten. Am häufigsten gesammelt werden Altpapier, Altglas (z.T. unterteilt in Weiß- und Buntglas), Verpackungen (in vielen Haushalten Deutschlands ist das der „gelbe Sack"), Metalle und Bioabfall. Für Sondermüll (Batterien, Porzellan, Bauschutt etc.) gibt es Wertstoffhöfe, in denen Abfall auch in größeren Mengen entsorgt werden kann.

2

Vor dem Hören: Worterklärungen

1. Die TN lesen die Aussagen im Buch und kreuzen an, was richtig bzw. falsch ist. Helfen Sie ggf. bei Wortschatzfragen.
2. Die TN vergleichen ihre Ergebnisse mit ihrer Partnerin / ihrem Partner. Vergleichen Sie die Antworten im Plenum.
   Lösung: a) (von oben nach unten): richtig, falsch, richtig, richtig; b) richtig, falsch, richtig, richtig

3

Beim ersten Hören

1. Deuten Sie auf den Titel der Foto-Hörgeschichte und auf Foto 8 und fragen Sie: „Was haben Maria, Larissa und der Hausmeister an diesem Tag gelernt?"
2. Die TN hören die Foto-Hörgeschichte einmal durchgehend und verfolgen die Geschichte dabei auf den Fotos im Buch mit.
   Lösungsvorschlag: <u>Maria</u>: In Deutschland trennt man Müll; <u>Larissa</u>: Der Mann auf dem Bild in Marias Zimmer ist Mozart; <u>der Hausmeister</u>: Maria ist Au-pair-Mädchen und kommt aus Südamerika. Dort spricht man auch Spanisch.
3. Weitere Alternativen zum Umgang mit der Foto-Hörgeschichte finden Sie auf Seite 12 f.

4

Nach dem ersten Hören: Details der Geschichte verstehen

1. Lesen Sie zusammen mit den TN den ersten Satz des Lesetextes und fragen Sie: „Was stimmt hier nicht?" und „Wie muss es richtig heißen?" Die TN korrigieren den Satz. Die vorgegebene Lösung neben dem Text hilft ihnen dabei.
2. Die TN lesen den Text in Stillarbeit und korrigieren die Fehler mit der Partnerin / dem Partner. Gehen Sie herum und helfen Sie bei Schwierigkeiten.
3. Die TN hören die Foto-Hörgeschichte noch einmal so oft wie nötig und korrigieren sich ggf. selbst.
4. Abschlusskontrolle im Plenum mithilfe der Folie. Tragen Sie die Ergebnisse der TN in den Text ein.
   Lösung: ~~das Bild~~ → den Müll; ~~Komponist~~ → Hausmeister; ~~in den Keller~~ → auf den Hof

5. *fakultativ:* Die TN schließen das Buch und schreiben allein oder zu zweit eine inhaltliche Zusammenfassung der Foto-Hörgeschichte. Durch die Reproduktion können Sie und die TN feststellen, wie gut die wesentlichen Punkte der Geschichte verstanden wurden. Zugleich wird die Schreibfertigkeit trainiert. Sammeln Sie die Texte ein und korrigieren Sie sie insbesondere inhaltlich. Geübte TN können bewusst vier Fehler in ihren Text einbauen und ihren Text im Kurs vorlesen. Die anderen versuchen, die Fehler zu entdecken.

5

Nach dem Hören: Die eigene Meinung sagen

1. Wiederholen Sie an der Tafel mit den TN Adjektive zu Sympathie und Antipathie (sympathisch, freundlich, nett, unsympathisch, unfreundlich, streng …)
2. Die TN sagen, wie sie den Hausmeister finden.
   ! Die TN sollten auf diesem Niveau möglichst viel bis ausschließlich Deutsch im Unterricht sprechen. Fordern Sie daher an dieser Stelle keine detaillierten Begründungen darüber, warum der Hausmeister wie wirkt.

Materialien
A1 Bilderrahmen
A2 Bild 1 auf Folie
A3 kleine Gegenstände (Stift, Brille ...);
 Kopiervorlage L2/A3
A4 Kopiervorlage L2/A4

Die Müllcontainer **stehen im Hof**.

A **2**

Positionsverben; Wiederholung der Präpositionen auf die Frage *Wo?*
Lernziel: Die TN können die Position von Gegenständen und Personen angeben.

A1   **Präsentation: Ortsangaben mit den Positionsverben** *stehen*, *liegen*, *hängen*, *stecken* **und mit** *sein*

1. Fragen Sie: „Wo stehen die Müllcontainer?" Deuten Sie dabei ggf. noch einmal auf die Fotos 3 bis 6 der Foto-Hörgeschichte. Warten Sie die Antwort der TN ab, bevor diese Beispiel a) lesen.
2. Die TN lesen die übrigen Beispiele in Stillarbeit und ordnen die passenden Satzteile zu.
3. Abschlusskontrolle im Plenum. Schreiben Sie die vollständigen Sätze auf Zuruf an die Tafel und kreisen Sie die Positionsverben ein, um sie hervorzuheben.
 Lösung: b) Das Bild von Mozart hängt an der Wand. c) Die Flaschen stehen auf dem Boden. d) Die Decke liegt auf dem Sofa. e) Das Handy steckt in der Jacke.
4. Verdeutlichen Sie die Bedeutung der Positionsverben, indem Sie einen mitgebrachten Bilderrahmen aufstellen bzw. hinlegen oder in die Tasche stecken usw. und erklären Sie jeweils: „Das Bild steht auf dem Tisch." etc. Machen Sie die TN auch auf den Grammatikspot im Kursbuch aufmerksam.
 Hinweis: Die Unterscheidung der Positionsverben kann für die TN zunächst ungewohnt sein, wenn es in ihrer Sprache nicht für jedes dieser Verben eine Entsprechung gibt, sondern das Verb „sein" in viel stärkerem Ausmaß verwendet wird als im Deutschen.

A2   **Anwendungsaufgabe zu den Positionsverben**

1. Sehen Sie sich zusammen mit den TN Bild 1 auf einer Folie an. Fragen Sie: „Steht, liegt, steckt oder hängt die Vase auf dem Tisch?" Fragen Sie auch nach der Milch im Kühlschrank.
2. Die TN lösen die übrigen Beispiele in Stillarbeit.
3. Abschlusskontrolle im Plenum. *Lösung:* 2 liegen; 3 hängen; 4 stecken

Arbeitsbuch 1–2: in Stillarbeit; **3:** im Kurs als Vorentlastung zu A3 im Kursbuch

A3   **Wiederholung: Wechselpräpositionen mit Dativ; Anwendungsaufgabe zu den Positionsverben**

1. Die Wechselpräpositionen mit Dativ wurden bereits in *Schritte international 2*, Lektion 11 eingeführt, sie sollten also bekannt sein. Wenn Sie aber viele Quereinsteiger im Kurs haben, sollten Sie die Präpositionen noch einmal ausführlicher wiederholen. Schreiben Sie dazu die Frage „Wo liegt/steht/hängt/steckt ...?" an die Tafel.
2. Legen Sie einige Gegenstände an verschiedene Plätze im Kursraum und fragen Sie: „Wo liegt der Bleistift?", „Wo ist meine Tasche?" etc. Die TN lokalisieren die Gegenstände. Notieren Sie dabei sukzessive die verwendeten Präpositionen an der Tafel. Verweisen Sie auch auf den Wiederholungsspot im Buch.
3. *fakultativ:* Wenn Ihre TN im Gebrauch der Artikel im Dativ noch unsicher sind, können Sie die Kopiervorlage L2/A3 kopieren und verteilen. Weisen Sie zuvor noch einmal deutlich auf den Grammatikspot hin.
 Lösung: der; dem; dem; der; der; der; dem; dem; dem; dem; der; dem
4. Deuten Sie auf das Bild im Buch und fragen Sie: „Wo liegt der Teppich?" und „Wo hängt die Hose?" Achten Sie darauf, dass die TN die richtigen Präpositionen und Artikel verwenden. Die TN stellen sich in Partnerarbeit gegenseitig Fragen. Die Grammatikspots helfen ihnen dabei. Gehen Sie herum, helfen und korrigieren Sie, wenn nötig. Achten Sie darauf, dass die TN auch die Positionsverben verwenden.

Arbeitsbuch 4–7: als Hausaufgabe; **8:** im Kurs als Zusatzübung für schnelle TN

A4   **Aktivität im Kurs: Lebende Bilder**

1. Die TN sehen sich die Beispiele im Buch an und finden sich in Gruppen von vier Personen zusammen. Sie beraten in der Gruppe, wie ihr „Bild" aussehen soll.
2. Die Gruppen stellen nacheinander ihr Bild, die anderen beschreiben das Bild.

3. *fakultativ:* Wenn Sie den TN noch weitere Übungsmöglichkeiten anbieten möchten, kopieren Sie die Kopiervorlage L2/A4 und zerschneiden Sie sie. Die TN finden sich paarweise zusammen, ein TN erhält Zeichnung A, der andere Zeichnung B. Die TN halten ihre Zeichnung so, dass der andere sie nicht sehen kann. Ein TN beginnt und beschreibt der Partnerin / dem Partner seine Zeichnung, die Partnerin / der Partner zeichnet in die leere Vorlage. Abschließend werden Original und Zeichnung verglichen. Dann tauschen die TN. Wenn einige Paare schneller fertig sind als andere, können diese die beiden Bilder (schriftlich) vergleichen, z.B.: „Bei ... steht der Tisch in der Mitte, mein Tisch steht an der Wand." usw.

Häng das Bild doch an die Wand!

Richtungsverben *stellen*, *legen*, *hängen*, *stecken*, Wechselpräpositionen mit Akkusativ
Lernziel: Die TN können Ortsangaben machen.

Materialien
B1 Kopiervorlage L2/B1
B2 Kopiervorlage L2/B2

B1 **Präsentation der Richtungsverben *stellen*, *legen*, *hängen* und *stecken* sowie der Wechselpräpositionen auf die Frage *Wohin?***

1. Deuten Sie auf Foto 1 der Foto-Hörgeschichte und fragen Sie: „Wohin soll Maria das Bild hängen?" und „Warum?". Die TN hören den ersten Abschnitt der Foto-Hörgeschichte noch einmal und beantworten die Fragen. Lesen Sie dann gemeinsam mit den TN Beispiel a) im Buch.
2. Die TN lesen die übrigen Sätze und entscheiden, welche Sätze zusammenpassen.
3. Abschlusskontrolle mit Hilfe der CD/Kassette im Plenum.
   Lösung: b) In dem Regal haben sie doch noch Platz, oder? c) Da kannst du sie immer anschauen. d) Und morgen kaufen wir noch ein kleines Bücherregal.
   Variante: Die TN hören sofort die CD/Kassette und ordnen die passenden Sätze zu, bevor sie ihre Ergebnisse beim zweiten Hören kontrollieren.
4. Schreiben Sie an die Tafel:

> *Wohin* soll Maria das Bild **hängen?**
> *Wohin* soll sie die CDs **stellen?**
> *Wohin* soll sie die Fotos **stellen?**
> *Wohin* soll sie die Bücher **legen?**

Lesen Sie die Fragen einzeln vor. Die TN ergänzen die richtigen Antworten mithilfe des Buches. Notieren Sie die Antworten ebenfalls an der Tafel.

> *Wohin* soll Maria das Bild **hängen?** **An die** Wand.
> ...

5. Schreiben Sie dann auch passende Beispiele für die Frage „Wo?" an die Tafel. Notieren Sie die Fragen und Antworten möglichst so, dass der Unterschied zwischen Ort (Dativ) und Richtung (Akkusativ) sofort ersichtlich wird.

> | **Akkusativ** | | **Dativ** |
> | *Wohin* soll Maria das Bild **hängen?** **An die** Wand. | **Wo hängt** das Bild dann? | **An der** Wand. |

6. Weisen Sie die TN anhand des Tafelbildes explizit darauf hin, dass man für die Frage „Wohin" ggf. andere Verben benötigt als für die Frage „Wo". Deuten Sie dann auf die Antworten und lesen Sie die Fragen bzw. Antworten noch einmal kontrastiv, so, dass die unterschiedlichen Kasus deutlich werden. Verweisen Sie die TN auch auf die Grammatikspots.
7. Verteilen Sie anschließend die Kopiervorlage L2/B1 und machen Sie zunächst ein bis zwei Beispiele mit den TN gemeinsam, bevor diese die Übung in Partnerarbeit fortsetzen. Gehen Sie herum und helfen Sie bei Schwierigkeiten.
8. Abschlusskontrolle im Plenum. *Lösung:* b) dem; c) ins / in das; d) im / in dem; e) die; f) der; g) die; h) der

B2 **Anwendungsaufgabe zu den Richtungs- und Positionsverben sowie zu den Wechselpräpositionen**

1. Die TN bearbeiten die Übung allein oder zu zweit.
2. Abschlusskontrolle im Plenum.
   Lösung: A Frau Rieder hängt die Lampe an die Decke. B Der Schlüssel steckt im Schloss. C Frau Rieder hängt die Kleider in den Schrank. D Die Blumen stehen auf dem Tisch.
3. Wenn Ihre TN gern zeichnen, können sie zu dem jeweils anderen Beispiel in der Aufgabe ein passendes Bild zeichnen.
   Geübte TN zeichnen jeweils eine Situation zu den Verben „sich setzen" und „sitzen" sowie zu „legen" und „liegen". Wer will, kann sein Bild abschließend im Plenum präsentieren und dann im Kursraum aufhängen.
   Variante: Wenn Ihre TN nicht gern zeichnen, können Sie für alle die Kopiervorlage L2/B2 kopieren und diese in Stillarbeit oder zur Vertiefung als Hausaufgabe bearbeiten lassen.
   Lösung: a) Die Lampe hängt an der Decke. b) Frau Rieder steckt den Schlüssel ins Schloss. c) Die Kleider hängen im Schrank. d) Frau Rieder stellt die Blumen auf den Tisch. e) Frau Rieder legt die Zeitung auf den Tisch. f) Frau Rieder sitzt auf dem Sofa.

Arbeitsbuch 9–11: in Stillarbeit oder als Hausaufgabe; **12:** als Hausaufgabe: Die TN machen sich die formalen wie sematischen Unterschiede der Wechselpräpositionen bewusst.

Häng das Bild doch an die Wand!

Richtungsverben *stellen, legen, hängen, stecken*, Wechselpräpositionen mit Akkusativ
Lernziel: Die TN können Ortsangaben machen.

B **2**

B3 **Variation: Anwendungsaufgabe zu den Richtungs- und Positionsverben sowie zu den Wechselpräpositionen**
1. Die TN unterstreichen im Musterdialog a) die Stellen, die variiert werden sollen.
2. Gehen Sie dann weiter vor wie auf Seite 14 beschrieben.

Arbeitsbuch 13–15: in Stillarbeit oder als Hausaufgabe

B4 **Aktivität im Kurs: Ratespiel**
1. Teilen Sie den Kurs in zwei Gruppen. Erklären Sie dann anhand eines Beispiels den Spielverlauf. Fragen Sie dazu Gruppe 1: „Was verstecken wir?" Die TN wählen fünf beliebige Gegenstände aus. Halten Sie diese der Reihe nach hoch und fragen sie jeweils: „Wohin legen wir …?" oder „Wohin stellen wir …?". Legen Sie die Gegenstände an die genannten Orte. Fragen Sie dann Gruppe 2: „Wo liegt …?" etc.
2. Bitten Sie Gruppe 1, vor die Tür zu gehen. Gruppe 2 wählt fünf Gegenstände aus, die sie verstecken will, und macht Notizen zu den Verstecken.
3. Gruppe 1 kommt zurück ins Zimmer und rät, wo sich die entsprechenden Gegenstände jetzt befinden.
4. Wenn alle Positionen erraten sind, wird gewechselt und Gruppe 2 verlässt das Zimmer.
   Hinweis: Um den spielerischen Charakter der Aufgabe zu unterstreichen, können Sie ein Zeitlimit vorgeben, innerhalb dessen die Orte erraten werden sollen. Die Gruppe, die in der vorgegebenen Zeit die meisten Gegenstände lokalisiert hat, hat gewonnen.

Warten Sie einen Moment.
Ich komme **raus**.

Direktional-Adverbien *raus, rein, rauf, runter* und *rüber*
Lernziel: Die TN können Richtungen angeben.

Materialien
C2 auf Folie
C3 vergrößert auf Kärtchen; ggf. Papier oder
Kärtchen für Zeichnungen der TN; Kopiervorlage
zu C3 (im Internet)

C1   **Präsentation der Direktional-Adverbien**

1. Spielen Sie die kurzen Sequenzen so oft wie nötig vor. Die TN lesen dabei im Buch mit und ergänzen die Lücken.
2. Abschlusskontrolle im Plenum. *Lösung:* 1 runter; 3 rein; 4 rein
3. Fragen Sie: „Wohin bringt Maria den Müll?". Wiederholen Sie dann noch einmal ganz betont „Maria bringt den Müll <u>runter</u>" und verdeutlichen Sie die Bedeutung des Direktional-Adverbs, indem Sie mit der Hand eine Bewegung nach unten beschreiben. Mit den übrigen Direktional-Adverbien können Sie, wenn nötig, genauso verfahren. Sie können die TN aber auch direkt auf den Infospot verweisen. Die grafische Darstellung erleichtert das Verständnis.

C2   **Anwendungsaufgabe zu den Direktional-Adverbien**

1. Sehen Sie gemeinsam mit den TN Bild A an. Ein TN liest die Sprechblase vor.
2. Die TN finden in Partnerarbeit passende Sätze zu den übrigen Beispielen.
3. Legen Sie dann abschließend eine Folie mit den richtigen Lösungen auf. Die TN korrigieren sich selbst.
   Lösung: B Komm doch raus! C Komm doch rauf! D Komm doch runter! E Kommen Sie doch rüber!
4. Machen Sie anhand von Beispiel A deutlich, dass die Direktional-Adverbien meist mit einem Verb verbunden sind und dann wie ein trennbares Verb behandelt werden.

Dann **kommen** Sie mal **rein**. (reinkommen)

Ich **bringe** dir dann eine Brezel **mit**. (mitbringen)

   ❗ Trennbare Verben kennen die TN bereits aus *Schritte international 1* und *2*, sodass Sie an dieser Stelle nicht zu ausführlich zurückgreifen sollten, auch, um die TN nicht zu verwirren, denn Direktional-Adverbien müssen nicht bei einem Verb stehen. Sie können auch allein benutzt werden (z.B. „Raus!").

Arbeitsbuch 16–18: als Hausaufgabe

C3   **Aktivität im Kurs: Schreiben und Zeichnen**

1. Kopieren Sie vorab die Beispiele aus dem Buch auf Kärtchen. Halten Sie das erste Kärtchen hoch und fragen Sie: „Wohin kommt der Pullover?" Deuten Sie dann selbst auf das Schrankinnere und sagen Sie: „Da rein. In den Kleiderschrank."
2. Die TN finden sich paarweise zusammen. Jeder TN erhält fünf Kärtchen oder Zettel, auf die sie/er jeweils einen Gegenstand zeichnet und ein passendes Stichwort notiert.
3. Haben beide Partner ihre Kärtchen fertiggestellt, befragen sie sich nach dem vorgegebenen Muster gegenseitig. Wenn Sie wenig Zeit im Unterricht haben oder wenn Ihre TN nicht gern zeichnen, können Sie die Kopiervorlage zu C3 (im Internet) an die TN verteilen. Gehen Sie herum und helfen Sie bei Schwierigkeiten.

**LERN
TAGEBUCH**

Arbeitsbuch 19: Sammeln Sie gemeinsam mit den TN alle Wechselpräpositionen an der Tafel und zeigen Sie mit Hilfe der Beispiele im Lerntagebuch, wie man die Bedeutung der Präpositionen visuell darstellen kann. Die TN zeichnen zu den übrigen Präpositionen kleine Bilder.
Greifen Sie dann eine Präposition heraus und visualisieren Sie die unterschiedliche Verwendung (Wo?/Wohin?) exemplarisch an der Tafel. Sie können dabei auf das Beispiel im Buch zurückgreifen. Die TN zeichnen weitere Beispiele. Wenn Sie nicht viel Zeit haben, können die TN die Zeichnungen auch zu Hause anfertigen. Lassen Sie sich diese aber zeigen, um sicherzugehen, dass die TN die Übung gemacht haben und nun ein komplettes Schema der Wechselpräpositionen im Lerntagebuch haben.
Zusätzlich können sich die TN auch eine visuelle Lernhilfe für die Direktional-Adverbien überlegen oder die Beispiele aus dem Infospot im Kursbuchteil ins Lerntagebuch übertragen.

PHONETIK

Arbeitsbuch 20–22: Diese Übungen brauchen Sie nur zu machen, wenn es in der Sprache der TN die Laute „ü" und „ö" nicht gibt. Oft tun sich TN mit Ausgangssprachen ohne diese Laute schwer, diese überhaupt zu hören, geschweige denn zu artikulieren. Spielen Sie Übung 20 vor, die TN kreuzen an, wo sie „ü" hören. Wiederholen Sie ggf. die Aussprache von „ü" (vgl. *Schritte international 1*, Lehrerhandbuch, Seite 54). Spielen Sie Übung 21 vor, die TN hören und sprechen im Chor nach. Geben Sie ihnen auch Gelegenheit, in Partnerarbeit zu sprechen und zu üben. Gehen Sie genauso mit Übung 22 vor. Als Hausaufgabe können Sie die TN anregen, analog zu Übung 21 Sätze mit „e" und „ö" zu schreiben. Die TN können ihre Vorschläge dann untereinander austauschen und die Sätze üben.

Tratsch im Mietshaus

Gespräche über andere Personen
Lernziel: Die TN können mit Hilfe von Hörstrategien ein längeres Gespräch hören und verstehen.

D1   Vorbereitung zum Hörverstehen: Das Thema verstehen

1. Kopieren Sie die Zeichnung möglichst groß und in Farbe auf ein Plakat und hängen Sie dieses an die Tafel. Die TN beschreiben das Bild und die Situation: Was vermuten sie? Worüber sprechen die beiden Frauen und wo sind sie?
2. Die TN öffnen ihr Buch und lesen die Aufgabe. Sie kreuzen ihre Lösung an.
3. Abschlusskontrolle im Plenum. Wenn die TN sich für die „falsche" Lösung entschieden haben, lassen Sie sie ihre Entscheidung begründen. *Lösung:* Sie sprechen über andere Leute …

D2   Hörverstehen 1: Mit Bildern einen Hörtext strukturieren

1. Die TN betrachten die Zeichnungen im Buch und lesen die Sätze. Sie versuchen eine passende Zuordnung, ohne den Text gehört zu haben.
2. *fakultativ:* Die TN notieren drei Vermutungen darüber, was im Hörtext gesprochen wird. Dabei helfen die Bilder und Sätze.
3. Spielen Sie die CD/Kassette vor. Die TN überprüfen beim Hören ihre Vermutungen.
4. Abschlusskontrolle im Plenum. *Lösung:* 1 Ilse muss zum Arzt, weil sie Rückenschmerzen hat. 2 Herr Fürst ist der neue Mieter. 3 Heidrun will einkaufen gehen. 4. Frau Wagner ist die Nachbarin von Heidrun.

D3   Hörverstehen 2: Wichtige Informationen verstehen

1. Bitten Sie die TN, ihr Buch wieder zu schließen. Erklären Sie, dass sie sich beim zweiten Hören auf drei wichtige Schlüsselwörter bzw. Schlüsselinformationen konzentrieren sollen.
2. Spielen Sie die CD/Kassette noch einmal vor. Die TN notieren ihre persönlichen Schlüsselinformationen.
3. Die TN vergleichen ihre Notizen mit der Partnerin / dem Partner.
4. Sie öffnen das Buch und lesen Aufgabe a). Dabei können sie prüfen, welche Informationen oder Begriffe sie womöglich selbst auch notiert hatten. Mit dieser Übung leiten Sie die TN dazu an, bedeutungsorientiert und zielorientiert zu hören.
5. Die TN hören das Gespräch zwischen Heidrun und Ilse noch einmal und kreuzen ihre Lösungen an.
6. Abschlusskontrolle im Plenum. *Lösung:* Herr Fürst ist geschieden. Er hat kleine Kinder. Er stellt den Kinderwagen vor dem Aufzug ab. Er hat auch einen Hund.
7. *fakultativ:* Sammeln Sie mit den TN die Informationen über Herrn Fürst, an die sie sich vielleicht noch erinnern können.
8. Die TN hören noch einmal Teil 2 des Gesprächs und unterstreichen die richtigen Informationen.
   Lösung: Er hat keine Kinder. Er stellt seine Kisten vor dem Eingang ab. Er hat auch einen Papagei.

D4   Hörverstehen 3: Wichtige Details eines Gesprächs verstehen

1. Die TN lesen die Aussagen. Sie sagen, woran sie sich vom ersten Hören in D2 noch erinnern können. Damit machen Sie den TN bewusst, wie viel sie beim ersten Hören schon verstanden haben, auch ohne sich auf einzelne Informationen zu konzentrieren.
   Variante: Wenn die TN noch keine Informationen aus der Erinnerung nennen können, bilden sie Hypothesen und kreuzen – am besten mit Bleistift – ihre vermuteten Lösungen vor dem Hören an.
2. Die TN hören Teil 3 und Teil 4 des Gesprächs noch einmal und kreuzen ihre Lösungen an. Machen Sie die TN vorab darauf aufmerksam, dass die Informationen im Text in anderen Worten als in den Aussagen im Buch vorkommen können.
3. Abschlusskontrolle im Plenum. *Lösung:* b) Ilse und Heidrun; c) Frau Wagner; d) Ilse und Heidrun; e) Ilse und Heidrun; f) Frau Wagner
4. Bevor Sie zu Aufgabe D5 übergehen, sollten Sie den TN Gelegenheit geben, über das Tratsch-Gespräch zu sprechen. Was ist ihnen an der Haltung von Heidrun und Ilse aufgefallen? Wie stehen diese zum Beispiel zum Thema Kinder? Können sich die TN so eine Haltung bzw. so einen Tratsch von Frauen aus ihrem Land auch vorstellen?

TIPP

> Die TN haben sich hier anhand verschiedener Hörverstehensaufgaben mit einem schon recht langen Hörtext auseinandergesetzt. Eine andere Strukturierungshilfe, die Sie mit den TN bei fast allen Hörtexten einsetzen können, sind die sogenannten sechs W-Fragen. Dazu erstellen die TN vor dem Hören ein Raster: Wer hat was wann wo wie und warum gemacht? Jedes Fragewort sollte dabei in einer eigenen Zeile stehen, damit genug Platz ist, um etwas daneben zu schreiben. Die TN hören den Text an und bearbeiten ihr Raster. Das Raster weist sie auf die wichtigsten Aussagen des Textes hin und trainiert das zielorientierte Hören.

Arbeitsbuch 23: in Stillarbeit; **24:** als Hausaufgabe

PHONETIK   **Arbeitsbuch 25:** Die TN hören Wörter und sprechen sie nach. Machen Sie deutlich, dass der Hauptakzent bei einem Kompositum auf dem Akzent des ersten Bestandteils liegt, das Wort, das den zweiten Bestandteil bildet, erhält einen Nebenakzent.

D5   Aktivität im Kurs: Spiel: Stille Post

1. *fakultativ:* Die TN sprechen in ihrer Sprache darüber, was Gerüchte sind.
2. Die TN lesen die Spielanweisung im Buch und das Beispiel. Sie bilden einen Stuhlkreis. Wer möchte, darf beginnen und flüstert einen Satz in das Ohr der Nachbarin / des Nachbarn usw.

2 **E** Mitteilungen lesen und schreiben

Schriftlich um etwas bitten
Lernziel: Die TN können Kurzmitteilungen verstehen und selbst schreiben.

Materialien
E3 Kopiervorlage zu E3 (im Internet)
Test zu Lektion 2
Wiederholung zu Lektion 1 und Lektion 2,
Spielsteine oder Münzen

E1 **Leseverstehen 1: Den Inhalt global verstehen**

1. Fragen Sie die TN, warum die Bewohner sich in der Wohngemeinschaft gegenseitig Zettel schreiben und warum sie nicht direkt miteinander kommunizieren (= Jeder führt ein eigenständiges Leben, man begegnet sich nicht immer).
2. Die TN lesen in Stillarbeit die Mitteilungen. Gehen Sie herum und helfen Sie individuell bei Wortschatzfragen.
3. Die TN entscheiden mit der Partnerin / dem Partner, in welcher Reihenfolge die Briefe geschrieben wurden.
4. Abschlusskontrolle im Plenum. *Lösung:* Sven; Ilona; Kathrin
5. *fakultativ:* Erstellen Sie mit den TN an der Tafel ein Ablaufraster zu den Ereignissen: Was ist zuerst passiert? Was dann? usw. Beispiel: 1. Sven ist aufgestanden. 2. Er hat die Post geöffnet und die Stromrechnung gelesen. 3. Er hat die Stromrechnung auf den Küchentisch gelegt …

LÄNDER
INFO
Wohngemeinschaften sind insbesondere unter Studenten und jüngeren Menschen in Großstädten beliebt: Mehrere Personen teilen sich die Kosten einer Wohnung, benutzen Bad und Küche gemeinsam und haben jeder für sich ein Zimmer. Hier handelt es sich nicht unbedingt um Freunde, die sich für eine gemeinsame Wohnung entscheiden. Oft wohnen Personen zusammen, die sich vor dem Zusammenwohnen gar nicht gekannt haben, unterschiedliche Berufe oder Ausbildungen und einen eigenen Freundeskreis haben. (siehe auch Lektion 1, Lernschritt E).

E2 **Leseverstehen 2: Schlüsselinformationen verstehen**

1. Wie beim Hören (Lernschritt D) sollten die TN auch beim Lesen üben, Wichtiges von Unwichtigem zu unterscheiden und sich beim Lesen auf die zentralen Informationen zu konzentrieren. Das lässt sich ebenfalls sehr gut mit W-Fragen trainieren (vgl. Tipp, Seite 33). Die TN lesen die Fragen im Buch und ergänzen ihre Lösungen.
2. Abschlusskontrolle im Plenum. *Lösung:* a) I; b) S; c) I; d) S; e) K; f) I
3. *fakultativ:* Wenn Sie mit den TN das Textverstehen noch weiter üben möchten, lassen Sie sie selbstständig weitere W-Fragen zu den Mitteilungen schreiben. Die TN tauschen ihre Fragen mit einer Partnerin / einem Partner aus und beantworten diese.

Arbeitsbuch 26–28: in Stillarbeit

E3 **Schreiben: Eine Mitteilung an den Mitbewohner**

1. Die TN wählen selbstständig eine Situation aus und schreiben einen Brief. Wenn Sie die Aufgabe mehr steuern möchten, bitten Sie die TN, zuerst einen Brief mit den Hilfestellungen von Situation 1 zu schreiben. Geübte TN können als Hausaufgabe zusätzlich einen Brief zu Situation 2 schreiben. Gehen Sie herum und helfen Sie bei Schwierigkeiten.
2. Wenn Sie Zeit dazu haben, können einige TN ihre Briefe vorlesen. Sammeln Sie die Briefe dann zur Korrektur ein.
3. *fakultativ:* Weitere Beispiele und Situationen für das Training des Briefeschreibens finden Sie auf der Kopiervorlage zu E3 (im Internet).

Einen Test zu Lektion 2 finden Sie auf Seite 124 f. Weisen Sie die TN auf die interaktiven Übungen auf ihrer Arbeitsbuch-CD hin. Die TN können mit diesen Übungen den Stoff der Lektion selbstständig wiederholen und sich ggf. auch auf den Test vorbereiten. Wenn Sie mit den TN den Stoff von Lektion 1 und Lektion 2 wiederholen möchten, verteilen Sie die Kopiervorlage „Wiederholung zu Lektion 1 und Lektion 2" (Seite 116–117): Kopieren Sie die Kopiervorlage auf DIN A3. Sie brauchen außerdem für jede Gruppe ausreichend gleiche Spielsteine oder Münzen. Die TN finden sich zu zwei Gruppen zusammen. Die Gruppen entscheiden abwechselnd, welches Spielfeld sie besetzen möchten, bilden den Satz mit Hilfe der Stichpunkte im Perfekt und legen einen Spielstein auf das Feld. Ziel ist, vier horizontal, vertikal oder diagonal zusammengehörige Felder mit eigenen Spielsteinen zu belegen. Macht die Gruppe beim Satzbilden einen Fehler, erhält sie erst in der nächsten Runde die Chance sich zu korrigieren. Wird das Feld inzwischen von der anderen Gruppe belegt, muss sie sich umorientieren. Die Gruppe, die am Ende die meisten Viererreihen gebildet hat, hat gewonnen. Wenn Sie das Spiel schwieriger gestalten möchten, können Sie die TN auch Sechserreihen statt Viererreihen bilden lassen.

Zwischenspiel 2
Das bunte Haus von Wien
Landeskunde: Das „Hundertwasser Haus" als besondere Wohnform

1   **Leseverstehen: Informationen zum „Hundertwasser Haus"**

1. Suchen Sie vorab Fotos aus Wien-Broschüren, Bildbänden oder im Internet vom „Hundertwasser Haus" und zeigen Sie diese den TN. Die TN sprechen darüber, wie sie das Haus finden, und stellen Vermutungen darüber an, wo es stehen und wer darin wohnen könnte. Vielleicht kennt jemand das Haus, dann lassen Sie es ruhig zu, dass dieser TN sein Wissen einbringt. Aber auf Deutsch, bitte!

2. Verteilen Sie die Kopiervorlage „Zwischenspiel zu Lektion 2". Die TN öffnen ihr Buch und lesen die Informationen zum „Hundertwasser Haus", aber noch nicht den Infokasten zum Künstler! Sie kreuzen ihre Lösungen zu Übung 1 der Kopiervorlage an.
   Variante: Wenn Sie wenig Zeit im Kurs haben, können die TN sich die Arbeit auch mit einer Partnerin / einem Partner „teilen": Jeder liest nur zwei der Infotexte, dann lösen sie gemeinsam Übung 1 und helfen sich gegenseitig bei den Informationen.

3. Abschlusskontrolle im Plenum. *Lösung:* richtig: b, h, i

2   **Lese-/Hörverstehen: Informationen zu Hundertwasser und zu seinem Haus**

1. Die TN lesen den Infotext über Friedensreich Hundertwasser und bearbeiten Übung 2 der Kopiervorlage.

2. Abschlusskontrolle im Plenum. *Lösung* (von oben nach unten): 1928; Wien; Stowasser; Friedrich; über Familienstand und Kinder wird nichts gesagt; Kunst, Architektur; Jeder Mensch soll seine Wohnung selbst planen und bauen können; 2000

3. *fakultativ:* Beauftragen Sie die TN, als Hausaufgabe weitere Informationen im Internet über Hundertwasser zu suchen. Geben Sie konkrete Suchaufträge wie: Wo stehen weitere berühmte Gebäude? Gibt es Informationen darüber, ob er Familie hatte? usw.

4. Spielen Sie die CD/Kassette vor. Die TN konzentrieren sich beim Hören auf die Frage: „Kann man die Wohnungen besichtigen?"

5. Abschlusskontrolle im Plenum. *Lösung:* nein

6. Nach dieser detaillierten Vorbereitung dürften die TN keine Schwierigkeiten mehr haben, das Hundertwasser-Quiz im Buch zu lösen.
   Lösung: a) ein privates Wohnhaus; b) Etwa 200 Mieter; c) „Jeder soll bauen können."

7. Sprechen Sie mit den TN auch über die 3. Übung auf der Kopiervorlage: Wer kann sich vorstellen, im Hundertwasser Haus zu wohnen?

TIPP

> Rätsel und Quizfragen sind eine gute Motivation für den Unterricht. Die TN möchten das Rätsel lösen und entwickeln daher ganz automatisch Ehrgeiz und Motivation zum Mitmachen. Machen Sie sich die Entdeckungslust der TN zunutze und verpacken Sie Wortfelder, Grammatikformen oder landeskundliche Informationen in Rätsel und Quizfragen. Um die Motivation zu steigern, können Sie für das Lösen auch einen Zeitrahmen vorgeben oder den schnellsten TN bitten, „Stopp" zu rufen, sobald er fertig ist. Bringen Sie in diesem Fall kleine Belohnungen für den oder die Sieger mit. Noch mehr Ehrgeiz können Sie aus den TN herauskitzeln, wenn Sie sie selbst Rätsel und Quizfragen entwerfen lassen. Wenn Sie also genug Zeit haben, probieren Sie es anhand dieses Zwischenspiels gleich einmal aus und lassen Sie die TN weitere Quizfragen zum „Hundertwasser Haus" erfinden. Die TN stellen ihre Quizfragen dann einer Partnerin / einem Partner. Besonders kreative und sprachlich geübte TN können sich auch andere Rätselformen zum Thema ausdenken, z.B. ein Silben- oder Kreuzworträtsel.

Weitere Materialien für noch mehr Abwechslung im Unterricht finden Sie unter www.hueber.de/schritte-international.

GUTEN APPETIT!

Folge 3: *Tee oder Kaffee?*
Einstieg in das Thema: Ess- und Trinkgewohnheiten

1   **Vor dem Hören: Vorwissen aktivieren**

1. Fertigen Sie vorab ein Arbeitsblatt mit einem Wortigel zum Thema „Am Sonntag …" an und kopieren Sie dieses für Kleingruppen von jeweils 3–4 TN. Die TN sammeln, was ihnen zum Thema einfällt. Gehen Sie herum und helfen Sie bei Schwierigkeiten.
2. Die TN präsentieren ihre Ergebnisse im Plenum. Achten Sie darauf, dass die erste Gruppe alles nennt, was sie zum Thema notiert hat, die anderen Gruppen dann aber nur noch ergänzen. Neuen Wortschatz können Sie während der Präsentation an der Tafel notieren. Jede Gruppe erklärt dann „ihre Wörter", soweit möglich, mit einfachen Worten selbst. Die TN schreiben den neuen Wortschatz von der Tafel ab.
3. Die TN sehen sich Foto 2 im Buch an und besprechen die Lösungen mit der Partnerin / mit dem Partner.
4. Abschlusskontrolle im Plenum.
   Lösung: a) Sie ist schon wach. / Sie schläft noch. b) Sie ist noch sehr müde. c) Sie möchte am Wochenende ausschlafen.

2   **Vor dem Hören: Das Wortfeld „Lebensmittel" wiederholen**

1. Deuten Sie auf Foto 6 und lesen Sie die Fragen im Buch vor. Sammeln Sie den Wortschatz an der Tafel. An dieser Stelle sollten Sie auch das Wort „Nussschnecke" einführen. Verweisen Sie zur Erklärung ggf. auf Foto 4.
2. *fakultativ*: Wenn einige TN bereits über weiteren Wortschatz zum Thema „Frühstück" verfügen, können Sie ihr Vorwissen einbeziehen und weitere Wörter an der Tafel notieren.
3. Fragen Sie außerdem, was Maria wohl denkt und was sie sagen könnte. Die TN stellen Vermutungen an. Zeigen Sie auch auf Foto 7 und fragen Sie, ob Maria Kaffee mag.
   Lösungsvorschlag: a) Die Familie wartet auf Maria. Sie wollen zusammen frühstücken. b) Es gibt Nussschnecken, Brezeln, Brötchen, Marmelade, Erdnussbutter, Eier, Käse, Wurst, Obst, Tee und Orangensaft.

3   **Beim ersten Hören**

1. Deuten Sie noch einmal auf die Fotos 6 bis 8 und fragen Sie: „Wie findet Maria das Frühstück bei der Familie?" Die TN hören die Foto-Hörgeschichte ein erstes Mal und verfolgen die Geschichte dabei auf den Fotos mit.
2. Wiederholen Sie Ihre Frage ggf. noch einmal. Es sollte klar geworden sein, dass Maria ein so üppiges Frühstück wie das Sonntagsfrühstück bei der Familie Braun-Weniger nicht kennt und dass sie anderen Kaffee gewohnt ist und daher deutschen Filterkaffee nicht mag. Zur Verdeutlichung können Sie noch einmal auf die Fotos 7 und 8 verweisen.

4   **Nach dem ersten Hören: Details der Foto-Hörgeschichte verstehen**

1. Lesen Sie den Anfang des Lückentextes mit den TN gemeinsam. Anhand des Beispiels sollte klar werden, dass es jeweils zwei Möglichkeiten gibt, aber nur eine passt. Ergänzen Sie, wenn nötig, auch die zweite Lücke mit den TN gemeinsam. Geübte TN können versuchen, eine eigene Zusammenfassung der Foto-Hörgeschichte zu schreiben.
2. Die TN lesen den Text und ergänzen die Lücken zusammen mit ihrer Partnerin / ihrem Partner.
3. Abschlusskontrolle im Plenum. Geübte TN vergleichen dabei mit ihrer Version. Sammeln Sie die Texte auch zur Korrektur ein.
   Lösung: ausschlafen; im Restaurant; geöffnet; früh; viel; gar nicht

5   **Nach dem Hören: Kursgespräch über das Kaffee-/Teetrinken**

Schreiben Sie die Fragewörter „Wann?", „Wie oft?", „Wie?" und „Wo?" an die Tafel. Die TN erzählen anhand der Stichwörter, wie sie Kaffee oder Tee trinken.
Variante: Bei größeren Gruppen ab 16 TN sollten Sie zwei oder drei Plenen bilden.

Bleiben Sie eng am Thema. In Lernschritt A haben die TN dann Gelegenheit, ausführlicher über das Thema Frühstücken zu sprechen.

Ich trinke **meistens** Kaffee zum Frühstück.

Häufigkeitsangaben
Lernziel: Die TN können über ihre Frühstücksgewohnheiten sprechen.

A1 Präsentation der Häufigkeitsangaben

1. Legen Sie eine Folie von A1 auf, decken Sie zunächst nur die Häufigkeitsangaben auf und fragen Sie: „Wie oft trinkt Maria Kaffee? Immer, meistens, oft oder nie?" Die TN hören den ersten Hörtext. Die Bücher bleiben dabei geschlossen. Decken Sie dann zur Kontrolle die schon vorgegebene Lösung in der Tabelle auf.
2. Decken Sie nun die Tabelle komplett auf und fragen Sie weiter: „Wie oft trinken Larissa, Kurt und die anderen Kaffee?" Die TN hören die Aussagen der übrigen Personen so oft wie nötig und kreuzen die Antwort im Buch an.
3. Abschlusskontrolle im Plenum.
   Lösung: Larissa – manchmal; Kurt – immer; Simon – nie; Susanne früher – oft; Susanne heute – selten

Arbeitsbuch 1: in Stillarbeit oder als Hausaufgabe

A2 Leseverstehen/Lesestrategie: Notizen machen

1. Die TN lesen das Sprichwort. Die Bilder helfen ihnen, die neuen Wörter Kaiser, König und Bettelmann zu verstehen. Die TN stellen Vermutungen über die Bedeutung des Sprichworts an. Erklären Sie ggf., dass das Sprichwort bedeutet, dass man morgens sehr ausgiebig frühstücken soll, mittags aber nicht zu viel und abends nur ganz wenig essen soll.
2. Weisen Sie anschließend auf die Bedeutung von „morgens", „mittags" und „abends" hin: Die TN kennen aus *Schritte international 1*, Lektion 5, bereits den Ausdruck „jeden Morgen". Machen Sie anhand eines Beispiels deutlich, dass „morgens" dieselbe Bedeutung hat wie „jeden Morgen". Verfahren Sie mit „mittags" und „abends" ebenso.
3. Teilen Sie den Kurs in zwei Gruppen. Jede Gruppe liest nur einen Text und macht mit Hilfe der Tabelle Notizen dazu. Gehen Sie herum und achten Sie darauf, dass die TN nicht zu detailliert Informationen abschreiben, sondern sich auf das Wesentliche konzentrieren.
4. Aus jeder Gruppe berichtet eine Person über die wichtigsten Informationen aus dem gelesenen Text. Die anderen TN aus der Gruppe unterstützen und ergänzen.
5. Verweisen Sie auf den Infospot. Die Angaben „zum Frühstück", „zum Mittagessen" und „zum Abendessen" sollten die TN als feste Formeln lernen.
6. Die TN betrachten auch den zweiten Infospot und markieren alle Häufigkeitsangaben in ihrem Text. Bitten Sie die TN, in ihrem Lerntagebuch eine Skala anzulegen:

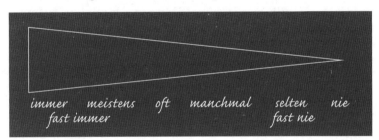

Hinweis: Viele TN tendieren dazu, Lesetexte beim ersten Lesen zu genau zu lesen, das heißt in der Regel, dass sie versuchen, sie Wort für Wort zu übersetzen. Das hat nicht nur zur Folge, dass die Textrezeption sehr lang dauert, sondern auch, dass das verstehende Lesen dabei auf der Strecke bleibt und die TN womöglich sogar frustriert aufgeben, da sie an den fremden Wörtern hängen bleiben. Tipps, wie Sie mit den TN das verstehende Lesen trainieren können, finden Sie in *Schritte international 1*, Lehrerhandbuch, Seite 64.

Arbeitsbuch 2–3: in Stillarbeit oder als Hausaufgabe

A3 Aktivität im Kurs: Partnerinterview

1. Die TN finden sich paarweise zusammen und befragen sich gegenseitig anhand der Leitfragen im Buch zu ihren Frühstücksgewohnheiten. Achten Sie darauf, dass sie sich Notizen zu ihrer Partnerin / ihrem Partner machen. Gehen Sie herum und helfen Sie bei Schwierigkeiten.
2. Die TN erzählen in 1–2 Gruppen je nach Kursgröße über ihre Partnerin / ihren Partner.
   Variante: Die TN schreiben einen kurzen Steckbrief über die Essgewohnheiten ihrer Partnerin / ihres Partners, der dann an die Pinnwand geheftet wird. In den Pausen können die TN die kleinen Texte über ihre Kurskollegen lesen. So erfährt jeder etwas über den anderen, was Spaß macht und den Kurszusammenhalt fördert.

Arbeitsbuch 4: a) in Stillarbeit; **b)** in Partnerarbeit (für geübte TN)

3 B Aber hier: Ich habe noch **welche** bekommen.

Indefinitpronomen *einer, eins, eine, welche* im Nominativ und Akkusativ
Lernziel: Die TN können auf Bekanntes Bezug nehmen.

Materialien
B1 Kopiervorlage L3/B1
B2 Kopiervorlage L3/B2 auf Folie und als Arbeitsblatt
B3 Kopiervorlage zu B3 (im Internet)

B1 **Präsentation der Indefinitpronomen im Akkusativ**

1. Sehen Sie sich mit den TN noch einmal die Foto-Hörgeschichte an, deuten Sie auf Foto 4 und fragen Sie: „Erinnern Sie sich? Was hat Kurt gesagt? Warum lacht er?" Die TN versuchen, sich zu erinnern, worum es in dem Gespräch zwischen Maria und Kurt ging. Die anderen Fotos helfen ihnen dabei.
2. Fragen Sie: „Was hat Kurt genau gesagt?" Die TN hören das Beispiel und lesen im Buch mit.
3. Die TN hören und ergänzen die übrigen Zitate.
4. Abschlusskontrolle im Plenum. *Lösung:* B eine; C eins, einen; D meins
5. Notieren Sie an der Tafel:

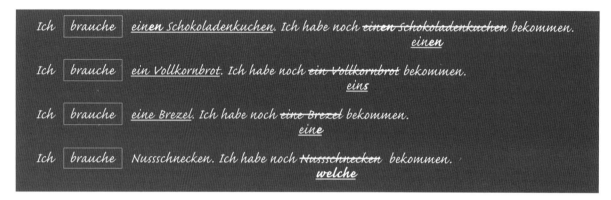

6. Machen Sie anhand des Tafelbilds deutlich, dass die Indefinitpronomen „einen" … an Stelle von einem bereits genannten Nomen stehen können und die Pronomen teilweise mit den unbestimmten Artikeln identisch sind. Zeigen Sie, dass man durch die Verwendung von Indefinitpronomen Wiederholungen vermeiden kann.

   Die TN haben bereits in *Schritte international 1*, Lektion 3, gelernt, dass es keinen unbestimmten Artikel im Plural gibt. Weisen Sie die TN nun darauf hin, dass man zwar sagt „Ich habe noch Nussschnecken bekommen", aber Nussschnecken auch ersetzen kann, indem man sagt „Ich habe noch *welche* bekommen", sofern aufgrund des Kontexts klar ist, worauf sich „welche" bezieht. „Welche" muss als Form neu gelernt werden.
7. Zeigen Sie mit Hilfe von Bild D, dass auch die Possessivartikel und die Negationsartikel als Indefinitpronomen verwendet werden können.

8. Teilen Sie die Kopiervorlage L3/B1 als Arbeitsblatt aus. Die TN ergänzen die Beispiele in Partnerarbeit. Geübte TN lösen zusätzlich Übung 2.
9. Abschlusskontrolle im Plenum. Verweisen Sie abschließend auch auf den Grammatikspot im Buch.
   Lösung: 1a) keinen, einen; b) keins, eins; c) keine, eine; d) keine, keine, welche

Arbeitsbuch 5: in Stillarbeit oder Partnerarbeit

B2 **Präsentation der Indefinitpronomen im Nominativ; Anwendungsaufgabe zu den Indefinitpronomen im Akkusativ**

1. Zeigen Sie auf das Bild und fragen Sie: „Wo sind die Personen?", „Was machen sie?" und „Was brauchen sie dazu?" Notieren Sie an der Tafel den unvollständigen Satz: „Sie brauchen …" und ergänzen Sie gemeinsam mit den TN einige Antworten an der Tafel.
2. Die TN lesen den Musterdialog in Partnerarbeit und markieren den Artikel bzw. die Pronomen.
3. Verweisen Sie die TN dann auf den Grammatikspot im Buch und sagen Sie zu einem schon geübteren TN: „Ich brauche ein Messer. Bringst du mir bitte eins?" Der TN antwortet wie im Beispiel, variiert aber selbstständig das Indefinitpronomen. Der Grammatikspot im Buch hilft ihr/ihm dabei. Wiederholen Sie die korrekte Lösung noch einmal.
4. Die TN finden sich paarweise zusammen und variieren den Dialog. Die Tafelanschrift und der Grammatikspot helfen ihnen dabei. Gehen Sie herum und helfen Sie bei Schwierigkeiten.
5. *fakultativ:* Wenn Sie die Struktur der Indefinitpronomen ausführlicher erklären möchten, verteilen Sie die Kopiervorlage L3/B2 als Arbeitsblatt und sehen Sie sich gemeinsam mit den TN das Beispiel an. Weisen Sie darauf hin, dass die Endung des Indefinitpronomens im Nominativ Singular der des bestimmten Artikels entspricht. Ergänzen Sie Beispiel a) im Plenum und lassen Sie die TN die Endung des bestimmten Artikels bzw. des Indefinitpronomens markieren, um auf die Analogie hinzuweisen. Die TN bearbeiten die Beispiele in Partnerarbeit. Gehen Sie herum und helfen Sie bei Schwierigkeiten.
   Lösung: 1 b) eins; c) eine; d) welche; 2 b) keins; c) keine; d) keine; 3 b) eins; c) eine; d) welche

Arbeitsbuch 6–7: als Hausaufgabe: Die TN erstellen selbstständig eine Tabelle zu den Indefinitpronomen und machen sich so die Analogien im Paradigma bewusst.

Materialien
B1 Kopiervorlage L3/B1
B2 Kopiervorlage L3/B2 auf Folie und als
Arbeitsblatt
B3 Kopiervorlage zu B3 (im Internet)

Aber hier: Ich habe noch **welche** bekommen.

Indefinitpronomen *einer, eins, eine, welche* im Nominativ und Akkusativ
Lernziel: Die TN können auf Bekanntes Bezug nehmen.

B **3**

B3   **Aktivität im Kurs: Küchen-Quartett**

1. Die TN finden sich zu Kleingruppen von je drei TN zusammen und fertigen aus festem Papier selbst Quartett-Spielkarten zu den 16 Gegenständen an. Achten Sie darauf, dass immer nur vier Karten zusammenpassen. Die unterschiedlichen Schriftfarben im Buch helfen den TN bei der Gruppierung der Karten. Wenn Sie nicht viel Zeit haben, die Karten im Kurs selbst zu basteln oder Ihre TN nicht gern malen, können Sie die Kopiervorlage zu B3 aus dem Internet herunterladen und mehrfach auf festes Papier kopieren. Die TN können dann die Kärtchen ausschneiden.

2. Die TN mischen die Karten und verteilen sie untereinander. Erklären Sie das Quartettspiel anhand des Beispiels im Buch: Ziel eines jeden TN sollte sein, so viele passende Quartette wie möglich zu ergattern. Die TN spielen so lange, bis alle Quartette gefunden sind. Die Spielerin / Der Spieler mit den meisten Quartetten hat gewonnen.

TIPP   Wenn Sie wie hier Spielkarten mit dem Kurs oder für den Kurs anfertigen, können Sie diese vor dem Zerschneiden laminieren. Dasselbe gilt für Spielbretter. Durch das Laminieren werden die Karten stabiler und halten jahrelang. So können Sie die Spielkarten oder -bretter immer wieder verwenden. Der Aufwand lohnt sich, denn letztendlich sparen Sie Zeit und Geld.

Arbeitsbuch 8–12: als Hausaufgabe

3 **C** Gespräche im Restaurant

Gespräche im Restaurant führen

Lernziel: Die TN können im Restaurant einen Sitzplatz suchen, etwas bestellen, reklamieren oder bezahlen.

Materialien
C3 Requisiten: z.B. Kellnerschürze, Speisekarte, Bestellblock etc.

C1 Präsentation: Redemittel im Restaurant

1. Die TN betrachten nur die Fotos und äußern Vermutungen darüber, was die Personen sagen. Notieren Sie Wörter und Sätze, die die TN nennen, an der Tafel.
2. Die TN hören die kurzen Gespräche und lesen im Buch mit.
3. Spielen Sie die Gespräche noch einmal vor. Die TN ordnen jedem Bild das passende Gespräch zu.
   Variante: Die TN lesen zuerst die kurzen Gespräche und ordnen das jeweils passende Bild zu. Dann hören sie die Texte noch einmal.
4. Abschlusskontrolle im Plenum. Klären Sie an dieser Stelle ggf. neuen Wortschatz.
   Lösung: A Können wir bitte bezahlen? …; B Was darf ich Ihnen bringen? …; C Entschuldigung, ist der Platz noch frei? …; D Verzeihen Sie, der Salat ist nicht frisch. …

C2 Systematisierung: Redemittel im Restaurant

1. Die TN sehen sich die vier Rubriken der Tabelle an und legen dieselbe Tabelle in ihrem Heft oder Ordner an. Klären Sie, wenn nötig, den Begriff „reklamieren" anhand eines einfachen Beispiels („reklamieren"= mit dem Essen nicht zufrieden sein und das dem Kellner sagen).
2. Die TN sehen sich die eingetragenen Beispiele an. Ggf. können Sie ein weiteres Beispiel im Plenum machen.
3. Die TN ordnen die übrigen Redemittel in Partnerarbeit zu. Übertragen Sie währenddessen die Tabelle sowie die bereits besprochenen Beispiele an die Tafel. Gehen Sie herum und helfen Sie bei Schwierigkeiten.
4. Abschlusskontrolle an der Tafel im Plenum. Klären Sie mit den TN ggf. unbekannte Wörter.
   Lösung:

bestellen	bezahlen	reklamieren	einen Sitzplatz suchen
(Haben Sie schon bestellt? Nein, noch nicht.) Die Karte, bitte. Was darf ich Ihnen bringen? Ich möchte bitte bestellen. Ich nehme / möchte einen Schweinebraten. Eine Gemüsesuppe, bitte.	(Zahlen, bitte.) Die Rechnung, bitte. Ich möchte bitte bezahlen. Zusammen oder getrennt? Getrennt, bitte. Das macht 19,20 Euro. Zusammen. Können wir bitte bezahlen? Hier bitte. Stimmt so. Das macht 18,90 Euro. – 20, bitte.	Der Salat ist nicht mehr frisch. Oh, das tut mir leid. Ich bringe Ihnen einen neuen. Die Suppe ist zu kalt.	Ist hier noch frei? Nein, tut mir leid. Der Platz ist besetzt. Aber sicher. Nehmen Sie doch Platz.

Arbeitsbuch 13: im Kurs; **14–15:** als Hausaufgabe

PHONETIK **Arbeitsbuch 16–18:** im Kurs: Das Hochdeutsche kennt zwei „s"-Laute: stimmlos und stimmhaft. Sensibilisieren Sie die TN für diesen Unterschied, indem Sie Übung 16 vorspielen. Die TN sprechen nach. Üben Sie mit den TN und sagen Sie „süße Sahne". Die TN sprechen mehrfach nach und versuchen, immer schneller zu sprechen. Die TN hören und sprechen Übung 17.
fakultativ: Die TN schreiben selbst Sätze mit möglichst vielen „s"-Lauten und lassen diese von der Partnerin / vom Partner lesen.
Mit Übung 18 können Sie den TN die verschiedenen Schreibweisen des stimmlosen „s" bewusst machen: Lassen Sie sie die Sätze zunächst ohne Hören ergänzen, spielen Sie dann die CD vor. Die TN achten auf die Aussprache von „s".
Hinweis: Tatsächlich wird in vielen Regionen des deutschsprachigen Raums (z.B. Bayern, Österreich) ausschließlich das stimmlose „s" realisiert. Gehen Sie daher nicht zu detailliert auf den Unterschied stimmhaft-stimmlos ein.

C3 Aktivität im Kurs: Rollenspiel

1. Die TN finden sich paarweise zusammen und wählen eine der Situationen aus. Die TN formulieren ihren Dialog zunächst schriftlich. Dabei können Sie auf die Modelldialoge in C1 zurückgreifen und diese mit Hilfe der angegebenen Redemittel variieren. Bereits geübte TN formulieren mündlich einen oder mehrere Dialoge frei. Gehen Sie herum und helfen Sie bei Schwierigkeiten.
2. Die TN spielen ihren Dialog, wenn möglich, mit den passenden Requisiten vor.
3. *fakultativ:* Spielen Sie gemeinsam mit den TN Restaurant. Dazu stellen Sie die Tische zu Tischinseln zusammen. An jeder Tischinsel finden sich 4–6 TN zusammen. Jede Gruppe überlegt sich zunächst einen Namen für ihr Restaurant und erstellt eine Speisekarte. Gehen Sie herum und helfen Sie bei Schwierigkeiten. Die Gruppe wählt einen TN als Kellnerin/Kellner, die anderen sind die Gäste. Jede Gruppe spielt frei für sich verschiedene Situationen im Restaurant. Die TN wählen selbst aus, welche Rollen sie übernehmen wollen.

Materialien
Arbeitsbuch 22: Stifte, (Vokabel) Kärtchen

Imbiss

Landeskunde: Imbiss-Spezialitäten in Deutschland und anderswo
Lernziel: Die TN können einen längeren Text lesen.

D   **3**

D1   Präsentation eines Lesetexts: Lied von Herbert Grönemeyer

1. Schreiben Sie zur Einstimmung auf das Thema „Fast Food" an die Tafel und sammeln Sie mit den TN Assoziationen dazu: Was verstehen die TN darunter?
2. Die TN hören dann den ersten Abschnitt des Liedes „Currywurst" von Herbert Grönemeyer und kreuzen ihre Lösung an. Bitten Sie die TN, ihren Lösungsvorschlag auch zu begründen. *Lösung*: Currywurst
3. TN, die schon einmal eine Currywurst probiert haben, berichten, wo sie sie gegessen haben und wie sie ihnen geschmeckt hat.

D2   Leseverstehen: Lesestrategie: Einen längeren Text abschnittsweise erfassen

1. Notieren Sie an der Tafel den Begriff „Imbiss" und fragen Sie, was ein Imbiss ist. Wenn die TN die Frage nicht beantworten können, lesen sie zunächst die Zeilen 1–5 des Lesetextes und versuchen dann mit eigenen Worten zu erklären, was „Imbiss" bedeutet.
2. Die TN stellen Vermutungen darüber an, was ein typisch deutscher Imbiss sein könnte. Vielleicht sind manche TN schon in Deutschland gewesen und können von Erfahrungen berichten. Wenn die TN aufgrund der Vorbereitung in D1 auf „Wurst" tippen, lassen Sie die Vermutung zunächst so im Raum stehen und bitten Sie die TN, ihre Vermutung anhand des Textes zu überprüfen. Die TN lesen die Zeilen 1–22.
3. Fragen Sie weiter: „Wie kann man Wurst essen?" und „Was für ein Gericht ist Currywurst?" Die TN stellen erneut Vermutungen an und überprüfen diese anhand des Lesetextes. Sie lesen die Zeilen 22–37 und lösen die Aufgabe in Partnerarbeit.
4. Die TN lesen die Aufgabe c) und den Text bis zum Ende. Vergleichen Sie die Lösungen im Plenum.
   Lösung: a) eine Wurst; b) Wurst kann man gekocht, gebraten, mit Ketchup oder mit scharfem Senf essen. Currywurst ist eine weiße oder rote Bratwurst mit Ketchup und Currypulver. c) Der Bundeskanzler ist der Regierungschef. „Konnopke" ist eine berühmte Imbissbude in Berlin.

Arbeitsbuch 19: in Stillarbeit oder als Hausaufgabe

D3   Aktivität im Kurs: Über Fast Food und über persönliche Vorlieben und Abneigungen sprechen

1. Sehen Sie sich mit den TN die Fotos an. Die TN benennen die Lebensmittel und Gewürze und benutzen dabei die angegebenen Adjektive.
2. Die TN lesen die Redebeispiele. Fragen Sie dann einen TN, ob er Fast Food mag und was er gern isst.
3. Die TN finden sich in Kleingruppen von 3–4 TN zusammen und tauschen sich darüber aus, was sie gern essen, wenn sie wenig Zeit haben. Sie äußern persönliche Vorlieben und Abneigungen.
4. *fakultativ:* Die TN schreiben als Hausaufgabe an einen fiktiven deutschen Freund einen Brief, in dem sie von den typischen Imbissgewohnheiten in ihrem Land berichten und von ihren persönlichen Vorlieben erzählen.

Arbeitsbuch 20–21: in Stillarbeit oder als Hausaufgabe

LERN
TAGEBUCH

Arbeitsbuch 22: Fertigen Sie exemplarisch einige Karteikarten zu neuen Nomen der Lektion an. Schreiben Sie je ein Kärtchen zu „die Schlüssel" (rot), „das Messer" (blau) und „der Teller" (grün) sowie jeweils einen passenden Beispielsatz auf die Vorderseite.
Zeigen Sie die drei Lernkarten im Kurs und fragen Sie einen TN: „Was heißt Schüssel auf …?" Der TN übersetzt und schreibt die Übersetzung auf die Rückseite. Mit den anderen beiden Karten verfahren Sie ebenso. Halten Sie dann noch einmal alle drei Karten hoch und verdeutlichen Sie, welche Farben Sie für „der", „die" und „das" gewählt haben.
Die TN erhalten festes Papier in Kartenformat sowie ggf. Farbstifte und schreiben selbst einige Lernkarten zu den neuen Wörtern der Lektion. Gehen Sie herum und achten Sie auf die korrekte Verwendung der Farben.
Hinweis: Nach Möglichkeit sollten die TN dieses Verfahren im Verlauf des Kurses wiederholt anwenden, um herauszufinden, ob es ihnen beim Lernen der Artikel hilft. Ggf. können Sie die TN in den folgenden Kursstunden explizit dazu auffordern, zu neuen Nomen Lernkarten zu erstellen.

3 **E** Private Einladungen

Landeskunde: Jemanden zu sich einladen
Lernziel: Die TN können einfache Tischgespräche führen.

Materialien
E3 Kopiervorlage L3/E3
E4 Kopiervorlage L3/E4
E5 Requisiten (Geschirr, Servietten, Kerze, …);
Kopiervorlage zu L3/E5 (im Internet)
Test zu Lektion 3

E1 Präsentation des Themas: Einladung zum Abendessen

1. Die TN betrachten das Foto und lesen die Stichpunkte. Teilen Sie den Kurs in zwei Gruppen. Je nach Neigung versuchen die TN zu zweit, die Situation mit Hilfe der Stichpunkte zu beschreiben oder als Dialog zu schreiben.
2. Einige TN beschreiben die Situation im Plenum. Paare, die einen Dialog geschrieben haben, können diesen vortragen.

E2 Hörverstehen: Eine Radiosendung

1. Die TN lesen die Fragen in Aufgabe a). Fragen Sie die TN, was ihre persönlichen Antworten auf diese Fragen wären. Wie sollten sich Besucher ihrer ganz persönlichen Meinung nach verhalten?
2. Die TN hören die Radiosendung am besten einmal komplett und dann abschnittsweise. Sie kreuzen ihre Lösungen an.
3. Abschlusskontrolle im Plenum.
   Lösung: Was soll man mitbringen? Wie pünktlich muss man kommen? Wann kann oder muss man nach Hause gehen? Darf man alles aufessen?
4. Die TN lesen die Aussagen in Aufgabe b). Die TN hören die Radiosendung noch einmal und kreuzen an.
   Variante: Wenn die TN schon etwas geübter sind, lassen Sie sie zuerst ankreuzen, bevor Sie die Radiosendung noch einmal vorspielen. Die TN überprüfen ihre Lösungen beim Hören.
5. Abschlusskontrolle im Plenum. *Lösung:* richtig: 1, 2, 5

E3 Kursgespräch über das korrekte Verhalten bei Einladungen

1. Die TN diskutieren über die deutschen „Benimm-Regeln" bei Einladungen. Was fällt ihnen auf? Gibt es Ähnlichkeiten oder Unterschiede? Wenn die TN Auslandserfahrung haben, können sie auch von Erlebnissen bei Einladungen im Gastland berichten.
2. *fakultativ:* Die TN erstellen einen Regelkatalog für „Benimm-Regeln" in ihrem Land und stellen diesen den deutschen Regeln gegenüber.
3. Stellen Sie den TN den „Knigge" vor: Freiherr von Knigge schrieb im 18. Jahrhundert Verhaltensregeln. Gute Umgangsformen sind auch heute wieder richtig „in". Verteilen Sie an die TN die Kopiervorlage L3/E3. Hier können sie noch mehr Regeln kennenlernen und darüber diskutieren.
   Lösung: a) ein noch neuer Trend unter befreundeten Frauen, manchmal auch bei Frau und Mann. b) Man gibt aber immer ein bisschen mehr, wenn man mit dem Service zufrieden war. c) kann man auch sagen, dass man keinen Alkohol trinken möchte. d) den Gastgeber fragen, ob und wo (zum Beispiel auf dem Balkon!) man rauchen kann. e) öffnet man es sofort und bedankt sich mit freundlichen Worten. f) sind die Blumen der Liebe. Also bei Einladungen lieber eine bunte Komposition aus verschiedenen Blumen, Zweigen und Gräsern! g) kann man über die eigene Familie, das Haustier, Hobbys und Urlaub sprechen.

E4 Anwendungsaufgabe: Redemittel für Kaffeeeinladungen

1. Kopieren Sie die Kopiervorlage L3/E4 auf festen Karton und zerschneiden Sie diese. Jeweils zwei TN erhalten einen Kärtchensatz.
2. Die TN sehen sich die Kärtchen an und ordnen den Bildern zunächst die passenden Dialogteile in Partnerarbeit zu. Gehen Sie herum und geben Sie ggf. Hinweise zur Selbstkorrektur.
3. In einem zweiten Schritt legen die TN die Dialogteile in die richtige Reihenfolge.
4. Die TN tragen aufgrund ihrer Zuordnung die richtigen Buchstaben im Buch ein.
5. Abschlusskontrolle im Plenum. Die TN lesen die jeweiligen Dialoge zu den Bildern A bis D vor. *Lösung:* A Hallo, da seid ihr ja …; B Setzt euch doch …; C Der Kuchen ist wirklich lecker …; D So, jetzt müssen wir aber gehen …

Arbeitsbuch 23–25: als Hausaufgabe; **26:** in Stillarbeit oder als Hausaufgabe

E5 Aktivität im Kurs: Rollenspiel

1. Die TN finden sich paarweise zusammen. Sie suchen sich eine der beiden Situationen im Buch aus und formulieren frei einen passenden Dialog. Die Beispiele in E4 helfen ihnen dabei. Gehen Sie herum und helfen Sie bei Schwierigkeiten.
2. *fakultativ:* Wenn Sie genügend Zeit im Kurs haben bzw. wenn einige geübte TN schon früher fertig sind, können diese sich zusätzlich selbst eine Situation ausdenken und einen Dialog dazu erfinden.
3. Die TN üben ihren Dialog mit der Partnerin / dem Partner ein und spielen ihn anschließend im Plenum vor.
   Hinweis: Wenn Sie den TN einige Requisiten (Geschirr, Servietten, Kerze, …) zur Verfügung stellen, wird die Situation authentischer und das Rollenspiel macht noch mehr Spaß!
4. *fakultativ:* Als Vorübung oder auch als Abschluss zu E5 können die TN auch das Spiel auf der Kopiervorlage zu E5 (im Internet) spielen.

Einen Test zu Lektion 3 finden Sie auf Seite 126 f. Weisen Sie die TN auf die interaktiven Übungen auf ihrer Arbeitsbuch-CD hin. Die TN können mit diesen Übungen den Stoff der Lektion selbstständig wiederholen und sich ggf. auch auf den Test vorbereiten.

Zwischenspiel 3
Gefährlich süß!

Landeskunde: Süße Spezialitäten aus den deutschsprachigen Ländern

3

---

1 **Landeskunde: Informationen zu süßen Spezialitäten aus den deutschsprachigen Ländern**

1. Die TN betrachten die Fotos und lesen die Namen der süßen Spezialitäten. Fragen Sie die TN, welche davon sie kennen oder gar schon einmal probiert haben. Vielleicht kennen sie noch andere süße Spezialitäten? Lassen Sie die TN, die schon einmal etwas probiert haben, berichten, wie es ihnen geschmeckt hat.
   Variante: Wenn die TN noch keine Erfahrungen mit Spezialitäten haben, können sie erzählen, welche Spezialität im Buch sie gern einmal probieren würden und warum.

2. Die TN finden sich zu dritt zusammen. Sie lesen abwechselnd die Informationen zu den Städten und den süßen Spezialitäten von Norden nach Süden auf Seite 37 vor und zählen dabei die Kalorien zusammen. Wie viele Kalorien hätte man am Ende gegessen?
   Lösung: 3890 kcal
   Variante: Die TN erhalten Spielfiguren und Würfel. Sie spielen zu viert. Jeder setzt seine Figur auf den Einführungstext auf Seite 37 oben. Der erste TN würfelt und zieht seine Figur je nach Augenzahl auf der „Reiseroute der süßen Spezialitäten". Er liest die Information des Feldes vor und notiert „seine" Kalorien. Dann ist der nächste Spieler an der Reihe. Am Ende vergleichen die Spieler, wer auf der Reise von Norden nach Süden die meisten Kalorien gegessen hat.

3. Verteilen Sie die Kopiervorlage „Zwischenspiel zu Lektion 3". Die TN lösen Übung 1.
   Lösung: b) Wien; c) Frankfurt am Main; d) Aachen; e) Nürnberg; f) Berlin; g) Lübeck; h) Basel

---

2 **Landeskunde: Rezepte zu süßen Spezialitäten**

1. Bearbeiten Sie mit den TN als Vorübung zu Aufgabe 2 im Kursbuch die Übung 2 der Kopiervorlage „Zwischenspiel zu Lektion 3". Bringen Sie dazu alle Zutaten für Salzburger Nockerln (siehe Kopiervorlage „Zwischenspiel zu Lektion 3") und Küchenutensilien (elektrisches Rührgerät, Schüssel, Rührlöffel, Sieb, Pfanne) mit. Ein TN liest das Rezept Satz für Satz vor. Machen Sie mithilfe der Zutaten und Küchenutensilien die Tätigkeit pantomimisch vor, z.B. indem Sie für „Butter zerlassen" ein Stück Butter in die Pfanne geben und diese vor den TN hin und her schwenken, ggf. sogar Geräusche von zischendem Fett nachmachen. Diese pantomimischen Hilfen sind wichtig, da die TN das Rezept sonst nicht verstehen können.

2. Die TN lesen auch die Informationen zur Stadt und raten, um welche Spezialität und welche Stadt es sich handelt.
   Lösung: Salzburger Nockerln

3. Die TN finden sich zu Kleingruppen von 2–3 TN zusammen und entscheiden sich für eine Leckerei, die sie gern probieren würden. Sie suchen als Hausaufgabe im Internet nach einem Rezept dazu und nach weiteren Informationen zur der betreffenden Stadt und schreiben einen Text analog zum Muster der Kopiervorlage.

4. Die Gruppen stellen im Kurs ihr Ergebnis vor. Regen Sie sie dazu an, die Zutaten und die notwendigen Küchengeräte, soweit möglich, mitzubringen, um ihr Rezept anschaulich vorzustellen. Vielleicht verraten sie ja auch nicht, um welche Leckerei es sich handelt. Die anderen Gruppen raten.

5. *fakultativ:* Was man selbst tut, behält man besser! Wenn es möglich ist, in Ihrem Land die Zutaten zu den süßen Spezialitäten zu bekommen, regen Sie die TN dazu an, sich einmal im Backen zu versuchen. Nicht nur der Küchen-Wortschatz bleibt dabei besser im Gedächtnis, sondern die TN können die Spezialitäten auch wirklich kennenlernen und probieren. Wer etwas gebacken hat, sollte es in den Kurs zum Probieren für alle mitbringen. Später können die TN darüber diskutieren, welche Süßigkeit ihnen besonders gut geschmeckt hat.

Weitere Materialien für noch mehr Abwechslung im Unterricht finden Sie unter www.hueber.de/schritte-international.

1 **Vor dem Hören: Schlüsselwörter verstehen**

1. Die TN lesen die Begriffe und betrachten die Fotos. Halten Sie Ihr Buch hoch und lassen Sie verschiedene TN die Begriffe auf den Fotos zeigen. Helfen Sie, wenn nötig, bei „Teig". Wenn Sie das Poster zur Foto-Hörgeschichte zur Verfügung haben, können die TN auch darauf die Begriffe zeigen.
Lösung: Bäcker: Foto 3–7; Brötchen: Foto 1–3; verschiedene Sorten Brot und Gebäck: Foto 2; Brezel: Foto 1, Foto 6–8; Teig: Foto 4–7

2. Schreiben Sie „Gebäck/Brot" an die Tafel und sammeln Sie mit den TN weitere Begriffe, die diese vielleicht schon kennen. Vielleicht erinnern sie sich an die Nussschnecken aus Lektion 3, die auch hier auf Foto 2 zu sehen sind, und die anderen Gebäcksorten aus dem Zwischenspiel oder kennen das berühmte deutsche Schwarzbrot.
Variante: Wenn die TN noch nicht so viele Wörter kennen, können Sie stattdessen den Wortschatz von Lektion 3 wiederholen. Fragen Sie, was man zum Backen alles braucht. Die TN nennen Zutaten und Küchengeräte (Schüssel, Löffel ...).

2 **Vor dem Hören: Schlüsselinformationen verstehen**

1. Die TN betrachten die Zeichnungen, ohne die Worterklärungen zu lesen. Sie beschreiben die Zeichnungen, soweit auf Deutsch für sie möglich. Dadurch wird der Unterschied der Produktion schon sehr deutlich.

2. Die TN lesen die Worterklärungen und ordnen sie den Zeichnungen zu.

3. Abschlusskontrolle im Plenum. *Lösung:* A der Handwerker ...; B die Fabrik ...

4. *fakultativ:* Bei Interesse der TN sprechen Sie mit ihnen über die Vor- und Nachteile von traditionellem Handwerk und Massenproduktion. Wie ist der Stand in ihrer Heimat: Gibt es noch viele Handwerksbetriebe? Erlauben Sie den TN ggf., auch in ihrer Sprache zu sprechen.

3/4 **Beim ersten Hören**

1. Die TN lesen erst die Frage in Aufgabe 4. Bitten Sie einen Teil der Gruppe, sich beim Hören auf diese Frage zu konzentrieren. Die anderen TN, am besten die sprachlernerfahrenen TN, achten auf die Meinung des Bäckers zum Thema Handwerk/Fabrik.

2. Spielen Sie die Geschichte ein- bis zweimal komplett vor.

3. Die TN berichten, was sie zu der Frage in Aufgabe 4 verstanden haben.
Lösung: In Deutschland gibt es viele verschiedene Sorten Brot. Maria möchte einmal eine Bäckerei von innen sehen.

5 **Nach dem ersten Hören: Wichtige Details verstehen**

1. Die TN lesen die Aussagen im Buch. Machen Sie sie darauf aufmerksam, dass sie im Folgenden ganz genau hinhören müssen, um die Details zu verstehen. Sie hören die Geschichte noch einmal, wenn nötig auch abschnittsweise, und achten auf die Informationen zu den Aussagen. Sie kreuzen ihre Lösungen an.

2. Abschlusskontrolle im Plenum. Besprechen Sie bei falschen Lösungen der TN auch diese. So könnte es sein, dass die TN nicht merken, dass Thomas nicht um zwei Uhr nachts aufsteht, sondern bereits mit der Arbeit beginnt.
Lösung: richtig: Für kleine Handwerker ist es heute manchmal schwierig. Die Leute wollen für Lebensmittel nicht so viel Geld ausgeben. Beim Essen sollte man nicht sparen.

3. *fakultativ:* Wenn die TN viele Fehler gemacht haben, spielen Sie die Geschichte noch einmal vor und stoppen Sie sie an den Stellen, die für die TN problematisch waren.

6 **Nach dem Hören: Die persönliche Meinung sagen**

1. Sammeln Sie mit den TN an der Tafel die Nachteile, die Thomas zum Beruf des Bäckers nennt (um zwei Uhr nachts mit der Arbeit beginnen, als kleiner Handwerker kann man nicht so billig produzieren).

2. Die TN sprechen darüber, wie sie den Bäcker-Beruf finden.

TIPP

Internetrecherchen eignen sich im Unterricht besonders gut, um das autonome Lernen zu trainieren, und für Landeskunde-Einheiten. Aber auch die Arbeit mit dem Internet muss geübt werden. Wenn Sie die TN im Internet nach Informationen suchen lassen wollen, sollten Sie sich vorher selbst informieren und den TN konkrete Internetseiten nennen. Sehen Sie sich die Seiten auch an, ob sie sprachlich einfach genug sind für die TN. Schließlich sollten die TN konkrete Suchaufträge erhalten. Ein Beispiel für diese Lektion:
Klären Sie mit den TN den Begriff „Butterbrot" (= eine Scheibe Brot mit Belag, z.B. Marmelade, Honig, Käse, Wurst ...). Erklären Sie ggf. auch den Unterschied zum „modernen" Sandwich! Die TN gehen im Internet auf www.butterbrot.de und sehen sich in der Butterbrot-Galerie verschiedene Butterbrote an. Jeder TN wählt ein bis zwei Brote, die ihm besonders gut gefallen, und druckt die Fotos dazu aus. Er beschreibt im Kurs sein(e) Butterbrot(e) und warum er es/sie ausgewählt hat. Notieren Sie vorab ggf. Redemittel an der Tafel (*Auf meinem Butterbrot ist ... / Mein Brot ist belegt mit ... / Ich habe dieses Brot gewählt, weil ...*).

Thomas ist Bäcker. Den **solltest** du mal besuchen, Maria!

Konjunktiv II von *sollen*
Lernziel: Die TN können anderen Ratschläge geben.

A | **4**

A1 Präsentation des Konjunktiv II von *sollen*

1. Die TN sehen sich die Fotos an. Stellen Sie Fragen, um jeweils die Situation zu klären, wie „Wo sind die Personen auf Bild B?" oder „Was sagt der Mann im Anzug auf Bild C?"
2. Die TN lesen die Beispiele. Lesen Sie das Beispiel zu Bild A vor.
3. Die TN ordnen die übrigen Beispiele in Partnerarbeit zu. Abschlusskontrolle im Plenum.
   Lösung: B Es ist schon 19 Uhr ...; C Vielleicht sollten Sie doch etwas anderes anziehen.
4. Notieren Sie die Sätze zu den Fotos A bis C an der Tafel. Markieren Sie die Verben und veranschaulichen Sie anhand des Tafelbildes noch einmal die Satzklammer bei Modalverben, die die TN bereits aus *Schritte international 1*, Lektion 7, bzw. aus *Schritte international 2*, Lektion 9 und Lektion 10, kennen.
5. Weisen Sie die TN dann auf die neuen Verbformen „solltest", „sollten" und „solltet" in den Beispielsätzen bzw. im Grammatikspot hin. Um die Bedeutung von „sollen" im Konjunktiv II zu verdeutlichen, können Sie folgende Beispiele an der Tafel notieren:

Den [solltest] du mal [besuchen], Maria! = Besuch ihn doch mal, Maria!

Machen Sie deutlich, dass „sollt-" + Endung (und dem zweiten Verb im Infinitiv) einen Rat, eine Empfehlung oder einen Hinweis freundlicher macht als z.B. der Imperativ, der den TN bereits aus *Schritte international 2*, Lektion 9, bekannt ist.

Arbeitsbuch 1: in Stillarbeit

A2 Leseverstehen: Wichtige Informationen sammeln

1. Die TN lesen den Text. Bitten Sie sie, dabei alle Ratschläge farbig zu markieren. Geben Sie, wenn nötig, Gelegenheit zu Wortschatzfragen.
2. Die TN legen eine Tabelle nach dem Muster im Buch an und sortieren die Ratschläge aus dem Text in der Tabelle.
3. Abschlusskontrolle im Plenum.
   Lösung: Was sollte man tun: sachliche Fragen stellen, den Kollegen Hilfe anbieten, auf die Kollegen zugehen, sich die Namen von den Kollegen merken, ein paar Überstunden machen; Was sollte man nicht tun: nicht zu viel über Privates sprechen, nicht schlecht über Kollegen und den Chef sprechen, nicht übertreiben (nicht Tag und Nacht arbeiten)

A3 Anwendungsaufgabe zum Konjunktiv II von *sollen*

1. Bitten Sie die TN, sich vorzustellen, sie würden mit einem Freund sprechen, der Tipps für den neuen Job braucht. Die TN finden sich paarweise zusammen und entscheiden die Rollenverteilung.
2. Die TN spielen einen Dialog, einer gibt dabei dem anderen die Tipps aus A2. Gehen Sie herum und korrigieren Sie individuell bei Fehlern.
3. Die TN tauschen die Rollen und sprechen noch einmal.

Arbeitsbuch 2–3: als Hausaufgabe

A4 Aktivität im Kurs: Ratschläge geben als Wettspiel

1. Die TN finden sich in Gruppen von 3–4 TN zusammen und sammeln auf einem Plakat weitere Ratschläge. Stellen Sie einen Wecker oder eine Stoppuhr. Die TN haben fünf Minuten Zeit.
2. Die TN hängen ihre Plakate auf eine Pinnwand. Die Menge der Tipps werden gezählt, die Gruppe mit den meisten Tipps hat gewonnen. Halten Sie als Preis Süßigkeiten oder Farbstifte bereit!
3. Wenn Sie mit den TN noch weiter üben möchten, verteilen Sie die Kopiervorlage L4/A4. Die TN wählen ein Bild aus und schreiben selbstständig Ratschläge für diese Person auf einen Zettel. Lassen Sie die Zettel vorlesen. Auch hier können die lustigsten oder kreativsten Ratschläge prämiert werden.

4 **B** **Wenn** du keine Lust mehr auf deinen Job hast, ...

Nebensätze mit *wenn*
Lernziel: Die TN können Bedingungen ausdrücken.

Materialien
B1 Kopiervorlage L4/B1
Lerntagebuch: Plakate
B4 große Papierstreifen; Kopiervorlage zu B4 (im Internet)

B1 **Variation: Präsentation der Nebensätze mit *wenn ..., dann***

1. Die TN hören das Beispiel und markieren alle Verbformen. Gehen Sie weiter vor wie auf Seite 14 beschrieben.
2. Vergrößern Sie die Kopiervorlage L4/B1, schneiden Sie die Wortkarten aus und verteilen Sie diese im Kurs. Behalten Sie die Karte „Wenn" vorerst. Alle TN, die eine Wortkarte erhalten haben, stehen auf und versuchen, aus den Karten zwei korrekte Sätze zu bilden. Die Karten halten sie dabei so, dass alle anderen TN im Plenum den „Lebenden Satz" gut sehen können (vgl. *Schritte international 1*, Lektion 7). Die umsitzenden TN können ggf. bei der Wortstellung bzw. Abfolge der beiden Sätze behilflich sein.
3. Lassen Sie die TN die beiden Sätze einmal laut vorlesen und sagen Sie: „Wir wollen jetzt einen Satz machen. Hier haben wir noch ,wenn'. Das kommt an Position 1. Wie ist der neue Satz richtig?" Ein neuer TN erhält die Wortkarte „Wenn" und stellt sich an Position 1. Nun stellen die TN ohne Wortkarte den Satz um, indem sie die TN mit Karte ggf. neu positionieren. Abschließend liest ein TN den vollständigen Satz vor.
4. Fragen Sie: „Was hat sich geändert?" Ggf. können Sie die TN mit den Karten „Wenn" und „hast" bitten, sich noch einmal an die vorherige Position zu stellen. Mit Hilfe des „Lebenden Satzes" sollte deutlich werden, dass in Sätzen mit „Wenn" das Verb ebenso am Ende stehen muss wie bei Sätzen mit „weil", die die TN bereits aus Lektion 1 kennen.
5. Stellen Sie sicher, dass die TN die Bedeutung der „wenn"-Sätze verstanden haben, indem Sie z.B. sagen: „Sie telefonieren gerade. Ihr Mann möchte mit Ihnen sprechen. Sie sind gleich fertig und haben dann für ihn Zeit. Was sagen Sie?" Schreiben Sie ggf. den Satzanfang „Wenn ich fertig bin, ..." an die Tafel. Die TN sollten eine logische Fortsetzung des Satzes mit „dann ..." finden. Hier geht es weniger um die formale als um die semantische Korrektheit.
6. Weisen Sie die TN auch auf den Grammatikspot hin und erinnern Sie sie ggf. an die Nebensätze mit „weil" (*Schritte international 3*, Lektion 1).

B2 **Hörverstehen: Aussagen als richtig oder falsch bewerten**

1. TN lesen Aussage a) und hören dann den Anfang der Hörübung. Stoppen Sie die CD/Kassette, sobald die TN die entscheidende Information zu Aussage a) gehört haben, und fragen Sie: „Ist das richtig oder falsch?" Die TN kreuzen an, was sie für richtig halten und beantworten dann Ihre Frage.
2. Die TN lesen die übrigen Aussagen und hören dann die beiden Hörtexte so oft wie nötig und kreuzen „richtig" oder „falsch" an.
3. Abschlusskontrolle im Plenum. Klären Sie mit den TN ggf. unbekannten Wortschatz.
   Lösung: a) richtig; b) falsch; c) richtig; d) falsch; e) richtig; f) richtig; g) richtig; h) falsch
4. Notieren Sie an der Tafel folgende Beispiele:

Anhand des Tafelbildes sollte deutlich werden, dass die Satzstellung im „wenn"-Satz immer gleich bleibt, im Hauptsatz aber das Subjekt und das konjugierte Verb ihre Position tauschen (Inversion), wenn der Nebensatz vorangestellt wird. Um dies zu erklären, können Sie noch einmal daran erinnern, dass das Verb stets an Position 2 steht, was auch im nachgestellten „dann"-Satz der Fall ist. Weisen Sie die TN aber darauf hin, dass die Verwendung von „dann" optional ist, die Reihenfolge Verb – Subjekt im nachgestellten Hauptsatz aber unabhängig davon gleich bleibt. Verweisen Sie auch auf den Grammatikspot im Buch.

... **dann** kannst du ja in einer Bäckerei arbeiten.

Nebensätze mit *wenn*
Lernziel: Die TN können Bedingungen ausdrücken.

B 4

B3 Anwendungsaufgabe: Bedingungssätze formulieren

1. Sehen Sie sich mit den TN die Zeichnung an und klären Sie die Situation, indem Sie fragen, wer die Personen sind und wo sie sind. Sehen Sie sich dann die ersten Stichpunkte in der Tabelle an, bevor Sie zusammen mit einem TN die ersten beiden Sprechblasen lesen.
2. Verfahren Sie mit dem zweiten Beispiel analog.
3. Ein TN liest die nächsten Stichpunkte vor und formuliert dann einen Bedingungssatz nach demselben Muster.
4. Die TN bilden die übrigen Sätze in Partnerarbeit. Gehen Sie herum und helfen Sie bei Schwierigkeiten.
5. Abschlusskontrolle im Plenum. Ein TN übernimmt die Rolle der Personalchefin, ein anderer die des Praktikanten.
   Lösung: Wenn Sie abends nach Hause gehen, schließen Sie bitte die Tür ab. / Bitte schließen Sie die Tür ab, wenn Sie abends nach Hause gehen. Wenn Sie Kopfschmerzen haben, dann finden Sie Medikamente in dem Schrank da vorn. Wenn Sie Tee oder Kaffee getrunken haben, dann spülen Sie bitte Ihre Tasse selbst. Wenn Sie Hunger haben, dann können Sie in die Kantine gehen. Wenn ein deutscher Text zu kompliziert ist, dann fragen Sie Herrn Müller, er übersetzt ihn sicher für Sie. Wenn Sie Material brauchen, fragen Sie am Empfang. (Alle „wenn-Sätze" sind auch nachgestellt möglich.)

Arbeitsbuch 4–11: als Hausaufgabe: Mit Übung 5 und 6 können die TN die „wenn-Sätze" systematisieren.

LERN
TAGEBUCH

Arbeitsbuch 12: Sehen Sie sich gemeinsam mit den TN die Beispiele im Buch an und ergänzen Sie sie im Kurs. Fordern Sie die TN auf, sich paarweise weitere Beispiele zu überlegen. Gehen Sie herum und helfen Sie bei Schwierigkeiten.
fakultativ: Wenn Sie genügend Zeit haben, können die TN ihre Beispiele auf ein Plakat übertragen und im Kursraum aufhängen. Diese Wandzeitung dient dann in den folgenden Tagen als Merkhilfe. Wer will, kann seine Sätze auch im Plenum vorstellen.

B4 Aktivität im Kurs: Lebende Sätze

1. Die TN finden sich in Gruppen von 4–5 TN zusammen und schreiben zehn „wenn-Sätze" zum Thema „Arbeit und Beruf" auf große Papierstreifen. Wenn den TN nicht so viele Sätze einfallen, können Sie auch die Kopiervorlage zu B4 (im Internet) benützen.
2. Sie schneiden den „wenn-Sätz" und den Hauptsatz jeweils auseinander, mischen ihre Satzteile und geben sie einer anderen Gruppe. Diese muss die Sätze wieder zusammensetzen.
   Variante: Wenn Sie einen Kurs mit überwiegend sprachlernerfahrenen TN haben, können Sie die Aufgabe erschweren, indem Sie die TN die einzelnen Wörter ihrer Sätze ausschneiden lassen (vgl. B1).

TIPP

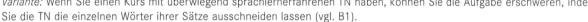

Sogenannte „Lebende Sätze" eignen sich hervorragend, um Wortpositionen bzw. Positionswechsel zu veranschaulichen, sei es, um wie hier die Endposition der Verben in Nebensätzen der Verbposition im Aussagesatz gegenüberzustellen oder aber auch, um beispielsweise die Verbklammer bewusst zu machen wie in *Schritte international 1*, Lektion 7.

4 **C** Telefonieren am Arbeitsplatz
Negationen: jemand – niemand, schon – noch nicht, etwas – nichts
Lernziel: Die TN können einfache Telefongespräche am Arbeitsplatz führen.

Materialien
C3 Kopiervorlage zu C3 (im Internet)

C1

Hörverstehen: Ein Telefongespräch
1. Die TN hören zur Einstimmung das Telefongespräch ohne weitere Erklärungen und lesen die Aussagen.
2. Klären Sie Wortschatzfragen (z.B. zurückrufen, etwas ausrichten). Die TN hören noch einmal und kreuzen ihre Lösungen an.
3. Abschlusskontrolle im Plenum. *Lösung:* a) falsch; b) falsch; c) richtig; d) richtig

C2

Anwendungsaufgabe: Ein Telefongespräch führen
1. Die TN hören die Telefongespräche so oft wie nötig und lesen dabei im Buch mit. Sie ergänzen die Lücken.
2. Abschlusskontrolle im Plenum. Die TN lesen die Telefonate dialogisch vor. *Lösung*: 1 verbinden; ausrichten; 2 sprechen; außer Haus; später noch einmal; 3 schon im Haus; noch nicht; Durchwahl; auf Wiederhören
3. Offene Fragen zum Wortschatz können an dieser Stelle geklärt werden. Hier sollten Sie aber auch auf die Gegensatzpaare „jemand – niemand", „schon – noch nicht", „etwas – nichts" eingehen. Notieren Sie an der Tafel:

jemand	=	*eine Person, egal wer / unbekannt*
		*Heute nachmittag hat **jemand** angerufen. Ich habe seinen Namen vergessen.*
niemand	=	*keine einzige Person*
		*Hat heute jemand angerufen? – Nein, heute hat **niemand** angerufen.*
etwas	=	*eine Sache, egal was*
		*Was war das? Ich habe **etwas** gehört.*
nichts	=	*keine einzige Sache*
		*Hast du auch etwas gehört? – Nein, ich habe **nichts** gehört.*

Das Gegensatzpaar „schon" und „noch nicht" ist den TN sicherlich leichter über Beispielsätze zu erklären. Notieren Sie an der Tafel und weisen Sie die TN auch auf die Infospots im Buch hin:

*Ist der Chef **schon** im Haus?*	*Nein, der ist **noch nicht** da. Er kommt heute später.*
*Ist das Essen **schon** fertig?*	*Nein, es ist **noch nicht** fertig. Es dauert noch 10 Minuten.*

4. Wiederholen Sie mit den TN in diesem Zusammenhang auch Redemittel zur Verständnissicherung. Die TN sollten möglichst selbst Beispiele dafür nennen, wie sie zurückfragen, wenn sie etwas nicht (sicher) verstanden haben (z.B. Habe ich richtig verstanden, ... ? / Entschuldigung, ich habe nicht verstanden. Könnten Sie das wiederholen?).

Arbeitsbuch 13–16: in Stillarbeit oder als Hausaufgabe

PHONETIK **Arbeitsbuch 17–19:** im Kurs: Übung 17 ist eine Vertiefung zum Thema Satzakzent, das in *Schritte international 1* und *2* bereits ausführlich behandelt wurden. Hier soll den TN bewusst gemacht werden, dass normalerweise die neue oder wichtigste Information im Satz betont ist. Bei neutralen Aussagen ist meist das letzte Wort im Satz betont. Spielen Sie die CD vor, die TN markieren die Betonung. Fragen Sie die TN nach ihrer Vermutung, weshalb diese Wörter wohl betont sind. Die TN können vielleicht selbst auf die Regel kommen. Die TN sprechen die Gespräche in Partnerarbeit.
Im Deutschen gibt es zwei „ch"-Laute. TN mit einer Muttersprache, die diese Laute nicht diskriminiert, nehmen den Unterschied nicht wahr. Spielen Sie daher Übung 18 mehrfach vor und bitten Sie die TN, genau auch die „ch"-Laute zu achten und zu versuchen, einen Unterschied zu hören. Nach einer Weile können die TN dazu übergehen, die „ch"-Laute mit zwei verschiedenen Farben zu markieren, und so herausfinden, nach welchen Vokalen „ch" wie in „ich" (nach e, i, ä, ö, ü) bzw. wie in „ach" (nach a, o, u, au) gesprochen wird. Der „ach"-Laut klingt dunkler und weniger stark, während „ich" eher gequetscht und schon fast gezischt klingt. Für „ich" sollten die TN sich vorstellen, „i" zu sagen, das „i" aber nicht zu artikulieren, sondern nur die Luft aus dem Mund zu stoßen. Die Zunge stößt dabei an den Gaumen. Bei „ach" ist die Zunge vom Gaumen gelöst. Der Laut wird hinten im Rachen gesprochen. Die TN tragen die Wörter mit „ch" aus Übung 18 in eine Liste ein (Übung 19).

C3

Aktivität im Kurs: Rollenspiel
Die TN finden sich paarweise zusammen. Jedes Paar entscheidet sich zunächst für eine der drei Gesprächssituationen und entwickelt anhand der Vorgaben ein Telefongespräch. Die Telefonate in C2 helfen ihnen dabei. Sollten TN dabei Schwierigkeiten haben, können Sie die Kopiervorlage zu C3 (im Internet) kopieren und verteilen.

TIPP

Bitten Sie die TN, eines der Mustertelefonate in C2 oder ein eigenständig entwickeltes Telefonat auswendig zu lernen und dann mit der Partnerin / dem Partner vorzutragen. Dadurch prägen sich die Redemittel für Telefongespräche besser ein und die TN haben sie bei einem „echten" Telefonat mit deutschen Gesprächspartnern parat.

Materialien
D1 Kopiervorlage L4/D1

Arbeit und Freizeit

Landeskunde: Urlaubs- und Feiertagsregelungen
Lernziel: Die TN können über Urlaubs- und Feiertage sprechen.

D 4

D1 **Vorwissen aktivieren: Urlaubs- und Feiertagsregelungen in Deutschland**
1. Fragen Sie die TN, wie viele Urlaubstage deutsche Arbeitnehmer ihrer Meinung nach haben. Die TN stellen Vermutungen an.
2. Fragen Sie weiter, wie viele Feiertage es in Deutschland schätzungsweise gibt und welche die TN kennen.
   Variante: Die TN stellen zunächst in Kleingruppen Vermutungen an bzw. sammeln ihr Vorwissen in der Gruppe.
   Lösung: Lassen Sie die Vermutungen zunächst unkorrigiert im Raum stehen. Ggf. können Sie die Schätzungen der TN an der Tafel festhalten. Nach Lesen des Textes in D2 können sich die TN dann zunächst selbst korrigieren, bevor Sie die Zahlen korrigieren, wenn nötig.
3. Verteilen Sie die Kopiervorlage L4/D1. Die TN suchen im Internet (oder mit Hilfe eines deutschen Kalenders) Informationen zu deutschen, österreichischen und schweizerischen Feiertagen. Erklären Sie ggf., was an diesen Tagen jeweils gefeiert wird.
4. *Lösung*: b) Heilige Drei Könige; A, zum Teil in D und CH; c) Tag der Arbeit; D, A, CH; d) Nationalfeiertag der Schweiz; CH; e) Tag der deutschen Einheit; D; f) Nationalfeiertag in Österreich; A; g) Reformationstag; zum Teil in D; h) Allerheiligen; A, zum Teil in D und CH; i) 1. Weihnachtsfeiertag; D, A, CH

D2 **Leseverstehen 1: Schlüsselinformationen entnehmen; Eigene Vermutungen verifizieren oder korrigieren**
1. Schreiben Sie die Überschrift des Zeitungsartikels an die Tafel. Die TN stellen Vermutungen über die Informationen an, die sie aus dem Text erhalten könnten.
2. Die TN lesen den Text in Stillarbeit und überprüfen dabei ihre Vermutungen zu Aufgabe D1.
3. Abschlusskontrolle im Plenum. *Lösung zu D1*: a) 28 Tage; b) 11–13 Tage

D3 **Leseverstehen 2: Informationen in einem Text suchen**
1. Fragen Sie: „Wie viele freie Tage haben deutsche Arbeitnehmer im Durchschnitt?" Deuten Sie dann auf den Zahlenstrahl in D3, auf dem Deutschland bereits an der Spitze eingetragen ist.
2. Bitten Sie die TN, den Text aus D2 noch einmal zu lesen und herauszufinden, wie viele Urlaubs-/Feiertage es in welchem Land gibt. Die TN notieren die Länder unter den Zahlen.
   Lösung: 23: in den USA; 29: in Irland; 31: in Japan; 37: in Österreich und Spanien; 38: in Luxemburg

D4 **Aktivität im Kurs: Persönliche Meinung und Vergleich mit dem Heimatland**
1. Die TN finden sich in Kleingruppen von 4–5 TN zusammen und diskutieren über die Urlaubstage in Deutschland und ihre persönliche Haltung zu Urlaubszeiten. Sie erzählen sich gegenseitig, wie oft sie Urlaub machen und wo.
2. Aus jeder Gruppe berichtet ein sprachlernerfahrener TN, wie die Meinungen in der Gruppe waren. Schreiben Sie, wenn nötig, ein paar Redemittel als Hilfestellung an die Tafel:

> *Wir waren alle der Meinung: ...*
>
> *Die meisten sagen ..., aber Piotr findet ...*
>
> *so viel Urlaub ist nicht nötig, weil ...*
>
> *Wir möchten auch gern so viel Urlaub wie die Deutschen haben, weil ...*

Arbeitsbuch 20: in Stillarbeit oder als Hausaufgabe

4 **E** Berufstypen

Test: „Welcher Berufstyp sind Sie?"
Lernziel: Die TN können über ihre Gefühle ihrem Beruf gegenüber sprechen.

Materialien
E1 Kopiervorlage L4/E1, Filzstifte, Schokolade
E2 Tipp: mehrere folierte weiße Blätter, nicht-permanente Folienstifte, Kärtchen mit Berufen
Test zu Lektion 4
Wiederholung zu Lektion 3 und 4

E1 **Leseverstehen: Einen Test machen**

1. Um das Wortfeld „Berufe" aufzufrischen, teilen Sie die auf A3 vergrößerte Kopiervorlage L4/E1 aus. Je eine Kleingruppe erhält eine Kopie und einen dicken Filzstift. Die TN notieren zu jedem Buchstaben einen Beruf mit diesem Anfangsbuchstaben. Die Buchstaben in Klammern sind „schwierige" Buchstaben, für die es nur wenige oder gar keine Lösungen gibt. Wenn eine Gruppe dazu einen Beruf findet, erhält sie Sonderpunkte. Hat eine Gruppe zu jedem Buchstaben, außer den „schwierigen", einen Beruf gefunden, ruft sie laut „Stopp". Sofort hören die anderen Gruppen auf zu schreiben. Sammeln Sie die Filzstifte ein, damit keine Gruppe ihre Liste mit den Informationen der anderen ergänzen kann. Für jede richtige Berufsbezeichnung bekommt die Gruppe einen Punkt. Ist eine Bezeichnung falsch, z.B. „Backer", gibt es keinen Punkt. Für die „schwierigen" Buchstaben gibt es zwei Punkte. Gewonnen hat die Gruppe mit den meisten Punkten. Vielleicht haben Sie ja etwas Schokolade als Preis dabei?
Hinweis: Die Kopiervorlage L4/E1 können Sie immer wieder einsetzen, wenn Sie den Wortschatz zu einem bestimmten Thema wiederholen wollen, z.B. Verben (hier können die TN auch die Perfektformen hinter den Infinitiv schreiben), Adjektive, Krankheiten, Lebensmittel usw. Auch können Sie die „schwierigen" Buchstaben vorher mit den TN aushandeln. Bei Verben sind es vermutlich weniger als bei Berufen.

2. Schreiben Sie die folgende Tabelle an die Tafel und besprechen Sie mit den TN einige Beispiele. Dann ordnet jede Gruppe die von ihr gesammelten Berufe in eine eigene Tabelle ein.

kaufmännischer Beruf	Handwerksberuf	sozialer Beruf
Verkäufer	Bäcker	Lehrer
Manager	Elektriker	...

3. Die Gruppen stellen ihre Ergebnisse im Plenum vor und korrigieren sich gegenseitig.
4. Die TN diskutieren in Kleingruppen: Was sind typische Eigenschaften eines Kaufmanns, eines Handwerkers, eines Menschen im sozialen Beruf? Was sollte sie/er besonders gut können? Was ist wichtig?
5. Sammeln Sie die Ergebnisse an der Tafel.
6. *fakultativ:* Wenn Sie genügend Zeit haben, können die TN gegenseitig einschätzen, was für ein Typ jemand sein könnte. Fragen Sie auch nach dem Grund. Erinnern Sie die TN an die Formulierungen: „Ich meine, dass ..."‚ „Ich glaube, dass ..."‚ die sich hier sehr gut anwenden lassen.
7. Die TN machen den Test wie im Kursbuch angegeben und lesen die Auflösung. Unbekannte Wörter sehen die TN im Wörterbuch nach.

E2 **Aktivität im Kurs: Über die Testergebnisse sprechen**

Die TN lesen das Beispiel und besprechen ihre Ergebnisse in Kleingruppen. Ermuntern Sie die TN, über ihren Beruf zu erzählen, z.B. warum sie diesen Beruf gewählt haben, was ihnen gut gefällt und was gar nicht.

TIPP
Spielen Sie mit den TN Beruferaten. Teilen Sie dazu den Kurs in Kleingruppen mit nicht mehr als sechs TN. Jede Gruppe erhält ein foliertes weißes Blatt, einen dicken nichtpermanenten Folienstift und ein Stück Küchenpapier oder ein Papiertaschentuch. Bereiten Sie Kärtchen mit verschiedenen Berufen vor. Achten Sie darauf, dass den TN die Berufe bekannt sind. Ein TN der ersten Gruppe kommt nach vorn. Sie zeigen ihr/ihm ein Kärtchen. Ohne den Beruf zu nennen, der auf dem Kärtchen steht, soll sie/er über die Tätigkeit berichten. Hat eine Gruppe eine Idee, welcher Beruf das sein könnte, notiert sie ihn auf dem folierten Blatt und hält es in die Höhe. Ist das Ergebnis richtig, erhält die Gruppe einen Punkt. Ist es falsch, wischt sie ihre „Tafel" aus und rät weiter. Akzeptieren Sie nur richtige Schreibweisen, so kann ggf. die andere Gruppe, die die richtige Schreibweise kennt, den Punkt machen. Anschließend kommt ein anderer TN nach vorn.

PRÜFUNG
Arbeitsbuch 21: Diese Übung dient der Vorbereitung der TN auf den Prüfungsteil Hören, Teil 1, der Prüfung *Start Deutsch 2*. Die TN sollten zunächst die kurzen Notizen zu den drei Telefonansagen lesen. Anschließend hören sie jeden Text zweimal und ergänzen die Telefonnotizen.

Einen Test zu Lektion 4 finden Sie auf Seite 128 f. Wenn Sie mit den TN den Stoff von Lektion 3 und Lektion 4 wiederholen möchten, verwenden Sie die Kopiervorlage „Wiederholung zu Lektion 3 und Lektion 4" (Seite 118–119).
Weisen Sie die TN auf die interaktiven Übungen auf ihrer Arbeitsbuch-CD hin. Die TN können mit diesen Übungen den Stoff der Lektion selbstständig wiederholen und sich ggf. auch auf den Test vorbereiten.

Zwischenspiel 4
Das Ding

Landeskunde: Taschenmesser

1

Vor dem Lesen: Wortschatz rund um das Messer

1. Die TN betrachten das Foto. Halten Sie Ihr Buch hoch und zeigen Sie auf die Zahlen 1–3 im Bild. Lesen Sie die drei Begriffe aus Aufgabe a) vor: Dosenöffner, Korkenzieher, Messer. Fragen Sie die TN, welcher Begriff zu welcher Zahl passt. Die TN kennen bereits die Wörter „Messer", „Dose", „öffnen" und können das Messer und den Dosenöffner ohne Schwierigkeiten zuordnen. Den Korkenzieher ermitteln sie per Ausschlussverfahren. Fragen Sie zur Verständnissicherung, was man mit einem Korkenzieher machen kann.
Lösung: Dosenöffner: 2; Korkenzieher: 3; Messer: 1

2. *fakultativ*: Verteilen Sie die Kopiervorlage zum Zwischenspiel 4 *Das Ding* (2) (im Internet). Wenn möglich, bringen Sie auch einen Zahnstocher, einen Schraubenzieher, eine Pinzette usw. mit und erklären Sie die Begriffe von Übung 1 der Kopiervorlage mit Hilfe dieser Gegenstände. Die TN bearbeiten die Übungen der Kopiervorlage in Partnerarbeit. Gehen Sie herum und helfen Sie bei Wortschatzfragen.

3. Abschlusskontrolle im Plenum.
Lösung: 1 a) einen Apfel schälen; b) Dosen aufmachen; c) eine Flasche Wein öffnen; d) die Zähne sauber machen; e) eine Schraube lösen oder fest machen; f) Papier schneiden; g) kleine Dinge nehmen; h) Fingernägel pflegen; i) Notizen machen; j) kleine Dinge besser sehen; k) die Uhrzeit sehen; 2 a) schmal oder breit; scharf oder stumpf; stumpf oder spitz; 2 b) Butter auf eine Scheibe Brot streichen; Obst und Gemüse schälen; Brot und Fleisch schneiden; 2 c) Kannst du den Kuchen bitte anschneiden? Möchtest du diese Annonce aus der Zeitung ausschneiden? Musst du nicht den Teil von dem Formular unten abschneiden?

4. Die TN haben sich jetzt ausreichend Wortschatz erarbeitet, um auf Deutsch über ihr Taschenmesser zu sprechen: Die TN lesen die Fragen in Aufgabe b) im Buch. Wer ein Taschenmesser hat, erzählt davon. Die anderen haken nach („Kannst du mit deinem Taschenmesser auch die Fingernägel pflegen?", „Hat dein Messer eine Pinzette?").

2

Leseverstehen: Landeskundliche Informationen über das Taschenmesser

1. Die TN finden sich zu Kleingruppen von sechs TN zusammen. Sie teilen sich untereinander wiederum zu dritt auf. Eine Gruppe (A) sucht in den Texten nach Informationen über das Schweizer Taschenmesser und dessen Hersteller, die andere (B) nach Informationen über die Herstellerfirma. Die TN haben inzwischen schon häufig geübt, sich selbstständig Notizen aus Texten zu machen. Geben Sie deshalb keine Hilfestellung, sondern lassen Sie die TN einmal selbst ausprobieren, wie sie mit einem Text umgehen können.

2. Die beiden Dreiergruppen finden sich wieder zu sechst zusammen und berichten sich gegenseitig über ihre Ergebnisse.

3. Verteilen Sie die Kopiervorlage „Zwischenspiel zu Lektion 4". Die jeweiligen Gruppen lösen die Übungen zu ihren Texten (Gruppe A Übung 1 und 2, Gruppe B Übung 3).

4. Die TN tragen ihre Ergebnisse auch noch einmal im Plenum zusammen, damit Sie kontrollieren können, ob alle wesentlichen Informationen gefunden wurden.
Lösung: 1 b In Millionen Haushalten und im Museum of Modern Art. c Es ist aus rotem Kunststoff mit einem kleinen weißen Kreuz; d Aus der Schweiz; e Schweizer Offiziersmesser; 2 a Was war Karl Elsener von Beruf? b Wann hat er seine Firma gegründet? c Was wollte er mit dieser Firma? 3 a in 120 Ländern; b mehr als hundert Modelle mit 33 verschiedenen Funktionen; c 25 Millionen Messer – 90 Prozent ins Ausland; d 1600 Angestellte

5. *fakultativ*: Die TN stellen sich vor, dass in ihrem Klassenzimmer eine große imaginäre Fühlkiste steht. Jeder TN soll sich nun ein Produkt überlegen, das er aus der Kiste „herausziehen" kann. Es kann sich dabei um irgendein „Ding" handeln, das man im Alltag braucht, oder auch um etwas, was im Land der TN hergestellt wird oder was sie aus einem anderen Land kennen. Die TN gehen in Kleingruppen zusammen und beschreiben ihr Produkt. Die anderen raten. Die schönsten Ideen können noch einmal im Plenum erraten werden.

LÄNDER
INFO

Wenn Sie das Thema erweitern möchten, so stellen Sie den TN weitere Produkte vor, die typisch für die deutschsprachigen Länder sind bzw. von hier aus in die Welt gegangen sind, wie zum Beispiel die Fischer-Dübel, Gummibärchen von Haribo, Birkenstock-Sandalen oder Lederhosen und Dirndl. Informationen können die TN selbstständig im Internet zusammentragen oder Sie bringen vereinfachte Infotexte zu den Firmen und zum Produkt analog zum Muster im Buch mit.

Weitere Materialien für noch mehr Abwechslung im Unterricht finden Sie unter www.hueber.de/schritte-international.

SPORT UND FITNESS

Folge 5: *Gymnastik*
Einstieg in das Thema: Sport machen, fit bleiben

Materialien
5 ein Tuch oder ein weicher Ball

1   **Vor dem Hören: Über Musik sprechen**

1. Teilen Sie die TN in zwei Gruppen. Jede Gruppe steht vor einem Flügel der Tafel. Geben Sie den TN drei Minuten Zeit, um zu notieren, welche Musik es gibt (Rockmusik, Popmusik, Reggae, klassische Musik usw.). So wird das Vorwissen der TN aktiviert. Musik hört fast jeder und einige werden die Musik, die sie gerne hören, schon auf Deutsch benennen können, vor allem, da die Begriffe oft international sind.

2. Die Gruppen vergleichen ihre Listen miteinander, die Artikel werden ergänzt oder korrigiert, wenn nötig. Hier sollten Sie darauf achten, dass alle TN die notierten Wörter verstehen.

3. Bitten Sie die TN, sich in der Mitte des Raumes zu verteilen. Sagen Sie, dass Sie eine Musik vorspielen. Die TN dürfen sich zu dieser Musik frei im Raum bewegen. Gehen Sie, während die Musik läuft, ebenfalls mit beschwingten Schritten herum. Möglicherweise haben manche TN Hemmungen, nach der Musik zu tanzen oder sich zu bewegen. Bitten Sie diese TN, wenigstens im Raum umherzugehen, während die Musik läuft.

4. Die Musik ist zu Ende. Die TN bilden einen Kreis. Eröffnen Sie das Gespräch. Fragen Sie: „Woran denken Sie?", „Gefällt Ihnen die Musik?", „Wann hören Sie Musik?" Bei Gesprächsbedarf der TN kann der Bezug zur Eingangsübung hergestellt werden, indem Sie fragen: „Welche Musik hören Sie gerne?"

2   **Vor dem Hören: Handlungen erkennen und der Person zuordnen**

1. Deuten Sie auf die ersten drei Fotos und fragen Sie: „Sie macht Gymnastik. Wer ist das?"

2. Die TN sehen sich die Fotos an und entscheiden, welches Foto zur Handlung passt, und kreuzen im Buch den richtigen Namen an. Verfahren Sie genauso mit den anderen beiden Sätzen aus 2 a). Anschließend vergleichen Sie die Lösungen im Plenum.
   Lösung: Sie macht Gymnastik: Maria; Sie muss sich konzentrieren, weil sie ihre Hausaufgaben machen muss: Larissa; Sie muss bügeln: Susanne

3. Die TN sehen sich Foto 7 an. Fragen Sie: „Wie finden Sie Kurt? Ist er wirklich zu dick?" Sammeln Sie ggf. weitere Adjektive mit den TN und ermuntern Sie sie, ihre eigene Meinung zu äußern.

3   **Beim ersten Hören**

1. Fordern Sie die TN auf, sich beim Hören darauf zu konzentrieren, was Susanne über Kurt sagt.
   Wenn Sie besonders geübte TN haben, die Sie zusätzlich fordern wollen, bitten Sie diese, auch darauf zu achten, was Simon über Kurt sagt und was Kurt selbst über sich denkt.

2. Die TN hören die Foto-Hörgeschichte und sehen sich dabei die Fotos an.
   Lösungsvorschlag: Susanne findet, Kurt hat einen Bauch. Simon findet, Kurt hat in letzter Zeit einen Bauch bekommen. Kurt geht joggen, er findet vielleicht auch, dass er zu dick ist.

4   **Nach dem ersten Hören: Sich zentrale Aussagen/Meinungen bewusst machen**

1. Die TN lesen die Aussagen und schreiben ihre Lösungen ins Buch.

2. Abschlusskontrolle im Plenum. Die TN verbessern falsche Lösungen und hören die Foto-Hörgeschichte ggf. noch einmal. Stoppen Sie die CD/Kassette an den problematischen Stellen.
   Lösung: b) Larissa zu Susanne; c) Kurt zu Susanne; d) Susanne zu Kurt; e) Kurt zu Simon; f) Simon zu Kurt

5   **Nach dem Hören: Kursgespräch über das Thema „Sport"**

1. Bei einem Kurs mit überwiegend ungeübten TN kann durch einen Wortigel zum Thema „Welche Sportarten kennen Sie?" der nötige Wortschatz aktiviert werden. In einem zweiten Schritt fragen Sie: „Wo macht man das?" Wenn nötig, können die Orte im Wortigel ergänzt werden.
   Variante: Haben Sie einen Kurs mit überwiegend geübten TN, lassen Sie diesen Schritt weg und beginnen Sie mit 2.

2. Fragen Sie die TN: „Machen Sie auch Sport?", „Was machen Sie und wie oft?" Um die Atmosphäre etwas aufzulockern, kann diese Übung mit einem Ball oder Tuch durchgeführt werden, den oder das sich die TN zuwerfen, wobei sie sich gegenseitig befragen. Lassen Sie hier auch andere Nachfragen zu. Achten Sie darauf, dass alle TN die Sportarten kennen, die angesprochen werden.

Du isst zu viel und du **bewegst dich** zu wenig.

A **5**

Reflexive Verben
Lernziel: Die TN können Unwohlsein formulieren und Ratschläge geben.

A1 Präsentation der reflexiven Verben

1. Die TN hören die Beispiele von der CD/Kassette und ergänzen die Reflexivpronomen im Kursbuch.
2. Abschlusskontrolle im Plenum. *Lösung:* a) sich; b) mich; c) dich; d) uns
3. Notieren Sie Satz c) an der Tafel. Erklären Sie den TN, dass das „du" etwas mit sich selbst macht, was im Deutschen durch das Reflexivpronomen ausgedrückt wird.

! Gehen Sie hier noch nicht auf den Unterschied „sich bewegen" und „etwas bewegen" ein.

! Deuten Sie auf sich und sagen Sie: „Ich bewege mich zu wenig." Notieren Sie den Satz an der Tafel. Fragen Sie einen Teilnehmer: „Und Sie? Bewegen Sie sich zu wenig?" Der TN sollte mit der bereits an der Tafel stehenden Struktur antworten. Zeigen Sie auf den TN: „Er bewegt sich zu wenig." Dann fragen Sie nach dem gleichen Muster eine Teilnehmerin. Vervollständigen Sie so das Tafelbild. Bei ungeübten TN kann nach dem gleichen Verfahren auch Satz d) erarbeitet werden. Weisen Sie die TN auch auf den Grammatikspot im Kursbuch hin.

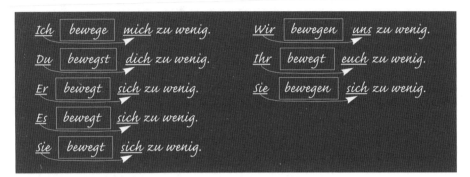

Arbeitsbuch 1–2: in Stillarbeit: Kontrollieren Sie, dass sich die TN das Paradigma in Übung 2 korrekt erarbeiten.

A2 Leseverstehen: Bild-/Textzuordnung

1. Ziehen Sie von den Bildern in A2 eine Folie. Achten Sie darauf, dass die TN ihre Bücher geschlossen haben. Präsentieren Sie zuerst Bild B. Fragen Sie die TN, was sie auf dem Bild sehen und was die Frau macht. Nachdem die TN das Bild beschrieben haben, fragen Sie weiter: „Was glauben Sie? Warum macht sie das?" Akzeptieren Sie auch lustige Antworten, es geht hier nicht um richtig oder falsch.
2. Die TN sehen sich die Bilder an und lesen die Texte. Sie ordnen jedem Bild einen Text zu.
3. Abschlusskontrolle im Plenum. *Lösung:* B 1; C 2; D 3
4. Schreiben Sie die Beispiele aus dem Grammatikspot an die Tafel und erläutern Sie den TN, dass der Imperativ und das Modalverb „müssen" auch für Ratschläge benutzt werden. Zeigen Sie die Position von „mich", „dich", ... bei Modalsätzen und in Imperativsätzen auf: Das Reflexivpronomen steht direkt hinter dem Modalverb bzw. nach dem Imperativ. Das Modalverb „müssen" und den Imperativ haben die TN in *Schritte international 2,* Lektion 9 kennengelernt.

A3 Anwendungsaufgabe zu den Reflexivpronomen

1. Die TN lesen noch einmal die Texte aus A2 und erstellen eine Tabelle wie im Buch. Achten Sie darauf, dass die TN nur Stichwörter notieren und nicht komplette Sätze abschreiben.
   Hinweis: Um mit den TN das Notieren von Stichwörtern zu üben, sehen Sie sich mit den TN noch einmal das erste Beispiel an. Fragen Sie: „Was ist das Problem?" Die TN werden vermutlich mit dem kompletten Satz „Sie können sich nicht konzentrieren" antworten. Zeigen Sie an der Tafel, wie man diese Antwort kurz in Stichwörtern notiert: Problem: sich nicht konzentrieren können. Erklären Sie den TN, dass Stichwörter nur die wichtigste Information enthalten. Im Deutschen benutzt man dafür die Infinitivform, der Infinitiv steht am Ende. Wenn nötig, machen Sie weitere Beispiele an der Tafel. Die TN notieren zunächst nur die Stichwörter zum ersten Beispiel. Gehen Sie herum und helfen Sie bei Schwierigkeiten. Besprechen Sie dann das erste Beispiel komplett im Plenum.
2. Die TN vergleichen ihre Notizen in Partnerarbeit. Wenn die TN gut klarkommen, erübrigt es sich, die Tabelle im Plenum zu besprechen. Andernfalls schieben Sie hier noch eine Plenumsphase zur Besprechung an der Tafel ein.
3. Weisen Sie auf den Beispieldialog im Kursbuch hin. Die Struktur von „wenn"-Sätzen ist den TN aus Lektion 4 bekannt. Sagen Sie zu einem TN: „Ich kann mich nicht konzentrieren." Sie/Er gibt Ihnen einen Gesundheitstipp. Bitten Sie einen anderen TN, ein Problem zu äußern. Nach einigen Beispielen können die TN die Übung in Partnerarbeit fortsetzen.
   Hinweis: Um ein bisschen Abwechslung in diese Übung zu bringen und die TN mit möglichst vielen anderen TN sprechen zu lassen, bitten Sie die TN doch, aufzustehen und mit ihren Notizen im Kursraum herumzugehen. Sie suchen sich eine Partnerin / einen Partner und sprechen kurz miteinander. Danach trennen sie sich und suchen einen neuen Partner. Wenn Sie auch mitspielen, können Sie gleichzeitig Fehler korrigieren. Gehen Sie möglichst auf schwächere TN zu. So können Sie gezielt Hilfestellung geben.

5   **A**

Du isst zu viel und du **bewegst dich**
zu wenig.

Reflexive Verben
Lernziel: Die TN können Unwohlsein formulieren und Ratschläge geben.

Materialien
Lerntagebuch: zwei Folien
A4 Plakate, Filzstifte; Kopiervorlage L5/A4;
Kopiervorlage zu A4 (im Internet)

Arbeitsbuch 3: im Kurs: Die TN sehen sich die Beispiele A und B an. Zeigen Sie mit Hilfe der Bilder, dass in Beispiel B jemand etwas selbst macht oder etwas <u>mit sich</u> selbst macht, wohingegen die Person in Beispiel A dies bei oder für jemand anderen tut. Die TN bearbeiten die Übung in Stillarbeit. Abschlusskontrolle im Plenum.

LERN
TAGEBUCH

Arbeitsbuch 4: Schreiben Sie die Sätze aus Übung 3 auf eine Folie und schneiden Sie die Sätze aus. Bereiten Sie eine zweite Folie mit der Tabelle aus Übung 4 vor. Verteilen Sie die ausgeschnittenen Sätze an die TN und lassen Sie sie auf der zweiten Folie zuordnen. Hier wird den TN noch einmal kontrastiv bewusst gemacht, dass Reflexivpronomen sich auf ein und dieselbe Person beziehen, während das gleiche Verb mit dem Akkusativ verwendet eine zweite Person oder Gruppe meint. Anschließend notieren die TN die Sätze in ihrem Lerntagebuch.

fakultativ: TN, die noch etwas mehr tun möchten oder auch andere reflexiv verwendbare Verben kennen, können weitere Sätze kontrastiv notieren. Ermuntern Sie die TN, sich bei Schwierigkeiten an Sie zu wenden. Legen Sie mit den TN auch eine weitere Spalte an, in der diese die echten reflexiven Verben notieren, also Verben, die <u>immer</u> ein Reflexivpronomen bei sich haben (sich konzentrieren, sich ausruhen ...).

Arbeitsbuch 5–12: in Stillarbeit oder als Hausaufgabe

A4

Aktivität im Kurs: Ein Gesundheitsplakat erstellen

1. Teilen Sie den Kurs in Gruppen ein. Jede Gruppe erhält ein Plakat und einen dicken Filzstift. Bitten Sie die Gruppen, zu den im Buch vorgegebenen Problemen Ratschläge zu notieren. Ggf. können sich die TN mithilfe der Kopiervorlage zu A4 (im Internet) erst einmal in Stillarbeit Gedanken machen. Ermuntern Sie die TN, auch eigene Ratschläge aufzuschreiben. Geübte TN erstellen ihr Plakat mit kleinen Texten wie in A2. Gehen Sie herum und helfen Sie bei Schwierigkeiten.

2. Wenn die Plakate fertig sind, hängen die TN sie im Kursraum auf. Die TN befragen sich gegenseitig nach dem Musterdialog im Buch, zunächst in der eigenen Gruppe. Stellen Sie anschließend neue Gruppen zusammen, die von Plakat zu Plakat gehen und sich befragen.

3. Im Kurs oder als Hausaufgabe erhalten die TN die Kopiervorlage L5/A4. Das ist eine Transferaufgabe. Die TN sollen anhand von Stichwörtern ihren Tagesablauf beschreiben. Zusätzlich zu den reflexiven Verben wird auch das Perfekt noch einmal geübt. Bei sprachlernerfahrenen TN können die Perfektformen der Verben im Schüttelkasten weggelassen werden. Bereiten Sie beide Kopien vor und lassen Sie jeden TN wählen, ob er die „schwerere" oder die „leichtere" Version nehmen möchte. Weisen Sie geübte TN, die die leichtere Version bearbeiten möchten, darauf hin, dass sie es zunächst mit der „schwereren" versuchen sollten. Kommen die TN nicht klar, dürfen sie tauschen. Gehen Sie herum und helfen Sie bei Schwierigkeiten. Sammeln Sie die Texte ein und korrigieren Sie sie.

Materialien
B3 Kopiervorlage L5/B3

Wir Männer **interessieren uns** nicht **für** Gymnastik!

Verben mit Präpositionen
Lernziel: Die TN können Interessen ausdrücken und nach Interessen fragen.

B   **5**

<u>**B1**</u>   **Präsentation eines Verbs mit fester Präposition**

1. Weisen Sie auf das Foto von Kurt im Buch. Sagen Sie: „Wir Männer interessieren uns nicht für Gymnastik." Fragen Sie einen TN: „Interessieren <u>Sie</u> sich für Gymnastik?" Notieren Sie die Antwort des TN an der Tafel: „… interessiert sich (nicht) für Gymnastik." Erklären Sie den TN, dass „sich interessieren" immer mit der Präposition „für" verwendet wird. Aus *Schritte international 2*, Lektion 8 und Lektion 14, kennen die TN die Präposition und wissen, dass sie mit dem Akkusativ verwendet wird. Verweisen Sie auf den Grammatikspot und erarbeiten Sie mit den TN daraus vollständige Beispielsätze an der Tafel:

Gymnastik   *Maria <u>interessiert sich für</u> Gymnastik.*
<u>der</u> Garten   *Maria <u>interessiert sich für den</u> Garten.*
...

2. Zwei TN lesen den Beispieldialog im Kursbuch vor und führen ihn mit einem Beispiel aus dem Kasten weiter. Notieren Sie die verschiedenen Antwortmöglichkeiten an der Tafel und erläutern Sie, dass sie einen abnehmenden Grad des Interesses darstellen.

☺ ☺   ☺   ☹   ☹ ☹
Ja, sehr.   *Ja, eigentlich schon.*   *Nein, eigentlich nicht.*   *Nein, überhaupt nicht.*

3. Die TN befragen sich in Partnerarbeit. Ermuntern Sie die TN, auch nach eigenen Themen zu fragen.

Arbeitsbuch 13–14: in Stillarbeit

<u>**B2**</u>   **Erweiterung: Präsentation weiterer Verben mit Präposition**

1. Die TN lesen die E-Mail und haben Gelegenheit, Verständnisfragen zu stellen. Sie markieren, wie im Buch vorgegeben, alle Verben mit Präposition. Da die Präposition nicht immer unmittelbar beim Verb steht, ist die Aufgabe vielleicht nicht ganz einfach für die TN. Gehen Sie herum und helfen Sie schwächeren TN.
2. Die TN vergleichen ihre Ergebnisse in Partnerarbeit. Schnelle TN können auch schon eine Tabelle anlegen und die Verben sortieren.
3. Gehen Sie mit den TN die Beispiele durch und sammeln Sie die Verben mit Präposition an der Tafel. Machen Sie zwei Spalten: eine für Verben mit Präposition und Dativ und eine für Verben mit Präposition und Akkusativ. Helfen Sie bei Nomen-Verb-Konstruktionen (Lust haben auf) und Verbindungen mit Adjektiv.
Lösung: Akkusativ: sich ärgern über, Lust haben auf, sich kümmern um, sich beschweren über, warten auf, sich freuen auf; Dativ: zufrieden sein mit, sich treffen mit, sprechen mit, sich verabreden mit

Arbeitsbuch 15–21: in Stillarbeit oder als Hausaufgabe

LERN
TAGEBUCH

Arbeitsbuch 22: Die Verben mit Präpositionen lernen sich leichter, wenn man sie als feste Wendungen lernt und mit einem Beispielsatz. Sammeln Sie mit den TN alle bekannten Verben mit Präpositionen an der Tafel. Die TN finden zu jedem Verb einen Beispielsatz und notieren in ihrem Lerntagebuch zuerst das Verb mit der Präposition, darunter den Beispielsatz. Daneben schreiben sie das Verb mit der Präposition und den Beispielsatz in ihrer Muttersprache.
Hinweis: Die TN haben häufig das Gefühl, dass Deutsch sehr schwierig ist, weil man vieles auswendig lernen muss. Indem die TN die Verben mit Präpositionen in ihre Muttersprache übertragen, können sie sehen, dass es dieses Phänomen durchaus auch in ihrer Sprache gibt, auch wenn die Präposition nicht unbedingt der Präposition im Deutschen entspricht. Aber: Bei agglutinierenden Sprachen wie dem Türkischen oder Ungarischen werden statt Präpositionen Kasus verwendet.

PHONETIK

Arbeitsbuch 23–26: im Kurs: Die TN haben schon mehrfach festgestellt, dass der Laut „r" nicht immer realisiert wird (vgl. *Schritte international 2*, Lektion 8 und *Schritte international 3*, Lektion 1). Nutzen Sie hier die Gelegenheit, mit den TN die Aussprache von „r" zu üben. Im Allgemeinen wird das hinten am Zäpfchen gesprochene „r" als das korrekte „r" im Deutschen betrachtet. In vielen Regionen wird das „r" aber gerollt oder als Reibelaut am Gaumen gesprochen. Lassen Sie alle diese Varianten gelten, wenn Sie mit den TN die Übungen durchgehen. Der Unterschied „r"/„l" ist übrigens nur für TN aus einigen asiatischen Ländern ein Problem. Er sollte auch nur in Kursen mit TN dieser Länder behandelt werden.

5 B

Wir Männer **interessieren uns** nicht **für** Gymnastik!

Verben mit Präpositionen
Lernziel: Die TN können Interessen ausdrücken und nach Interessen fragen.

Materialien
B3 Kopiervorlage L5/B3

B3   **Aktivität im Kurs: Partnerinterview**

1. Jeder TN erhält eine Kopie der Kopiervorlage L5/B3. Die TN ergänzen die Fragen. Gehen Sie herum und helfen Sie bei Schwierigkeiten.

2. Die TN stehen auf und suchen sich eine Partnerin / einen Partner. Sie stellen ihr/ihm <u>eine</u> Frage und notieren den Namen und die Antwort in Stichworten. Dann fragt und notiert die/der andere. Die beiden trennen sich und suchen sich neue Partner. Spielen Sie mit einem TN ein Beispiel vor. Das Spiel endet, sobald der erste TN zu jeder Frage eine Antwort hat. Sie/Er ruft laut „Stopp".

3. Bilden Sie mit den TN einen Kreis. Ein TN geht in die Mitte. Die anderen TN sehen auf ihre Notizen und berichten, was sie über diesen TN notiert haben: „... träumt oft von ihrer Arbeit."; „... wartet oft auf die Straßenbahn." Dann geht ein anderer TN in die Mitte. Auf diese Weise entsteht bei den TN eine erhöhte Aufmerksamkeit, weil sie sich jeweils auf die Person in der Mitte konzentrieren müssen. Jeder ist beteiligt, weil er seine Notizen im Auge behalten muss und vielleicht etwas zu dieser Person sagen kann.

   Variante: Wenn Sie nur wenig Zeit im Kurs haben, verzichten Sie auf das Spiel. Je zwei TN befragen sich nach den Beispielen im Buch und notieren sich die Antworten. Anschließend berichten die TN im Kurs über ihre Partnerin / ihren Partner.

Gymnastik! **Darauf** habe ich keine Lust!

Fragewörter und Präpositionaladverbien
Lernziel: Die TN können nach Interessen fragen und darauf reagieren.

C **5**

C1   **Variation: Präsentation der Fragewörter und Präpositionaladverbien**

1. Um die Präpositionaladverbien im Folgenden korrekt bilden zu können, ist die Kenntnis der richtigen Präposition zum jeweiligen Verb sehr wichtig. Es empfiehlt sich deshalb, diese mit den TN vorab noch einmal kurz zu wiederholen. Teilen Sie die TN in Dreiergruppen. Jede Gruppe erhält eine Kopie der Kopiervorlage L5/C1, einen Würfel und drei Spielfiguren. Das Spiel ist ein Rundlauf ohne Gewinner und Verlierer. Die TN stellen ihre Figur auf irgendein Feld des Spielplans. Achten Sie darauf, dass jeder TN auf einem anderen Feld beginnt. So wiederholen sich die Verben in größeren Abständen. Der erste TN würfelt, zieht seine Spielfigur um die Würfelpunkte vor und nennt das Verb mit der richtigen Präposition. Ist die Antwort falsch, muss er auf das vorige Feld zurück. Dann würfelt der nächste TN. Achten Sie auf einen zügigen Spielverlauf, da es hier nur um eine kurze Wiederholung gehen soll.
2. Gehen Sie vor wie auf Seite 14 beschrieben.
3. Entwickeln Sie ein Tafelbild:

> *Ich habe keine Lust <u>auf</u> Gymnastik.*   *<u>Darauf</u> habe ich keine Lust.*
>
> *<u>Worauf</u> hast du denn Lust?*

Markieren Sie die Präposition und die Präpositionaladverbien. Die TN werden erkennen, dass diese aus der Präposition des Ausdrucks „Lust haben <u>auf</u>" gebildet werden.

C2   **Hörverstehen 1: Das Thema eines Gesprächs erfassen**

1. Bitten Sie die TN darum, sich beim Hören auf die Frage zu konzentrieren: „Worum geht es in dem Gespräch?" Das Verstehen von Einzelheiten ist hier nicht nötig, denn die Aufgabe dient der Vorentlastung von C3. Spielen Sie dann den ersten Dialog vor. Die TN kreuzen eine Lösung an.
2. Die TN hören die anderen Gespräche und kreuzen eine Lösung an. Wenn nötig, spielen Sie die Gespräche mehrmals vor.
3. Abschlusskontrolle im Plenum. *Lösung:* Handball: 1; Eishockey: 2; Tennis: 3

C3   **Hörverstehen 2: Präpositionaladverbien ergänzen**

1. Die TN hören die Gespräche noch einmal und ergänzen die Lücken. Spielen Sie zuerst jeden Dialog komplett vor. Beim zweiten Hören machen Sie kleine Pausen, um den TN Zeit zum Schreiben zu geben.
2. Die TN vergleichen ihre Ergebnisse zunächst in Partnerarbeit.
3. Abschlusskontrolle im Plenum. *Lösung:* 1 Wofür, Dafür; 2 Darauf; 3 daran, daran; 4 darüber, Worüber
4. Ergänzen Sie mit Gespräch 1 das Tafelbild aus C1 und markieren Sie jeweils die Präposition und die Präpositionaladverbien:

> *Ich habe keine Lust <u>auf</u> Gymnastik.*   *<u>Darauf</u> habe ich keine Lust.*
>
> *<u>Worauf</u> hast du denn Lust?*
>
> *Seit wann interessierst du dich <u>für</u> Frauenfußball?*   *<u>Wofür</u> soll ich mich sonst interessieren?*
>
> *<u>Dafür</u> interessiere ich mich natürlich noch mehr.*

5. Deuten Sie auf die Präpositionen und die Adverbien und fragen Sie: „Wo gibt es solche Wörter in Gespräch 2?" Ergänzen Sie das Tafelbild. Fragen Sie die TN auch nach Beispielen für das passende Fragewort und die allgemeine Aussage. Nehmen Sie diese ebenfalls in das Tafelbild auf. Verfahren Sie ebenso für die Beispiele 3 und 4.
6. Die TN betrachten das komplette Tafelbild und erkennen, dass die Präpositionaladverbien aus „da" + Präposition und „wo" + Präposition gebildet werden. Erläutern Sie den TN, dass die Adverbien zusätzlich ein „r" bekommen, wenn die Präposition mit einem Vokal beginnt: worauf, darauf, woran, daran usw. Machen Sie die TN auf die Funktion der Präpositionaladverbien aufmerksam. Sie ersetzen bereits Bekanntes: „Interessierst du dich für Frauenfußball?" – „Nein, für Frauenfußball (kurz: dafür) interessiere ich mich nicht." Dieses Prinzip ist den TN von den Demonstrativpronomen aus *Schritte international 2*, Lektion 13 bekannt. Weisen Sie die TN auch auf den Grammatikspot im Buch hin.

Arbeitsbuch 27–30: in Stillarbeit oder als Hausaufgabe

5   C   Gymnastik! **Darauf** habe ich keine Lust!

Fragewörter und Präpositionaladverbien
Lernziel: Die TN können nach Interessen fragen und darauf reagieren.

Materialien
C4 Kopiervorlage zu C4 (im Internet); *Hinweis:* Sportbilder aus der Tageszeitung; *fakultativ:* Kopiervorlage L5/C1, Würfel, Spielfiguren

C4

Aktivität im Kurs: Ein Partnerinterview

1. Die TN ergänzen zunächst die passenden Fragewörter im Buch oder auf der Kopiervorlage zu C4 (im Internet), befragen dann eine Partnerin / einen Partner und machen sich Notizen. Geübte TN denken sich weitere Fragen aus, z.B. „Wovon träumst du?", „Worauf hast du nie Lust?"
   Hinweis: Für die Paarbildung können Sie – passend zum Thema der Lektion – Sportbilder aus der Tageszeitung zerschneiden. Jeder TN erhält einen Schnipsel. Diejenigen, deren Schnipsel zusammenpassen, arbeiten zusammen.

2. Mithilfe der Stichwörter schreiben die TN auf einem Zettel einen kurzen Text über ihre Partnerin / ihren Partner. Gehen Sie herum und helfen Sie bei Schwierigkeiten.

3. Sammeln Sie die Texte ein und verteilen Sie sie neu.

4. Ein TN liest seinen Zettel vor, allerdings ohne den Namen zu nennen. Die anderen TN raten, wer das sein könnte. Wer die richtige Person errät, liest seinen Zettel vor.

5. *fakultativ:* Wenn Sie diese Struktur noch weiter mit den TN üben möchten, verteilen Sie noch einmal die Kopiervorlage L5/C1, Würfel und Spielfiguren an die Kleingruppen.

   Die TN bilden in der ersten Runde nur die Fragen. In einer zweiten Runde bilden die TN Fragen und ein anderer TN antwortet darauf. Sie können auch die Präpositionen auf dem Spielplan ergänzen, damit die TN sich ganz auf die neue Struktur konzentrieren können. Erst nach einigen Runden erhalten sie einen Spielplan ohne Präpositionen. Geübte TN machen kleine Dialoge: „Wofür interessierst du dich?" – „Ich interessiere mich für Abenteuerromane." – „Dafür interessiere ich mich auch." Geben Sie den TN genug Freiraum, wirklich eigene Gespräche zu entwickeln und eigene Antwortmöglichkeiten auszuprobieren. Auch „Warum?" sollten Sie als Nachfrage zulassen. Gehen Sie herum und helfen Sie bei Schwierigkeiten.
   Hinweis: Sie können das Verb-Wabenspiel (Kopiervorlage L5/C1) auch später einmal zur Wiederholung einsetzen.

Materialien
D1 CD/Kassette mit flotter Musik, Süßigkeiten
D3 vergrößerte Folie des Dialoggerüstes

Sportreisen
Telefongespräche
Lernziel: Die TN können am Telefon Auskunft einholen.

D **5**

D1 Vorwissen aktivieren: Das Wortfeld „Sportarten"

1. Beginnen Sie das Thema doch einmal sportlich. Bilden Sie zwei Gruppen. Jede Gruppe stellt sich hintereinander vor einem Tafelflügel auf. Der erste jeder Gruppe erhält ein Stück Kreide. Wenn Sie keine Tafel zur Verfügung haben, eignen sich auch zwei große Plakate, die Sie an die Wand heften, und Filzstifte. Fragen Sie die TN: „Welche Sportarten kennen Sie?" Der erste TN jeder Gruppe läuft zur Tafel / zum Plakat und notiert eine Sportart. Sie/Er läuft zurück und gibt die Kreide / den Filzstift dem nächsten TN. Der läuft vor, notiert eine Sportart usw. Wenn Sie dazu eine flotte Musik auflegen, kommen die TN bestimmt ein bisschen ins Schwitzen, denn schnelle Musik erhöht das Tempo.
2. Die Gruppen vergleichen ihre Ergebnisse. Für die Sportarten, die beide Gruppen haben, gibt es keinen Punkt. Es zählt nur, was eine Gruppe allein gefunden hat. Wenn Sie möchten, verteilen Sie Süßigkeiten an die Sieger. Auch Erwachsene freuen sich über Belohnungen!
3. Die TN sehen sich die Piktogramme im Kursbuch an und ordnen die Begriffe zu.
   Lösung: 1 Snowboard fahren; 2 Segeln; 3 Golf; 4 Tischtennis; 5 Wandern; 6 Klettern; 7 Skifahren
4. Wenn Sie genug Zeit haben, fragen Sie die TN, welche Sportart sie gern einmal ausprobieren möchten und warum.

Arbeitsbuch 31: als Hausaufgabe

D2 Hörverstehen: Gesprächsnotizen machen

1. Erklären Sie den TN, dass sie Telefongespräche bei einem Sportreiseveranstalter hören. Sie sollen zunächst nur darauf achten, für welche Sportarten sich die Anrufer interessieren. Spielen Sie jeweils den Anfang der Gespräche vor.
2. Die TN notieren die Sportart.
3. Abschlusskontrolle im Plenum. *Lösung:* 1 Snowboard; 2 Tennis; 3 Klettern
4. Die TN sehen sich die Tabelle im Kursbuch an. Besprechen Sie mit den TN anhand der Vorgaben, nach welchen Informationen jeweils gefragt wird.
5. Die TN hören die Gespräche ganz und machen Notizen. Geben Sie den TN genug Zeit zum Schreiben.
6. Abschlusskontrolle im Plenum.
   Lösung:

Sportart	Wann?	Wie viel?
1 Snowboard	4 x samstags oder sonntags Dezember bis März	180 €/Person
2 Tennis	5. bis 12. September	455 €/Woche 15 €/Stunde, erste Stunde kostenlos
3 Klettern	einmal pro Monat, Mai bis September	150 € inkl. Übernachtung plus 15 € für die Busfahrt

7. Weisen Sie die TN auf den Infospot im Buch hin. Erklären Sie, dass man oft „montags" sagt, wenn man „jeden Montag" meint. „Montags" wird kleingeschrieben und erhält ein „-s" am Ende. Genauso die anderen Wochentage. In Lektion 3 haben die TN schon die Ausdrücke „morgens", „mittags", „abends" kennengelernt. Um diese Struktur ein wenig einzuüben, fragen Sie die TN: „Wann haben wir immer Kurs?", „Wann haben die Geschäfte nur bis 18 Uhr geöffnet?", „Wann kann man gar nicht einkaufen?"

Arbeitsbuch 32: als Hausaufgabe

D3 Aktivität im Kurs: Rollenspiel

1. Legen Sie die vergrößerte Folie des Dialogmodells auf. Spielen Sie noch einmal das erste Gespräch von D2 vor und verfolgen Sie mit dem Finger den Verlauf des Dialogs auf der Folie, während die TN hören.
2. Die TN lesen die beiden Situationen. Sie finden sich paarweise zusammen, entscheiden sich für eine Situation und verteilen die Rollen.
3. Die TN schreiben paarweise einen Dialog und lernen ihre Rolle auswendig.
4. Die Paare spielen ihren Dialog dem Plenum vor. Bilden Sie in großen Kursen zwei Plenen.

Arbeitsbuch 33: als Hausaufgabe

PRÜFUNG **Arbeitsbuch 34:** Im Prüfungsteil Lesen, Teil 3, bearbeiten die TN mehrere Anzeigentexte. Zu verschiedenen Situationen müssen passende Anzeigentexte gefunden werden. Es gibt mehr Situationen als Anzeigentexte. Die TN lesen zuerst die Aufgabenstellung, dann die Anzeigentexte und markieren die Schlüsselwörter. Anschließend lesen sie die Situationen, markieren die Schlüsselwörter und entscheiden, welcher Anzeigentext passt.

5   **E**   Fitness

Expertentipps
Lernziel: Die TN können Tipps verstehen und beurteilen.

Materialien
E3 Plakate
Test zu Lektion 5

E1   Leseverstehen 1: Die Kernaussage des Textes erfassen

1. Die TN lesen die beiden Aussagen. Fragen Sie sie nach ihrer Meinung: „Was ist Ihrer Meinung nach richtig?" Lassen Sie sie auch von eigenen Erfahrungen mit Sport, Fitness und Bewegung berichten, soweit sprachlich möglich.
2. Die TN lesen den ersten Absatz des Textes und kreuzen ihre Lösung an.
3. Abschlusskontrolle im Plenum.
   Lösung: Man muss sich einfach täglich etwas bewegen. Dann bleibt man fit.
4. *fakultativ:* Bei Interesse können die TN sich über Extremsportarten unterhalten. Geben Sie, wenn nötig, Hilfen an der Tafel vor: Interessierst du dich für …? / Hast/Bist du schon einmal …?

E2   Leseverstehen 2: Wichtige Informationen sammeln

1. Die TN lesen den Text und tragen die Tipps von Helmut Grassl in die Tabelle ein. Schnelle TN überlegen sich weitere Tipps für etwas mehr Fitness im Alltag. Übertragen Sie währenddessen die Tabelle an die Tafel.
2. Abschlusskontrolle im Plenum. Die TN ergänzen die Tabelle an der Tafel. Schnelle TN dürfen ihre eigenen Tipps eintragen.
3. Die TN kreuzen in ihrer Tabelle im Heft an, wie oft sie was machen, und beziehen dabei die zusätzlichen Tipps der schnellen TN ein.
4. Die TN erzählen sich in kleinen Gruppen von 5–6 TN, welche Tipps sie schon ausprobiert haben oder gar regelmäßig machen. Sie ergänzen, was sie außerdem machen, um sich fit zu halten. Geben Sie nicht allzu viel Zeit für das Gruppengespräch, um nicht E3 vorzugreifen.

E3   Aktivität im Kurs: Diskussion

1. Schreiben Sie an die Tafel „Man muss den inneren Schweinehund überwinden" und erklären Sie die Bedeutung: Es ist nicht immer leicht, sich selbst zu bestimmten Tätigkeiten zu bringen, wenn es keinen Zwang oder Druck von außen gibt. Muss man beispielsweise früh aufstehen, weil man einen Termin hat, macht man es auch. Darf man liegen bleiben, ist es sehr viel schwerer, sich zu motivieren und trotzdem früh aufzustehen.
2. Die TN lesen die Fragen und schreiben zu zweit oder zu dritt weitere Fragen zu Situationen auf, in denen man seinen inneren Schweinehund überwinden muss. Stellen Sie große Plakate zur Verfügung. Auf jedes Plakat kommt nur eine Frage.
3. Die Plakate werden gut sichtbar für alle an der Wand aufgehängt oder in die Mitte des Kursraums auf den Boden gelegt.
4. Die TN finden sich zu Kleingruppen von 5–6 TN zusammen und sprechen über die Fragen im Buch und an den Wänden. Weisen Sie explizit auf die Redehilfen im Buch hin. Gehen Sie herum und helfen Sie bei zähen Diskussionen mit gezielten Fragen, um die TN zu stimulieren.

Arbeitsbuch 35–36: als Hausaufgabe; **37:** in Stillarbeit: Die TN entscheiden selbst, ob sie Übung **b)** (mehr Hilfen) oder Übung **c)** (weniger Hilfen) bearbeiten. Lassen Sie die TN den Brief auf einen Zettel schreiben, sammeln Sie die Briefe ein und korrigieren Sie sie. Achten Sie auch auf die Formalia.

TIPP   Bei Texten, die die TN selbst schreiben, kommen immer wieder dieselben Fehler vor. Stellen Sie aus den Briefen der TN einen Brief zusammen, in den Sie die häufigsten Fehler der TN einbauen. Kopieren Sie den Brief. Je zwei TN erhalten eine Kopie. Sagen Sie den TN ausdrücklich, dass dieser Brief Fehler enthält. Bitten Sie die TN, die Fehler zu korrigieren. Besonders motivierend ist es, wenn die genaue Zahl der Fehler bekannt ist und so ein Wettkampf entsteht, alle zu finden. Anschließend besprechen Sie die Fehler, indem Sie den Brief auf Folie an die Wand werfen. Zugleich erhalten die TN eine Rückmeldung auch über ihre Fehler, ohne dass Sie jeden Text einzeln besprechen müssen. Auch führen Sie die TN an die Korrektur eigener Texte heran, was bei Prüfungen wichtig ist.

Einen Test zu Lektion 5 finden Sie auf Seite 130 f. Weisen Sie die TN auf die interaktiven Übungen auf ihrer Arbeitsbuch-CD hin. Die TN können mit diesen Übungen den Stoff der Lektion selbstständig wiederholen und sich ggf. auch auf den Test vorbereiten.

Zwischenspiel 5
Frei klettern

Landeskunde: Der Klettersport kommt aus Deutschland.

1 Leseverstehen: Landeskundliche Informationen verstehen

1. Die TN haben ihr Buch geschlossen. Malen Sie die zwei Wortigel (Assoziogramme) aus dem Buch an die Tafel und sammeln Sie mit den TN alles, was ihnen zu den Themen „Free Climbing" und „Sachsen" einfällt. Sollten die TN wenig über dieses Bundesland wissen, lassen Sie es auf einer Deutschlandkarte – z.B. auf der Karte in der vorderen Umschlagseite – zeigen, fragen Sie nach einfachen Informationen wie der Hauptstadt und erinnern Sie die TN an den Dresdner Stollen (Lektion 3).
2. Teilen Sie die TN in zwei Gruppen. Jede Gruppe liest einen Text auf Seite 56 bzw. Seite 57 im Buch und macht sich Notizen dazu. Gehen Sie herum und helfen Sie bei Wortschatzfragen.
3. Die Gruppen wählen einen Sprecher, der der anderen Gruppe mithilfe der Notizen über das Gelesene berichtet. Die übrigen TN der Gruppe unterstützen den Sprecher und ergänzen weitere Informationen. Als Hausaufgabe sollten die TN den jeweils noch nicht gelesenen Text lesen.
4. Verteilen Sie die Kopiervorlage „Zwischenspiel zu Lektion 5". Die TN lösen Übung 1 und 2 in Partnerarbeit.
5. Abschlusskontrolle im Plenum.
   Lösung: 1 a) Wenn man frei klettern will, muss man fit sein. b) Weil sich immer mehr Leute für das Free Climbing interessieren, spricht man von einer „Mode". c) Weil man dort gut klettern kann, fahren die meisten Kletterer in Deutschland in die Sächsische Schweiz. d) Fritz Wiessner hat Glück: Seiner Chemiefirma geht es gut. e) Fritz Wiessner ist in Amerika der erste freie Kletterer. Deshalb kennt man ihn dort auch sehr gut. f) Vor Fritz Wiessner haben die Amerikaner den Sport Free Climbing nicht gekannt. 2 a) über hundert Jahre alt. b) in Sachsen und in Tschechien. c) Deshalb können sie leicht kaputtgehen. d) nur wenig Ausrüstung. e) steht zum Beispiel: Dort darf man klettern, dort aber nicht. f) klettert schon als junger Mann gern. g) stirbt mit 88 Jahren.
6. Sprechen Sie mit den TN darüber, ob sie sich für Free Climbing interessieren.

7. Die TN überlegen jeder für sich, welche Sportarten sie machen oder kennen und wie die Regeln dafür aussehen. Sie suchen wichtige Wörter zu den Regeln im Wörterbuch und machen sich Notizen, um anschließend mithilfe der Notizen im Kurs berichten zu können. Geübte TN können ohne Vorbereitung über ihnen vertraute Sportarten sprechen. Diese TN finden sich in einer extra Gesprächsrunde zusammen und erzählen sich gegenseitig.
8. *fakultativ:* Wenn Sie viele sportbegeisterte TN im Kurs haben, lassen Sie sie als Hausaufgabe einen kurzen Aufsatz über ihre Lieblingssportart schreiben. Sammeln Sie die Texte ein und korrigieren Sie sie.

LÄNDER
INFO

Neben dem Land Schweiz nennen sich 191 Regionen in der Welt ebenfalls Schweiz. In Deutschland gibt es 67 Regionen, die das Wort „Schweiz" im Namen tragen. So gibt es neben der Sächsischen Schweiz z.B. noch die Fränkische Schweiz im nördlichen Teil von Bayern oder die Holsteinische Schweiz in Norddeutschland. Viele Regionen erinnern an die Schweizer Bergregionen, andere wiederum haben gar keine richtigen Berge. Trotzdem heißen sie Schweiz, denn im 19. Jahrhundert bedeutete Schweiz einfach „schöne Landschaft". (Quelle: Magazin *Deutsch perfekt*, Ausgabe Februar 2006, Seite 9)

2 Landeskunde: Recherche über einen deutschen Sportler

1. Die TN lesen die Aufgabenstellung und das Beispiel zu Franz Beckenbauer.
2. Die TN suchen als Hausaufgabe im Internet allein oder zu zweit nach Informationen zu einem ihnen bekannten deutschen (oder auch österreichischen oder schweizerischen) Sportler und machen Notizen.
3. Die TN bringen ihre Notizen mit in den Kurs. Sie erhalten Plakate und schreiben ihre Notizen darauf. Gehen Sie herum und helfen Sie ungeübten TN, die die Neigung haben, Sätze auszuformulieren, beim Schreiben der Stichpunkte. Erklären Sie, dass das Subjekt in Stichpunkten oft wegfällt oder auch das Verb (vgl. Spieler beim FC Bayern München), wenn klar ist, worum es geht.
4. Die Plakate werden gut sichtbar für alle im Kursraum aufgehängt. Alle TN gehen von Plakat zu Plakat. Der Schreiber / Die Schreiber des Plakats gibt/geben die Stichpunkte auf dem Plakat in ganzen Sätzen wieder. Damit üben die TN, vom Stichpunkt zum eigenen Wort zu kommen und Zusammenfassungen zu geben.

Weitere Materialien für noch mehr Abwechslung im Unterricht finden Sie unter www.hueber.de/schritte-international.

1 **Vor dem Hören: Das Wortfeld „Schule, Studium und Ausbildung"**

1. Bitten Sie die TN, eine Minute lang alles zu notieren, was ihnen auf Deutsch zum Thema „Schule" einfällt. Anschließend vergleichen die TN in Kleingruppen ihre Notizen und einigen sich auf fünf Punkte, die sie für die wichtigsten halten.
2. Tragen Sie die Gruppenergebnisse im Plenum zusammen und notieren Sie die Stichpunkte der TN an der Tafel.
3. Fragen Sie dann nach dem Unterschied zwischen Schule und Studium und klären Sie auch den Unterschied zwischen Studium und Ausbildung.
4. Die TN sehen sich im Buch die Aufgabe 1 a) an und ordnen den Begriffen die Nummern aus der Abbildung zu.
5. Abschlusskontrolle im Plenum. *Lösung:* das Fach: 4; die gute Note: 2; die schlechte Note: 3
6. Notieren Sie das deutsche Notensystem an der Tafel. In einigen Ländern, z.B. in Russland, ist Eins die schlechteste Note. Die in *Schritte international* genannten Noten beziehen sich auf das Notensystem in Deutschland. Wenn Sie in Österreich bzw. in der Schweiz mit *Schritte international* unterrichten, weisen Sie die TN darauf hin und erklären Sie das Notensystem Ihres Landes. Vielleicht haben Sie ja sogar ein altes Schulzeugnis, das Sie herzeigen möchten?
7. Die TN sehen das Zeugnis mit den Fächern und Noten im Buch an. Da die meisten Fächer internationale Namen haben, haben die TN kein Problem mit dem Verstehen. Sprechen Sie mit den TN darüber, welche Schulfächer es in ihrem Land gibt und welche Fremdsprachen man lernen kann. Bleiben Sie allgemein, die persönliche Schulzeit der TN wird später in C3 zum Thema werden.
8. Die TN lösen die Aufgabe 1 b). Abschlusskontrolle im Plenum.
Lösung: das Abitur – Die Abschlussprüfung an einem Gymnasium. Danach kann man studieren.; eine Ausbildung machen – einen Beruf lernen
Hinweis: Häufig verwechseln die TN „studieren" und „lernen". Weisen Sie darauf hin, dass das Verb „studieren" nur für die Universität benutzt wird. In der Schule, an der Volkshochschule oder am Goethe-Institut wird gelernt.

2 **Vor dem Hören: Schlüsselwörter verstehen**

1. Die TN lösen die Aufgabe wie im Buch angegeben.
2. Abschlusskontrolle im Plenum. *Lösung:* a) faul; c) blöd; d) arm

3 **Beim ersten Hören**

1. Die TN stellen Vermutungen über den Handlungsverlauf der Geschichte an.
Hinweis: Wenn Sie genug Zeit haben, lassen Sie die TN vor dem Hören in Partnerarbeit Dialoge zu einzelnen Fotos schreiben. Besonders geeignet sind dazu Foto 2, 4 oder 7.
2. Die TN hören die Foto-Hörgeschichte, sehen sich dabei die Fotos an und vergleichen mit ihren Vermutungen.
3. Weitere Alternativen zum Umgang mit der Foto-Hörgeschichte finden Sie auf Seite 12 f.

4 **Nach dem ersten Hören: Zentrale Aussagen**

1. Die TN lesen die Aussagen und kreuzen ihre Lösung während des zweiten Hörens an. Geübte TN kreuzen sofort ihre Lösung an und kontrollieren diese beim zweiten Hören.
2. Abschlusskontrolle im Plenum. Die geübten TN verbessern falsche Lösungen und hören die Foto-Hörgeschichte ggf. noch einmal. Stoppen Sie die CD/Kassette an den problematischen Stellen.
Lösung: a) Kurt; b) Simon; c) Maria; d) Simon; e) Simon

5 **Nach dem Hören: Kursgespräch über das Verhalten von Kurt**

1. Die TN fassen zusammen, wie sich Kurt gegenüber Simon verhält und warum er sauer ist. Wenn die TN Hilfestellung brauchen, fragen Sie: „Was sagt er zu Simon? Was soll Simon tun?"
Lösungsvorschlag: Kurt ist wütend. Er ärgert sich über das Zeugnis von Simon. Er will das Zeugnis nicht unterschreiben. Simon soll das Abitur machen und studieren.
2. Die TN äußern ihre Meinung über Kurts Verhalten. Geben Sie an der Tafel, wenn nötig, Redemittel für die Diskussion vor: „Ich finde, …", „Ich meine, …", „Kurt hat recht, weil …", „Kurt hat unrecht, weil, …"
Lassen Sie aber auch eigene Formulierungen der TN gelten, die Redemittel sollen nur eine Hilfestellung sein.

Materialien
A1 Folie von Übung 1 im Arbeitsbuch
A4 Folie von Übung 6 im Arbeitsbuch; Kopiervorlage
L6/A4, Spielfiguren, Würfel

Ich **wollte** studieren.

Präteritum der Modalverben

Lernziel: Die TN können über berufliche Jugendträume und über den Ausbildungsweg sprechen.

A 6

A1 Präsentation der Modalverben im Präteritum

1. Die TN hören die Beispiele und ergänzen die Modalverben im Kursbuch. Sicher wird den TN hier der Unterschied zwischen „heute" und „früher" auffallen, der sich in der Form der Modalverben zeigt. Die Modalverben im Präsens sind den TN bereits aus *Schritte international 1* und *Schritte international 2* bekannt.
2. Abschlusskontrolle im Plenum. *Lösung*: wollte – wollte – durfte – musste – will – muss
3. Präsentieren Sie die Folie von Übung 1 aus dem Arbeitsbuch. Die TN überlegen im Plenum, welche Aussage zu welcher Person passt.
4. Entwickeln Sie dann anhand der Folie folgendes Tafelbild:

> *Kurt, **früher***   *Kurt, **heute***
> *ich wollte*   *ich will*
> *ich durfte*   *ich darf*

     Erklären Sie den TN, dass die linke Form Vergangenheit ausdrückt. Das Präteritum von „haben" und „sein" ist den TN schon aus *Schritte international 2*, Lektion 8, bekannt. Wischen Sie das Tafelbild nicht aus, Sie brauchen es noch für A2!

5. Fragen Sie die TN, welche „ähnlichen" Verben / Verben mit ähnlicher Form sie noch kennen und ergänzen Sie sie an der Tafel.
6. Weisen Sie dann auf den Grammatikspot im Buch hin und fragen Sie für jedes Modalverb nach der Präteritumform. Notieren Sie diese an der Tafel. Ergänzen Sie auch die Personalpronomen „er" und „sie", weil hier die Verb-Endungen gleich sind. Da das Tafelbild sich nicht mehr auf Kurt allein bezieht, wischen Sie „Kurt" aus. Unterstreichen Sie die Endung „te", sie ist das Präteritumzeichen.

> *früher*   *heute*
> *ich/er/sie wollte*   *ich/er/sie will*
> *ich/er/sie durfte*   *ich/er/sie darf*
> *ich/er/sie musste*   *ich/er/sie muss*
> *ich/er/sie konnte*   *ich/er/sie kann*
> *ich/er/sie sollte*   *ich/er/sie soll*

A2 Anwendungsaufgabe zu den Modalverben im Präteritum

1. Die TN sehen sich die Aufgabe im Buch an. Besprechen Sie das erste Beispiel im Plenum: „Anna wollte Schneiderin werden." Wenn nötig, notieren Sie das Beispiel an der Tafel und weisen Sie auf die Endstellung des Infinitivs hin.
2. Die TN sprechen über die anderen Beispiele in Partnerarbeit. Geübte TN denken sich ein weiteres Beispiel zu einer fiktiven Person aus. Oder vielleicht gibt es ja sogar eine Großmutter / einen Großvater, über den sie nach dem Muster der Aufgabe berichten können.

Arbeitsbuch 2–3: in Stillarbeit oder als Hausaufgabe

A3 Anwendungsaufgabe zu den Modalverben im Präteritum

1. Die TN lesen die Aufgabenstellung. Sie sehen sich das erste Bild an und lesen das Beispiel.
2. Fragen Sie: „Was kann man noch schreiben zu Bild A?" Die Frage soll den TN deutlich machen, dass es hier viele Möglichkeiten gibt, etwas über Friedrich zu sagen. Ermuntern Sie die TN, hier möglichst kreativ zu sein.
   Lösungsvorschlag: Friedrich wollte spielen, aber er musste lernen. Friedrich wollte mit Autos spielen, aber er musste Mathematik machen / rechnen.
3. Die TN lösen die übrigen Beispiele in Stillarbeit.
   Sollten die TN noch Schwierigkeiten mit den Verben haben, bereiten Sie eine Kopie mit möglichen Verben zu den Bildern vor, die die TN im ersten Schritt den Bildern zuordnen. Mithilfe dieser Verben lösen die TN dann die Aufgabe. Für die geübten TN können Sie einen kleinen Wettbewerb veranstalten: Wer schreibt die meisten richtigen Sätze zu den Bildern?

Arbeitsbuch 4: in Stillarbeit oder als Hausaufgabe

6 **A**

Ich **wollte** studieren.

Präteritum der Modalverben
Lernziel: Die TN können über berufliche Jugendträume und über den Ausbildungsweg sprechen.

Materialien
A4 Folie von Übung 6 im Arbeitsbuch; Kopiervorlage
L6/A4, Spielfiguren, Würfel

Arbeitsbuch 5–6: vor A4 im Kurs: Weil den TN die Präteritum-Endungen schon von „hatte" her bekannt sind, lösen sie Übung 5 ohne weitere Erläuterung. Ungeübte TN ergänzen mit den Formen aus Übung 5 die Tabelle von Übung 6. Geübte TN ergänzen die Tabelle komplett. Legen Sie dann eine Folie von Übung 6 auf und ergänzen Sie sie gemeinsam mit den TN.

A4 **Aktivität im Kurs: Über Berufswünsche in der Jugend sprechen**

1. Zeichnen Sie ein Bild an die Tafel wie im Buch und lassen Sie die TN raten, was Sie als Kind werden wollten. Wenn Sie Lust haben, zeichnen Sie mehrere Bilder: als Kind, als Jugendliche(r), heute. Zeichnen Sie, auch wenn Sie nicht besonders gut zeichnen können. Was man nicht eindeutig erkennen kann, ist umso besser zum Raten. Auch zeigen Sie den TN damit, dass diese Übung spielerisch gemeint ist und Spaß machen kann. Besondere Zeichenkünste werden nicht verlangt!

2. Geben Sie den TN Gelegenheit, in Kleingruppen Berufe und andere wichtige Wörter, die sie für das Thema brauchen, zu sammeln. Gehen Sie herum und helfen Sie.

3. Die TN zeichnen und raten in Kleingruppen. Ermuntern Sie die TN, auch Fragen an ihre Mitspieler zu stellen: „Warum wolltest du das werden?", „Bist du jetzt zufrieden?" Weisen Sie die TN auch auf den Grammatikspot hin, der als Hilfestellung bei Unsicherheiten genutzt werden kann.

4. Wenn die TN Spaß an der Aktivität hatten, sammeln Sie die Bilder ein und stimmen Sie mit den TN darüber ab, welches das lustigste Bild ist.

5. *fakultativ:* Verteilen Sie die Kopiervorlage L6/A4 an Kleingruppen. Ziel dieser Aktivität ist es, die TN zum Gespräch über die eigene Kindheit anzuregen. Die TN stellen ihre Spielfigur auf ein beliebiges Feld, möglichst nicht alle auf das gleiche Feld. Der erste TN der Gruppe würfelt und geht die gewürfelte Anzahl an Feldern vor. Sie/Er landet z.B. auf dem Feld „zum ersten Mal allein ausgehen dürfen". Sie/Er stellt einem anderen TN aus der Gruppe eine Frage: „Wann durftest du zum ersten Mal allein ausgehen?" Der angesprochene TN antwortet. Gehen Sie herum und helfen Sie bei Schwierigkeiten.
   Hinweis: Die Kopiervorlage lässt sich auch zu einem späteren Zeitpunkt zur Wiederholung einsetzen.

Arbeitsbuch 7–9: in Stillarbeit oder als Hausaufgabe

Es ist aber wichtig, **dass** man eine gute Ausbildung hat.

Nebensätze mit *dass*
Lernziel: Die TN können Gefühle ausdrücken und ihre Meinung sagen.

B1

Präsentation: Nebensätze mit *dass*

1. Die TN sehen sich das Foto aus der Foto-Hörgeschichte an und lösen die Aufgabe wie im Buch angegeben. Falls nötig, spielen Sie den Ausschnitt der Foto-Hörgeschichte noch einmal vor.
2. Die TN vergleichen ihre Lösungen mit ihrer Partnerin / ihrem Partner. Achten Sie darauf, dass die TN nicht auf ihre Lösungen zeigen, sondern dass sie die Sätze vorlesen. Dann prägt sich die neue Struktur schon ein wenig ein. Jede(r) hat sie einmal „auf der Zunge gespürt" und sie erscheint nicht mehr so fremd und ungewohnt.
3. Abschlusskontrolle im Plenum. *Lösung:* Maria: d, e; Simon: a, c
4. Schreiben Sie Zitat d) an die Tafel und markieren Sie die Konjunktion und das Verb wie im Buch. Erklären Sie den TN, dass mit der Konjunktion „dass" eine Meinung oder ein Gefühl modifiziert / näher erläutert wird. Weisen Sie auf die Endstellung des Verbs bei Nebensätzen hin. Diese ist den TN schon aus Lektion 1 und Lektion 4 bekannt.
5. Zeichnen Sie um die komplette Wendung „Es ist wichtig, dass" einen Kasten. Sie sollte von den TN als Formel gelernt werden.
6. Fragen Sie nach weiteren Sätzen, die in B1 mit „dass" stehen. Notieren Sie sie an der Tafel.

Arbeitsbuch 10–11: in Stillarbeit oder als Hausaufgabe

B2

Hörverstehen 1: Die zentrale Aussage erfassen

1. Sagen Sie den TN, dass sie eine Sendung von der CD/Kassette hören. Bitten Sie die TN, sich darauf zu konzentrieren, was das für eine Sendung ist. Wo gibt es solche Sendungen? Was ist die Frage? Spielen Sie die CD/Kassette bis zur Musik vor. *Lösungsvorschlag:* Das ist eine Radiosendung. Die Hörer sollen anrufen und ihre Meinung sagen. Die Frage ist: Wie wichtig sind Noten?
2. Die TN lesen die Aufgabenstellung und sehen sich die Tabelle im Buch an. Spielen Sie jetzt die ganze Sendung vor. Die TN kreuzen die Lösung an.
3. Abschlusskontrolle im Plenum. Die TN sollten ihre Lösung in vollständigen Sätzen nennen.
   Lösung:

... findet, dass Noten ...	wichtig sind.	nicht wichtig sind.
Jakob		✗
Olaf Meinhard	✗	
Anneliese Koch		✗

B3

Hörverstehen 2: Meinungen verstehen

1. Die TN lesen die Aufgabenstellung und die Beispielsätze und kreuzen die Lösung an. Spielen Sie den Hörtext so oft wie nötig vor.
2. Abschlusskontrolle im Plenum.
   Lösung: a) Anneliese Koch; b) Olaf Meinhard; c) Jakob

B4

Anwendungsaufgabe: Eine Meinung wiedergeben

1. Lesen Sie gemeinsam mit den TN das Beispiel. Bitten Sie einen TN, den letzten Satz zu ergänzen.
2. Weisen Sie auf den Infospot im Buch. Erklären Sie den TN, dass man diese Wörter benutzt, wenn man die eigene Meinung oder die eines anderen wiedergibt. Weisen Sie darauf hin, dass die Wendung „Er/Sie ist sicher, dass ..." auf eine sehr feste Meinung deutet. Bisher haben die TN diese Wendungen ohne „dass" benutzt. Erklären Sie den TN, dass die Konjunktion in der Alltagssprache häufig weggelassen wird.
3. Die TN sprechen in Partnerarbeit über die anderen Personen. Gehen Sie herum und helfen Sie bei Schwierigkeiten.

Arbeitsbuch 12–13: als Hausaufgabe: Mit Übung 12 vertiefen die TN selbstständig die Verbstellung im Nebensatz.

6

B

Es ist aber wichtig, **dass** man eine gute Ausbildung hat.

Nebensätze mit *dass*
Lernziel: Die TN können Gefühle ausdrücken und ihre Meinung sagen.

Materialien
Lerntagebuch: als Folie
B5 Kopiervorlage L6/B5

LERN TAGEBUCH

Arbeitsbuch 14: Bereiten Sie von Übung 14 eine Folie vor. Besprechen Sie mit den TN zunächst die vorgegebenen Beispiele. Erläutern Sie den TN, dass die Wendungen nicht beliebig austauschbar sind, sondern der Aussage eine bestimmte Tendenz geben. Sehen Sie traurig drein und machen Sie ein Beispiel für „Es tut mir leid, dass ..." Erklären Sie mit einem Lächeln: „Ich bin glücklich, dass ..." Die TN machen die Übung zunächst in Einzel- oder Partnerarbeit. Anschließend tragen Sie die Ergebnisse mit den TN auf der Folie zusammen. Die TN kontrollieren ihre Tabelle und verbessern sie.
fakultativ: TN, die noch etwas mehr tun möchten, können weitere Wendungen in ihre Tabelle eintragen. Manche TN haben vielleicht schon Wörter und Ausdrücke von deutschsprachigen Bekannten oder aus anderen Büchern gelernt. Ermuntern Sie die TN, sich bei Unsicherheiten an Sie zu wenden.

Arbeitsbuch 15: im Kurs: Tragen Sie mit den TN gemeinsam die bereits bekannten Konjunktionen an der Tafel zusammen, die Nebensätze einleiten („dass", „wenn", „weil"). Fragen Sie nach Beispielsätzen und notieren Sie einige. Wenn nötig, heben Sie noch einmal die Endstellung des Verbs hervor. Die TN lösen Übung 15 selbstständig in Einzelarbeit. Lassen Sie die TN ihre Lösungen nicht ins Buch, sondern auf Zettel notieren. Sammeln Sie die Zettel ein und korrigieren Sie sie.
Hinweis: Machen mehrere TN die gleichen Fehler, verfahren Sie wie auf Seite 60 (Tipp) vorgeschlagen.

PHONETIK

Arbeitsbuch 16–21: im Kurs: In der deutschen Hochsprache bzw. in der sogenannten Bühnensprache, die Schauspieler und Sprecher lernen, wird „ig" am Wort- oder Silbenende wie „ich" gesprochen. Zeigen Sie den TN dieses Phänomen anhand von Übung 16 und 17 auf. Machen Sie die TN darauf aufmerksam, dass in der süddeutschen, österreichischen und schweizerischen Varietät des Deutschen „ig" gesprochen wird. Je nachdem also, in welche deutschsprachige Region die TN später einmal reisen, werden sie hier unterschiedliche Laute hören.
Die Übungen 18 bis 21 brauchen Sie mit den TN nur zu machen, wenn diese aufgrund ihrer Muttersprache Probleme mit der Artikulation von „f", „v" oder „w" (englischsprachige TN) haben oder mit der Unterscheidung von „b" und „w" (spanischsprachige TN). Insbesondere bei „w" kommt es vor, dass TN mit Englischkenntnissen für das Deutsche den englischen „w"-Laut übernehmen, auch wenn in ihrer eigenen Sprache der Laut wie im Deutschen artikuliert wird.

B5 **Aktivität im Kurs: Diskussion**

1. Sammeln Sie mit den TN an der Tafel noch einmal alle Wendungen mit „dass", die die TN kennengelernt haben, und tragen Sie sie in eine Tabelle ein:

denken/meinen/fühlen	*wissen*	*Ausdrücke mit „es"*
Ich bin froh, dass ...	*Ich weiß, dass ...*	*Es ist wichtig, dass ...*
Ich meine, dass ...	*Ich bin sicher, dass ...*	*Es tut mir leid, dass ...*
Ich denke, dass ...		
Ich glaube, dass ...		
Ich finde, dass ...		
Ich finde es nicht so schlimm, dass ...		

Nehmen Sie auch die Wendungen mit auf, die die TN selbst einbringen, weil sie sie schon einmal gehört haben. Sagen Sie den TN, dass sie diese Wendungen als feste Wendungen lernen sollen. Bitten Sie um einen Beispielsatz, den Sie ebenfalls notieren. Erklären Sie den TN, dass man daraus auch eine Frage machen kann. Ermuntern Sie die TN, aus dem Beispielsatz eine Frage zu machen. Notieren Sie die Frage ebenfalls und markieren Sie die Stellung des Verbs am Anfang. Weisen Sie auf den Infospot im Buch hin. Wenn nötig, machen Sie weitere Beispiele an der Tafel.

2. Lesen Sie mit den TN das Beispiel im Buch.

3. Die TN sitzen in Kleingruppen von vier TN zusammen und erhalten die in Kärtchen geschnittene Kopiervorlage L6/B5. Die Kärtchen liegen in der Mitte der TN auf dem Tisch. Ein TN dreht das erste Kärtchen um und fragt einen TN aus der Gruppe. Alle dürfen sich am Gespräch beteiligen, Nachfragen stellen oder ihre eigene Meinung zur Frage sagen. Erst wenn es nichts mehr zu sagen gibt, zieht ein TN aus der Gruppe ein neues Kärtchen.

Das Schulsystem

Landeskunde: Das deutsche Schulsystem
Lernziel: Die TN können über das Schulsystem und Schulerinnerungen sprechen.

C1   Präsentation des deutschen Schulsystems

1. Teilen Sie die TN in zwei Gruppen auf. Jede Gruppe sammelt sich vor einem Tafelflügel. Wenn Sie keine Tafel haben, erhalten die Gruppen ein großes Blatt Papier oder Tapete und einen Filzstift. Jede Gruppe wählt einen Schreiber. Bitten Sie die Gruppen, in ganzen Sätzen zu notieren, was sie über die Schule in Deutschland wissen. Helfen Sie den Gruppen bei Formulierungen, Grammatik oder Vokabeln. Beantworten Sie aber keine Fragen nach dem Schulsystem!

2. Präsentieren Sie das Schema von C1 auf Folie. Lesen Sie den ersten Satz von Gruppe 1 vor. Zeigen Sie auf das Schema und fragen Sie: „Ist das richtig oder falsch?" Ein TN kommt nach vorn und zeigt auf der Folie, wo die Antwort zu sehen ist. Verfahren Sie mit den anderen Sätzen genauso. Diskutieren Sie die Antworten, die sich nicht auf dem Schema zeigen lassen, mit allen TN. *Hinweis:* Das Überprüfen bereits bekannter Informationen anhand des Schemas erleichtert den TN das Verstehen des Schaubilds. Denn manchen TN sind solche schematischen Darstellungen vielleicht fremd.

3. Bilden Sie Kleingruppen von vier TN und lassen Sie die TN weitere Informationen notieren, die sie dem Schema entnehmen können. Geben Sie eine Zeit vor, z.B. fünf oder zehn Minuten. Achten Sie auf vollständige Sätze.

4. Die Gruppen tauschen ihre Notizen aus und überprüfen die Aussagen mithilfe des Schemas.

5. Im Plenum tragen die TN die richtigen Aussagen zusammen. Notieren Sie die Aussagen an der Tafel.

6. Nachdem die TN alles, was sie selbst dem Schema entnehmen konnten, zusammengetragen haben, ermuntern Sie die TN, Fragen zum Schema zu stellen, zu Begriffen, die sie nicht kennen usw. Bevor <u>Sie</u> antworten, geben Sie den anderen TN die Möglichkeit zu antworten.

LÄNDER INFO

In Deutschland besteht neun bis zehn Jahre Schulpflicht. Im Allgemeinen schließt sich aber an einen Abschluss in der neunten oder zehnten Klasse eine zwei bis drei Jahre dauernde Berufsschulzeit an, sodass die gesamte Schulzeit/-pflicht ungefähr 12 Jahre und/oder mindestens bis zum 18. Lebensjahr dauert. Wenn die Schüler das Gymnasium besuchen, können sie in der Regel nach 12 Jahren das Abitur machen. In Österreich und in der Schweiz beträgt die Schulpflicht neun Jahre. Die Schulsysteme in den deutschen Bundesländern unterscheiden sich voneinander nicht nur in den Schulformen (z.B. gibt es nicht überall Gesamtschulen), sondern zum Teil auch in den Lerninhalten und in der Art, wie z.B. das Abitur abgenommen wird. Das hat mit der Kulturhoheit der Länder zu tun. Das bedeutet, dass die Bildung nicht vom Bund, also zentral, sondern von jedem Bundesland selbst geregelt wird.

Im Schulwesen gibt es in den deutschsprachigen Ländern verschiedene Wörter für bestimmte Begriffe: Das Abitur heißt in Österreich und in der Schweiz Matura, die Grundschule ist in Österreich die Volksschule und in der Schweiz die Primarschule. (Weitere Informationen siehe ww.uni-ulm.de/LiLL oder Goldmann Lexikon (1998), Band 19, S. 8764/8765)

Arbeitsbuch 22: in Stillarbeit

C2   Hörverstehen: Einen kurzen persönlichen Bericht verstehen

1. Die TN lesen die Aufgabenstellung. Erklären Sie den TN, dass „Schulweg" hier nicht die Straßen meint, die jemand zur Schule gelaufen ist. „Schulweg" meint hier die Schulen, die jemand im Laufe seines Lebens besucht hat. Die TN sehen sich das erste Foto an und lesen den Text.

2. Fragen Sie die TN: „Was erfahren wir über Hanne?" Notieren Sie an der Tafel: 18 Jahre, Auszubildende, geht nicht mehr in die Schule. Lassen Sie die TN zunächst Vermutungen darüber anstellen, welchen „Weg" Hanne gegangen sein könnte.

3. Spielen Sie dann den Hörtext über Hanne Heinrich vor. Stoppen Sie hinter jeder Information zu Hannes Schullaufbahn. Lassen Sie die TN die Information wiederholen und legen Sie einen Kugelschreiber oder ein Stück Kreide an die jeweils passende Stelle auf der Folie von C1. Zeichnen Sie die im Schema schon eingetragene Schullaufbahn von Hanne mit einem Folienstift nach.

4. Sammeln Sie die Informationen über Klaus Eggers an der Tafel. Die TN stellen Vermutungen über seinen „Schulweg" an.

5. Die TN hören den Hörtext und zeichnen den „Schulweg" von Klaus Eggers ins Buch. Stoppen Sie hinter jeder neuen Information und geben Sie den TN genug Zeit zum Einzeichnen. Verfahren Sie mit Anne und Daniel ebenso.

6. Vergleich der Lösungen in Partnerarbeit und Abschlusskontrolle im Plenum. Wenn die TN sich nicht sicher sind, spielen Sie die problematischen Stellen noch einmal vor.
Lösung: Hanne Heinrich: Krippe, Kindergarten, Grundschule, Hauptschule, Abschluss 9. Klasse Hauptschule, Lehre als Friseurin; Klaus Eggers: Kindergarten, Grundschule, Realschule, Lehre als Elektriker; Anne Niederle: Kindergarten, Grundschule, Gymnasium, Universität; Daniel Holzer: Grundschule, Gesamtschule, jetzt in der 7. Klasse, macht in zwei Jahren den Hauptschulabschluss, möchte eine Lehre als Schreiner machen.

7. *fakultativ*: Anhand ihrer Aufzeichnungen können die TN in Kleingruppen über den Schulweg der Personen aus C2 berichten. Diese Übung eignet sich auch als schriftliche Hausaufgabe, die Sie einsammeln und korrigieren können.

8. *fakultativ:* Verteilen Sie die Kopiervorlage L6/C2. Die TN füllen das Schema für sich persönlich aus. Gehen Sie herum und helfen Sie bei Schwierigkeiten. Das Schreiben des Textes kann auch als Hausaufgabe gemacht werden.

6   C   **Das Schulsystem**

Landeskunde: Das deutsche Schulsystem
Lernziel: Die TN können über das Schulsystem und Schulerinnerungen sprechen.

Materialien
C3 Kopiervorlage zu C3 (im Internet)

C3   Aktivität im Kurs: Über die eigene Schulzeit sprechen

1. Die TN sitzen in Kleingruppen zusammen und lesen in Stillarbeit die Aufgabe und die Beispiele. Klären Sie mit den TN die Bedeutung der Fächer und führen Sie weitere Fächer ein (Religion, Ethik, Wirtschaft …).

2. Die TN vergleichen die deutschen Schulfächer mit den Fächern in ihrem Land. Gibt es Unterschiede?

3. Die TN berichten in den Kleingruppen über ihre Schulzeit. Ermuntern Sie die geübten TN, Nachfragen zu stellen oder danach zu fragen, was zwar nicht berichtet worden ist, was sie aber interessiert (Welche Fremdsprache hast du gelernt? Warum hast du Mathe gehasst? usw.). Als Vorbereitung auf das Gespräch im Kurs können die TN auch die Kopiervorlage zu C3 (im Internet) ausfüllen.

Arbeitsbuch 23–24: als Hausaufgabe; **25–26:** im Kurs

Aus- und Weiterbildung

Kursangebote
Lernziel: Die TN können Weiterbildungsangebote lesen und telefonische Anfragen dazu verstehen.

D  6

D1

Leseverstehen: Einen Katalog- oder Broschürentext verstehen (Kursangebote)

1. Klären Sie mit den TN den Begriff „Weiterbildung" (Jemand hat die Ausbildung beendet, aber er möchte noch mehr oder etwas Neues zusätzlich lernen). Zeigen Sie auf die Kursangebote im Buch. Fragen Sie: „Wer bietet solche Kurse an?"
Mögliche Antworten: Volkshochschulen, spezielle Schulen (Sprachschulen, Computerschulen)
Gehen Sie auch auf Weiterbildungsangebote in Ihrem Land ein.

2. Sprechen Sie mit den TN darüber, was für Kurse sie schon besucht haben. Fragen Sie auch, wo die TN die Kurse machen.

3. Die TN bearbeiten die Aufgabe wie im Buch angegeben. Ermuntern Sie die TN, mit den Texten wirklich zu „arbeiten" und bunte Stifte zu benutzen. Farbliche Markierungen erleichtern das schnelle Finden und Zuordnen von Informationen, was auch für D2 wichtig ist. Klären Sie Wortschatzfragen, wenn nötig.
Lösung: Technik: 2, 7; Gesundheit: 1, 9; Beruf: 6, 8, 10; Kultur und Gesellschaft: 3, 4, 5

4. *fakultativ:* Regen Sie die TN zu einer Internetrecherche auf den Seiten deutscher Bildungsträger (z.B. Volkshochschulen) an. Die TN überlegen, was sie gerne lernen oder machen möchten, und suchen nach passenden Angeboten. In Kleingruppen sprechen sie über ihre Wünsche und die Veranstaltungen, die sie besuchen möchten.

D2

Hörverstehen: Den wesentlichen Inhalt erfassen

1. Sagen Sie den TN, dass sie Beratungsgespäche hören. Die TN lesen die Aufgabe und hören das erste Gespräch. Spielen Sie das Gespräch mehrmals vor. Die TN notieren die Lösung. Wenn hier Schwierigkeiten auftreten, weil für die TN die Zuordnung zu schwierig ist, besprechen Sie zuerst die Lösung, bevor Sie die anderen Telefonate vorspielen. Welche Informationen sind wichtig für die Zuordnung? (Länder und Kultur, Musik)

2. Spielen Sie die Gespräche mehrmals vor und machen Sie nach jedem Gespräch eine kleine Pause, damit die TN genügend Zeit haben, um sich das Kursangebot anzusehen und den passenden Kurs „auszuwählen". Weisen Sie hier noch einmal auf die farblichen Markierungen aus D1 hin, die ein schnelleres Zuordnen ermöglichen. Für Gespräch A wird die Auswahl kleiner, wenn die TN sich nur noch zwischen den gelben Kursen entscheiden müssen.
Lösung: A 3; B 1; C 2; D 6; E 4

Arbeitsbuch 27–31: in Stillarbeit oder als Hausaufgabe

PRÜFUNG **Arbeitsbuch 32:** Im Prüfungsteil Lesen, Teil 2, bearbeiten die TN einen kurzen Zeitungsartikel. Zu vorgegebenen Aussagen müssen sie entscheiden, ob diese richtig oder falsch sind. Die TN lesen zuerst die Aufgabenstellung, dann den Text. Zunächst unterstreichen die TN, was sie im Text über den Schulweg Werner Niefers erfahren. Dann markieren sie die Lösung in a). Anschließend lesen sie die Aussagen in b) und markieren Schlüsselwörter. Die TN lesen den Text ein zweites Mal, markieren die Schlüsselwörter und kreuzen die Lösung an.
Hinweis: Um eine authentische Prüfungssituation zu simulieren, weisen Sie die TN darauf hin, dass Wörterbücher verboten sind.

6 **E** Ein Interview
Der perfekte Job
Lernziel: Die TN können ein schriftliches Interview verstehen und über ein vorgegebenes Thema diskutieren.

Materialien
E1 große Plakate
Test zu Lektion 6
Wiederholung zu Lektion 5 und Lektion 6

E1 **Vorbereitung auf das Lesen: Eine Diskussion**

1. Schreiben Sie jede Aussage der Aufgabe auf ein großes Plakat und hängen Sie jedes Plakat in eine Ecke des Kursraums. Vielleicht haben Sie noch Ideen für weitere Aussagen zum Thema „Berufswahl" (z.B. „Das Wichtigste sind gute Karriere-Chancen. Man muss weiterkommen im Leben.)? Dann schreiben Sie diese ebenfalls auf je ein großes Plakat und hängen Sie diese in eine Ecke. Die TN gehen herum, lesen die Plakate und stellen sich zu dem Plakat, das am besten zu ihrer Ansicht passt.
2. Innerhalb jeder Gruppe tauschen sich die TN darüber aus, warum sie der Aussage zustimmen. Dabei kommen sicher mehrere Beweggründe zusammen.
3. Es finden sich TN aus den verschiedenen Gruppen zusammen. Sie diskutieren darüber, was bei der Berufswahl wichtig ist.

E2 **Leseverstehen 1: Die zentrale Aussage erfassen**

1. Die TN überfliegen den Text und finden heraus, welcher Aussage aus E1 die Berufsfinderin Uta Glaubitz zustimmt. Damit die TN den Text auch wirklich nur überfliegen bzw. schnell und nicht im Detail lesen, versuchen Sie es doch einmal mit einem Wettbewerb: Wer zuerst die richtige Aussage gefunden hat, ruft „Stopp". Alle hören auf zu lesen.
2. Abschlusskontrolle im Plenum. Der TN, der „Stopp" gerufen hat, darf die Lösung nennen. Er sollte die passende Passage im Text auch vorlesen, damit alle mitkontrollieren können, ob die Antwort auch wirklich richtig ist.
   Lösung: Aussage 2

E3 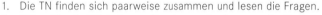 **Leseverstehen 2: Wichtige Aussagen verstehen und notieren**

1. Die TN finden sich paarweise zusammen und lesen die Fragen.
2. Bitten Sie die TN, beim zweiten Lesen die Passagen im Text zu unterstreichen, die die Antworten auf die Fragen enthalten. Geübte TN sollen zusätzlich versuchen, die Antworten in eigenen Worten zusammenzufassen.
3. Abschlusskontrolle im Plenum. Lassen Sie zuerst die unterstrichenen Passagen vorlesen, bevor geübtere TN ihre eigenen verkürzten Antworten vorlesen.
   Lösung: Weil viele nicht in ihrem Wunschberuf arbeiten. – Sie fragt die Teilnehmer: „Was ist Ihnen wichtig? Was macht Ihnen Spaß? Was machen Sie gern, wenn Sie nicht arbeiten?" – Sie macht für jeden Teilnehmer einen konkreten Plan. – Von vier Teilnehmern verändert dann einer innerhalb kurzer Zeit sein Leben.

Arbeitsbuch 33: als Hausaufgabe

E4 **Aktivität im Kurs: Kursgespräch über den perfekten Job**

1. Die TN haben sich im Verlauf des Kurses wahrscheinlich schon recht gut kennengelernt. Sie arbeiten in Gruppen von 5–6 TN zusammen und überlegen, welcher Job aufgrund der Vorlieben und Hobbys zu jedem einzelnen passen würde. Der TN, über den gerade gesprochen wird, hört nur zu und sagt am Ende, ob die getroffene Wahl der anderen ihm tatsächlich gefallen würde oder nicht und warum (nicht)?
   Variante: Wenn die TN sich noch nicht sehr gut kennen, vielleicht weil sie sich nur einmal pro Woche im Kurs sehen, dann veranstalten Sie ein Ratespiel: Die TN schreiben, wie in Übung 35 im Arbeitsbuch vorgegeben, einen kurzen Text über sich und geben ihn der Partnerin / dem Partner. Diese/Dieser versucht, den Beruf zu erraten.
2. Wenn Sie nicht nach der Variante vorgegangen sind, sollten die TN als Hausaufgabe einen kurzen Text über ihren perfekten Job schreiben (siehe Übung 35 im Arbeitsbuch). Sammeln Sie die Texte ein und geben Sie sie korrigiert zurück.

Arbeitsbuch 34: als Hausaufgabe; **35:** im Kurs oder als Hausaufgabe (siehe oben)

Einen Test zu Lektion 6 finden Sie auf Seite 132 f. Weisen Sie die TN auf die interaktiven Übungen auf ihrer Arbeitsbuch-CD hin. Die TN können mit diesen Übungen den Stoff der Lektion selbstständig wiederholen und sich ggf. auch auf den Test vorbereiten. Wenn Sie mit den TN den Stoff von Lektion 5 und Lektion 6 wiederholen möchten, verteilen Sie die Kopiervorlage „Wiederholung zu Lektion 5 und Lektion 6" (Seite 120–121).

Zwischenspiel 6
Die tanzende Königin
Landeskunde: Tanztheater und Tänze

6

1   Vor dem Lesen: Assoziationen sammeln

Die TN betrachten die Fotos. Bitten Sie sie, die Augen zu schließen und sich das große Foto in Erinnerung zu rufen. Die TN lassen Gedanken und Gefühle hochkommen. Nach einigen Sekunden öffnen sie die Augen wieder. Sie erzählen, was sie fühlen und denken.

❗ Achten Sie darauf, dass die TN Deutsch sprechen! Eine umfassende Bescheibung mit Adjektiven wird so zwar noch nicht möglich sein, aber die Grundstimmung sollte sich auch mit den vorhandenen Kenntnissen zeigen lassen.

2   Landeskunde/Leseverstehen: Das Tanztheater

1. Schreiben Sie einige Fragen zum Text an die Tafel, auf die die TN beim Lesen besonders achten sollen, z.B.: Was ist ein Tanztheater? Wie hat das Publikum anfangs auf das Tanztheater reagiert? Was berichtet der Text über Pina Bausch?
2. Die TN lesen den Text und machen Stichpunkte zu den Fragen an der Tafel.
3. Die TN beantworten mündlich die Fragen, die Sie an die Tafel geschrieben haben. Am wichtigsten ist, dass die TN verstanden haben, was ein Tanztheater ausmacht. Geben Sie auch die Informationen aus der Länder-Info unten.
4. Um das Textverständnis zu sichern, verteilen Sie die „Kopiervorlage zum Zwischenspiel 6". Die TN bearbeiten die Übungen allein oder zu zweit.
5. Abschlusskontrolle im Plenum.
   Lösung: 1 a) die Zuschauer; b) Pina Bausch; c) die Theaterstücke; d) das Tanztheater; 2 a) weil sie das Theater von Pina Bausch zuerst nicht verstanden haben. b) weil sie ihre Kunst so herrlich finden. c) weil die Tänzerinnen und Tänzer auch singen und sprechen und Licht und Videos eine wichtige Rolle spielen. d) weil Bewegung und Emotion für sie zusammengehören.
6. Die TN sprechen darüber, ob sie gern einmal in das Tanztheater von Pina Bausch gehen würden. Würde ihnen die moderne Art des Ausdruckstanzes gefallen?
   Variante: Wenn die TN keinen Bezug zum Tanztheater herstellen können, lassen Sie sie auf der Internetseite des Wuppertaler Tanztheaters (www.pina-bausch.de) weitere Bilder von Aufführungen betrachten, bevor Sie in das Kursgespräch einsteigen.
7. Teilen Sie den Kurs in zwei Gruppen nach Neigung: TN, die Interesse für das Tanztheater bekundet haben, sammeln in Kleingruppen von 3–4 TN Interviewfragen an Pina Bausch. Die Gruppen vergleichen anschließend ihre Fragen und suchen die drei wichtigsten oder schönsten aus. TN, die keinen Bezug zum Tanztheater haben, suchen im Internet nach einem berühmten Vertreter des Ballett- oder des Jazztanzes und überlegen sich Fragen.
8. *fakultativ:* Vielleicht haben die TN sogar den Mut, tatsächlich an das Tanztheater in Wuppertal oder den berühmten Ballett-Tänzer zu schreiben? Sollten die TN ihre Fragen wirklich an die Person gestellt und Antwort erhalten haben, können sie diese in einer der folgenden Unterrichtsstunden vorstellen.

LÄNDER INFO   Das Tanztheater im engeren Sinn ist eine Kunstform des Tanzes, die sich vom klassischen Ballett durch die Einbeziehung von experimentellen Bewegungselementen und neuen Ausdrucksformen des Tanzes abheben will. Dabei wird auch die alte Ensemblehierarchie aufgegeben: Es gibt keinen Star, der im Mittelpunkt steht, stattdessen werden gleichwertige Charaktere geschaffen. Beim Tanztheater ist Tanz nicht das einzige Ausdrucksmittel, Sprache, Gesang und Pantomime können dazukommen. Die erzählten Geschichten handeln von der Gegenwart, oft sind es auch nur montageartig aneinandergereihte Szenen. Ästhetik, wie im Ballett üblich, ist hier nicht das oberste Gebot!

3   Kursgespräch: Über das Tanzen sprechen

Bilden Sie einen Stuhlkreis mit den TN, um eine entspannte Atmosphäre zu schaffen. Die TN lesen die Fragen im Buch und erzählen frei, wann, wo und was sie gern tanzen. Binden Sie auch TN ein, die nicht gern tanzen oder nicht tanzen können, indem Sie sie fragen, warum sie nicht gern tanzen, welchen Tanz sie sich vorstellen könnten zu lernen usw.

4   Aktivität im Kurs: Tanzschule

1. Die TN überlegen sich als Hausaufgabe allein oder zu zweit, welchen Tanz sie auf Deutsch vorstellen könnten.
   ❗ Halten Sie die Aufgabe fakultativ. Wer keine Affinität zum Tanzen hat, muss nichts vorstellen!
2. Die TN bringen Musik mit in den Kurs und erklären dem Kurs ihren Tanz. Alle stellen sich auf und machen mit.

Weitere Materialien für noch mehr Abwechslung im Unterricht finden Sie unter www.hueber.de/schritte-international.

7

FESTE UND GESCHENKE

Folge 7: *Tante Erika*
Einstieg in das Thema: Schenken und Geschenke

Materialien
1 Poster zur Foto-Hörgeschichte
5 vergrößerte Kopien der Kopiervorlage L7/5

1   Vor dem Hören: Vermutungen äußern

1. Die TN sehen sich die Fotos 1–8 auf dem Poster an. Die Bücher sind geschlossen. Fragen Sie: „Mit wem telefoniert Maria?", „Wer ist die alte Dame?" und „Warum besucht die Familie sie?" Erinnern Sie die TN an die Redemittel „Ich glaube, dass …", „Ich meine, dass …" usw., die sie in Lektion 6 kennengelernt haben. Halten Sie die Antworten der TN in Stichwörtern an der Tafel fest. Fragen Sie dann, ob die TN glauben, dass die Familie die alte Dame oft besucht. Warum? Warum nicht?
2. *fakultativ*: Die TN überlegen, wie die Familien in ihrem Heimatland mit alten Menschen umgehen. Wo leben alte Menschen und mit wem? Wer kümmert sich um sie?
3. *fakultativ*: Die TN wählen ein Foto aus und schreiben dazu in Partnerarbeit einen Dialog. Besonders geeignet sind die Fotos 1, 4, 6 und 7. Kennzeichnen Sie die anderen Fotos auf dem Poster durch ein großes „X" im Bild, damit diese Fotos nicht gewählt werden. Die TN lesen oder spielen ihre Dialoge vor, die anderen TN raten, um welches Bild es sich handelt.

2   Vor dem Hören: Schlüsselwörter verstehen

1. Zeigen Sie auf Fotos 7 und 8. Fragen Sie: „Wo ist das?" TN, die die Fotos sehr genau betrachtet haben, werden auf Foto 6 längst das Wort „Seniorenheim" erkannt haben. Für das Verständnis der Foto-Hörgeschichte ist es wichtig, dass den TN klar ist, was ein Altersheim/Seniorenheim ist.
2. Die TN kreuzen die richtige Lösung im Buch an.
   Lösung: Dort wohnen alte Menschen und jemand kümmert sich um sie: Man kocht für sie das Essen und wäscht die Wäsche. Auch ein Arzt ist da, wenn sie krank sind.

3   Beim ersten Hören

1. Schreiben Sie Fragen an die Tafel: „Warum besucht die Familie die alte Dame?" „Warum fährt Maria mit?" „Warum fahren Simon und Larissa mit?" Die TN konzentrieren sich beim ersten Hören auf diese Fragen.
2. Die TN hören die Foto-Hörgeschichte und formulieren in Partnerarbeit Antworten auf die Fragen.
3. Abschlusskontrolle im Plenum.
   Lösungsvorschlag: Die alte Dame ist Susannes Tante. Sie feiert ihren 80. Geburtstag. Maria fährt mit, weil sie sich vorstellt, wie einsam Tante Erika ist. Das macht sie traurig. Simon und Larissa fahren mit, weil Maria sagt, wie einsam Tante Erika ist.
4. Weitere Alternativen zum Umgang mit der Foto-Hörgeschichte finden Sie auf Seite 12 f.

4   Nach dem ersten Hören: Den Inhalt genau verstehen

1. Die TN lesen die Aufgaben in Stillarbeit. Sie kreuzen die richtige Lösung beim zweiten Hören an. Geübte TN markieren die Lösung vor dem zweiten Hören und nutzen das zweite Hören zur Kontrolle.
2. Abschlusskontrolle im Plenum.
   Lösung: a) Susannes Großtante. b) Weil sie ihren 80. Geburtstag feiert. c) Sie haben sich zuletzt an Tante Erikas 75. Geburtstag gesehen. d) Eine Fotocollage, Blumen und einen Kuchen. e) Sie möchte, dass die Familie sie bald wieder besucht.
3. *fakultativ*: Diskutieren Sie mit den TN darüber, ob die Familie Tante Erika in Zukunft öfter besuchen wird oder nicht. Bitten Sie die TN, ihre Meinungen zu begründen.

5   Nach dem Hören: Über die letzte Geburtstagsfeier berichten

1. Teilen Sie die TN in Kleingruppen auf. Die TN lesen die Aufgabe im Buch. Kopieren Sie die Kopiervorlage L7/5 für jede Gruppe einmal auf DIN A3. Die TN ergänzen zunächst weitere Antwortmöglichkeiten auf der Vorlage. Besonders die Rubrik „Geschenke" sollte mit einigen Beispielen aufgefüllt werden. Geben Sie eine Zeit vor, damit die TN die Listen nicht bis ins Unendliche führen. Gehen Sie herum und helfen Sie bei Fragen.
   Variante: Geübte TN machen sich ohne die Kopiervorlage einige Stichpunkte über das, was sie erzählen wollen, und erzählen dann frei.
2. Anhand der erweiterten Kopiervorlage berichten die TN sich nun gegenseitig über ihren letzten Geburtstag.

Materialien
A3 Kopiervorlage L7/A3
Tipp: Zettel mit Bezeichnungen von Familienange-
hörigen in Kursstärke, ein weicher Ball oder ein Tuch
A4 Kopiervorlage zu A4 (im Internet)
Lerntagebuch: auf Folie

Ich habe **meiner Oma** mal so ein Bild geschenkt.

A   **7**

Possessivartikel im Dativ
Lernziel: Die TN können über Geschenke sprechen und Ideen ausdrücken.

A1 Variation: Präsentation der Possessivartikel im Dativ

1. Die TN hören den Dialog von der CD/Kassette und lesen mit.
2. Schreiben Sie den Satz „Ich habe meiner Oma mal so ein Bild geschenkt." an die Tafel. Unterstreichen Sie die Endung im Dativ. Ergänzen Sie dann die Fragewörter wie im Tafelbild unten, indem Sie die TN fragen: „Wer hat geschenkt?", „Was habe ich geschenkt?", „Wem habe ich geschenkt?" Ergänzen Sie links „die Oma". Weisen Sie die TN auf die Tabelle im Buch hin.

	Wer?	Wem (Person)?	Was (Sache)?
die Oma	Ich habe	mein*er* Oma	mal so ein Bild geschenkt.

3. Zwei TN variieren den Dialog mit „Vater". Ergänzen Sie das Tafelbild mit diesem Beispiel.
4. Verfahren Sie ebenso mit den anderen Beispielen und ergänzen Sie jeweils das Tafelbild.
5. Die Possessivartikel sind den TN bereits aus *Schritte international 2*, Lektion 10, bekannt. Es reicht der Hinweis aus, dass „dein-", „sein-", „ihr-" usw. im Dativ die gleichen Endungen wie „mein-" haben.

Arbeitsbuch 1–3: in Stillarbeit

A2 Anwendungsaufgabe zu den Possessivartikeln im Dativ

1. Die TN bearbeiten die Aufgabe wie im Buch angegeben. Weisen Sie die TN auf den Wiederholungsspot hin.
2. Die TN vergleichen ihre Texte in Partnerarbeit.
3. Abschlusskontrolle im Plenum. Sollten die TN hier größere Schwierigkeiten haben, notieren Sie die richtige Lösung an der Tafel.
   Variante: Während die TN in Partnerarbeit ihre Ergebnisse vergleichen, können Sie auch einen TN den Text zu Ina und einen anderen den Text zu Jan an der Tafel notieren lassen. Nutzen Sie diese Texte zur Kontrolle im Plenum.
   Lösung: Ina schenkt ihrem Opa einen Gutschein für einen Zoobesuch. Jan schenkt ihm eine Flasche Wein. Ina schenkt ihren Eltern eine CD. Jan schenkt ihnen ein Kochbuch. Ina schenkt Roxi einen Besuch beim Hunde-Fiseur. Jan schenkt ihm einen Knochen.

Arbeitsbuch 4–5: als Hausaufgabe

A3 Freie Anwendungsaufgabe zu den Possessivartikeln im Dativ

1. Überlegen Sie mit den TN, welche Geschenke ihrer Meinung nach schöne Geschenke sind und was sie schon so verschenkt haben.
2. Die TN erhalten die Kopiervorlage L7/A3 und notieren die Namen der Gegenstände mit Artikel, auch mithilfe des Wörterbuchs.
3. Abschlusskontrolle im Plenum.
4. Vielleicht steht Weihnachten vor der Tür oder ein anderes Fest? Wenn nicht, nennen Sie den Geburtstag als Situation, in der die TN etwas an bestimmte Personen verschenken sollen. Die TN lesen den Beispieldialog im Buch und machen in Partnerarbeit weitere Beispiele. Geübte TN können zusätzlich eine Begründung dafür geben, warum sie z.B. die Kaffeemaschine ihrer Großmutter schenken: „Ich schenke meiner Großmutter eine Kaffeemaschine, weil ich bei ihr immer Tee trinken muss, und ich hasse Tee."

Arbeitsbuch 6–8: in Stillarbeit oder als Hausaufgabe

TIPP

Wenn Sie mit den TN diese Struktur noch weiter üben möchten, vor allem das schnelle Formulieren, spielen Sie mit den TN eine Art „Schnapp hat den Hut verloren". Bereiten Sie zu Hause DIN A4-Zettel vor, auf denen Sie mit dickem Filzstift jeweils eine Familienbezeichnung schreiben: Tante, Onkel, Vater, Kind, Kinder, Schwager (auch Katze oder Hund können vorkommen) usw. Sie brauchen pro TN einen Zettel. Jeder TN klebt sich den Zettel mit Tesafilm gut sichtbar auf den Bauch. Alle stellen sich im Kreis auf. Erklären Sie, wenn nötig, was eine Keksdose ist. Die Keksdose enthält keine leckeren Kekse, deshalb will niemand sie behalten. Werfen Sie z.B. dem TN „Tante" ein Tuch oder einen Ball zu. Sagen Sie: „Ich will die Keksdose nicht. Ich schenke sie meiner Tante." Der TN wirft das Tuch oder den Ball dem TN „Kinder" zu: „Meine Tante will die Keksdose nicht. Sie schenkt sie meinen Kindern." Achten Sie auf einen schnellen Verlauf des Spiels. Es können auch die anderen Possessivartikel verwendet werden. „Ich schenke sie deinem Onkel." oder „Ich schenke sie ihrem Vater." In dem Fall sollte der TN natürlich eine Frau sein, bei einem Mann wäre es entsprechend „seinem Vater".

! Die Satzstellung von „Ich schenke sie meiner Tante" (Akkusativ vor Dativ) sollte hier noch nicht thematisiert werden, da das erst in Lernschritt B bewusst gemacht wird. Beschränken Sie sich auf die formelhafte Wiederholung der Phrase.

7 **A** Ich habe **meiner Oma** mal so ein
Bild geschenkt.

Possessivartikel im Dativ
Lernziel: Die TN können über Geschenke sprechen und Ideen ausdrücken.

Materialien
A4 Kopiervorlage zu A4 (im Internet)
Lerntagebuch: auf Folie

A4 **Aktivität im Kurs: Ratespiel**

1. Um den TN das Spiel deutlich zu machen, sollten Sie ein Beispiel an der Tafel vorführen. Zeichnen Sie ein Rechteck, das Sie in sechs Felder unterteilen wie im Buch. Schreiben Sie in jedes Feld je eine Person und eine Sache aus dem Schüttelkasten. Erstellen Sie daneben genauso ein zweites Rechteck. Das erste Rechteck ist für Spieler A, das zweite für Spieler B. Spieler A fragt: „Schenkst du deiner Mutter eine Handcreme?" Spieler B schaut in seinem Rechteck nach, ob er ein Feld mit „meiner Mutter" und „eine Handcreme" hat. Ist das der Fall, sagt er „Ja" und streicht das Feld durch. Ist das nicht der Fall, sagt er „nein" und ist seinerseits an der Reihe, eine Frage zu stellen. Spieler A kontrolliert seine Felder usw. Hierzu können Sie auch die Kopiervorlage zu A4 aus dem Internet herunterladen, die Ihnen bereits ausgefüllte Spielfelder bietet.
2. Je zwei TN spielen zusammen.
   Hinweis: Die TN können sich auch auf sechs neue Personen und sechs neue Sachen einigen, wenn sie eine zweite Runde spielen wollen.

LERN
TAGEBUCH

Arbeitsbuch 9: Legen Sie die Folie auf und markieren Sie mit farbigen Folienstiften: Wer?/Was? = blau, Wem? = gelb und Was? = grün. Fragen Sie die TN nach einem Beispielsatz für „gehören". Notieren Sie den Satz, wenn möglich, mit den Farben auf der Folie. Weisen Sie die TN darauf hin, dass „gehören" wie auch „helfen", „gefallen", „passen", „schmecken", „geben" den Dativ fordern. Man muss diese Dativ-Verben, von denen es nicht so viele gibt, auswendig lernen. Die wichtigsten Dativ-Verben haben die TN schon in *Schritte international 2*, Lektion 13 kennengelernt und geübt. Besprechen Sie auch den Beispielsatz zu „geben": Hier gibt es zwei Objekte. In so einem Fall steht im Allgemeinen die zweite Person im Dativ und die Sache im Akkusativ. In Stillarbeit notieren die TN eigene Beispielsätze zu den angegebenen Verben. Gehen Sie herum und helfen Sie bei Schwierigkeiten. Sammeln Sie die Hefte ein und korrigieren Sie die Sätze.

Ungeübte TN suchen sich Beispielsätze aus der Lektion. Geübte TN können ihre Liste mit den Verben aus Übung 8 und eigenen Verben, die sie noch kennen, erweitern.

PHONETIK

Arbeitsbuch 10–12: im Kurs: Mit den Übungen trainieren die TN Konsonantenhäufungen, die besonders für TN aus Ländern mit vokalisch aufgebauter Sprache (z.B. Türkisch) problematisch sind. Üben Sie mit den TN, indem Sie sie die Segmente eines stark konsonantischen Wortes zunächst einzeln sprechen lassen, dann das ganze Wort, aber mit Pausen zwischen den einzelnen Segmenten, und schließlich das ganze Wort. Ermuntern Sie die TN, mit einem Korken zu üben. Durch den Korken sind sie zu deutlicher Aussprache „gezwungen", einzelne Buchstaben können nicht verschluckt werden. Machen Sie aus Übung 11 einen kleinen Wettbewerb: Wer findet noch mehr Wörter als im Buch vorgegeben, und wer kann sie am schnellsten richtig sprechen?

Materialien	Was soll ich denn mit dem Bild? –	B		7

Materialien
B2 Bilder aus B2 auf Folie
B3 Tesafilm, Schere, Schnur, Geschenk,
   Verpackungen (Silberfolie ...); Folie; Kärtchen
B4 selbstklebende Punkte; Kopiervorlage L7/B4,
   Spielfiguren, Würfel

Was soll ich denn mit dem Bild? – Na was wohl? Du gibst **es ihr.**

Stellung der Objekte im Satz
Lernziel: Die TN können Bitten und Empfehlungen ausdrücken.

B1 **Präsentation: Satzstellung der Objektpronomen**

1. Die TN hören den Dialog und kreuzen die richtige Lösung an. *Lösung*: a) das Bild; b) Tante Erika
2. Erläutern Sie die Positionen im Satz anhand eines Tafelbildes. Fragen Sie die TN, was „es" und „ihr" ist. Schreiben Sie dann den Satz ohne Pronomen an die Tafel. Die TN haben schon in Lernschritt A gelernt, dass normalerweise die Person vor der Sache steht, „wem" vor „was". Erklären Sie den TN nun, dass die Objekte die Position tauschen, wenn die Sache (im Akkusativ) durch ein Pronomen ersetzt wird.

Arbeitsbuch 13: in Stillarbeit

B2 **Anwendungsaufgabe zur Satzstellung der Objektpronomen**

1. Die Bücher sind geschlossen. Legen Sie die Folie der Bilder aus B2 auf. Achten Sie darauf, dass die Dialoge nicht zu sehen sind. Die TN sehen sich die Bilder an und beschreiben die Situation (Wo ist das? Was sind das für Leute? Was machen die Leute?).
2. *fakultativ:* Wenn Sie genug Zeit haben, bitten Sie die TN, in Partnerarbeit ein Bild auszuwählen und einen Dialog dazu zu schreiben. Anschließend spielen die Partner ihre Dialoge vor, die anderen raten, welches Bild dazu passt.
3. Die TN lesen die Aufgabe und ergänzen die Lücken.
4. Die TN vergleichen ihre Lösungen mit der Partnerin / dem Partner. Achten Sie darauf, dass die TN die Sätze dabei laut lesen, um ein „Gefühl" für die Satzstellung zu bekommen.
5. Die TN hören die Lösungen von der CD/Kassette und korrigieren ihre Lösungen, wenn nötig. Stoppen Sie nach jedem Beispiel. Fragen Sie die TN bei jedem Beispiel, wer „es", „Ihnen" usw. ist. Wenn nötig, notieren Sie noch einige Beispiele an der Tafel nach dem Muster von B1.
   Lösung: A sie Ihnen; B ihn dir; C ihn mir; D es dir

Arbeitsbuch 14–16: in Stillarbeit oder als Hausaufgabe

B3 **Freie Anwendungsaufgabe zur Satzstellung der Objektpronomen**

1. *fakultativ:* Packen Sie zu Hause eine Rolle Tesafilm, eine Schere und eine Rolle Schnur in dickes Geschenkpapier. Teilen Sie die TN in drei Gruppen. Jede Gruppe erhält eines der von Ihnen vorbereiteten Päckchen. Nur durch Fühlen sollen die Gruppen sich einigen, was in dem Päckchen ist, notfalls in der Muttersprache. Nach kurzer Zeit tauschen die Gruppen ihre Päckchen, bis jede Gruppe jedes Päckchen in der Hand gehabt hat. Fragen Sie, was in den Päckchen ist.
2. Die TN überlegen, wozu man diese Dinge braucht: Man braucht sie zum Einpacken von Geschenken. Sammeln Sie an der Tafel weitere Dinge, die man dazu braucht. Regen Sie die TN dazu an, sich kreativ mit dem Thema „Einpacken" auseinanderzusetzen. Bringen Sie ggf. eine ungewöhnliche Verpackung mit, z.B. etwas, was in Silberpapier oder Folie eingepackt ist oder in selbst bemaltem Papier, um die Phantasie der TN anzuregen. Da es sich hier teilweise um neuen Wortschatz handelt, werden die TN in ihren Wörterbüchern nachsehen oder zu erklären versuchen, was sie meinen. Achten Sie aber darauf, dass die Kursbücher geschlossen sind.
   Variante: Wenn Sie wenig Zeit haben, führen Sie die neuen Wörter anhand der Bilder im Kursbuch ein. Fragen Sie, wozu man diese Dinge braucht, und notieren Sie neue Wörter an der Tafel.
3. *fakultativ:* Wenn Sie viel Zeit haben, können Sie mit den TN darüber diskutieren, wie wichtig eine schöne Verpackung ist. „Freuen Sie sich über ein hässliches Päckchen genauso wie über ein schönes?" „Packen Sie gerne Geschenke schön ein oder ist Ihnen das egal?"
4. Die TN öffnen ihre Bücher. Zwei TN lesen den Beispieldialog im Kurs vor.
5. Die TN machen weitere Dialoge in Partnerarbeit. Wenn es möglich ist, bringen Sie Scheren, Klebstoff, Schnur usw. mit, um für die TN einen Bezug zur Realität herzustellen. Sie können die TN auch kleine Schachteln (alte Medikamentenpäckchen, leere Flaschen usw.) zu zweit verpacken lassen.
    Geübte TN machen weitere Beispiele mit dem Wortschatz, der an der Tafel zum Thema „Einpacken" gesammelt wurde.
   Variante: Schreiben Sie die Wörter zum Thema „Einpacken" auf Kärtchen. Kopieren Sie den Dialog aus B3 auf Folie und projizieren Sie ihn für alle lesbar an die Wand. Jeder zweite TN erhält ein Kärtchen. Je ein TN mit und ein TN ohne Kärtchen finden sich zusammen und sprechen einen Dialog. Das Kärtchen sagt, was sie einsetzen müssen. Danach erhält der andere TN das Kärtchen und sucht sich eine Partnerin / einen Partner ohne Kärtchen usw. Nach einer Weile können Sie die Übung erschweren, indem Sie neue Kärtchen austeilen, auf denen die Artikel der Gegenstände fehlen.

Arbeitsbuch 17: als Zusatzaufgabe für schnelle TN

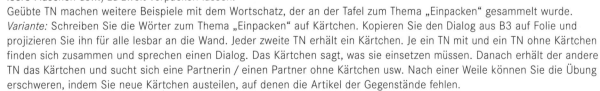

**Was soll ich denn mit dem Bild? –
Na was wohl? Du gibst es ihr.**

Stellung der Objekte im Satz
Lernziel: Die TN können Bitten und Empfehlungen ausdrücken.

Materialien
B4 selbstklebende Punkte; Kopiervorlage L7/B4,
Spielfiguren, Würfel

PHONETIK

Arbeitsbuch 18–19: im Kurs: Besprechen Sie anhand der Übungen mit den TN einige Phänomene der mündlichen Umgangssprache: Den Wegfall von „e" bei „es" kennen die TN schon von der Formel „Wie geht´s?" her. Zeigen Sie mit Übung 18, dass es auch in anderen Kontexten wegfällt, allerdings nie am Satzanfang! Vom unbestimmten Artikel fällt umgangssprachlich häufig „ei" weg, bei Verben in der 1. Person Präsens das Endungs-„e". Auch „ihn" wird gern verkürzt auf „n". Spielen Sie nach den Übungen noch einmal die Foto-Hörgeschichte der Lektion vor und bitten Sie die TN, auf Reduktionen zu achten. Da die Protagonisten authentische Umgangssprache sprechen, kommen diese hier zahlreich vor. Wie viele entdecken die TN?

B4   **Aktivität im Kurs: Ein Gedicht schreiben**
1. Lesen Sie mit den TN die drei Gedichte im Buch und die Anweisung.
2. Schreiben Sie mit den TN ein Mustergedicht an die Tafel.
3. Die TN schreiben ein eigenes Gedicht und tragen es im Plenum vor. Hängen Sie die Gedichte an die Wand.
   Hinweis: Wollen Sie das beste Gedicht wählen? Verteilen Sie drei selbstklebende Punkte an jeden TN. Die TN gehen herum, lesen die ausgehängten Gedichte und verteilen ihre Punkte. Man kann einem Gedicht drei Punkte geben oder drei Gedichten einen Punkt, das ist ganz frei. Das Gedicht mit den meisten Punkten hat gewonnen.
4. Je vier TN erhalten eine Kopie der Kopiervorlage L7/B4, vier Spielfiguren und einen Würfel. Die TN spielen das Spiel nach den Regeln auf dem Spielplan.
   Hinweis: Dieses Spiel eignet sich auch als Wiederholung zu einem späteren Zeitpunkt. Das Thema des Spiels ist „Frühstück". Wenn Sie genug Zeit haben, können Sie vor dem Spielen mit der Kopiervorlage L4/E1 die Lebensmittel wiederholen, die man zum Frühstück braucht.

Gutscheine

Gutscheine lesen und schreiben

Lernziel: Die TN können Geschenkgutscheine verstehen und ihre Meinung zu einem Thema äußern.

C **7**

C1 **Leseverstehen 1: Die Hauptaussage erfassen**

1. Klären Sie im Kursgespräch ggf., was ein Gutschein ist. Lassen Sie den TN Zeit, zunächst selbst eine Erklärung zu finden. Sammeln Sie die Stichwörter an der Tafel.
2. Die TN sehen sich die Gutscheine im Kursbuch an und notieren ihre Vermutungen zum Geschenk.
3. Abschlussgespräch im Plenum.
   Lösungsvorschlag: A ein Buch: Man darf es selbst auswählen. B ein Abendessen für zwei: Der Schenker kocht für den Beschenkten. C eine oder mehrere Kinokarten D ein Besuch im Zoo

C2 **Leseverstehen 2: Einen Text genau lesen**

1. Die TN bearbeiten die Aufgabe wie im Kursbuch angegeben.
2. Die TN vergleichen ihre Lösungen in Partnerarbeit.
3. Abschlusskontrolle im Plenum. *Lösung*: a) A und C; b) B; c) B und D; d) B; e) A und C
4. Diskutieren Sie mit den TN darüber, zu welchen Anlässen man diese Gutscheine verschenken könnte. Welche Gutscheine kann man einem Kollegen / einer Kollegin schenken, welche sind unangebracht? Warum? Welche schenkt man guten Freunden? Warum schenken manche Leute überhaupt Gutscheine?
   Bleiben Sie hier allgemein. Die TN können über ihre persönliche Meinung und Erfahrung mit Gutscheinen in C3 berichten.
5. *fakultativ:* Sie können mit den TN anhand der Gutscheine das Schreiben trainieren. Die folgende Übung ist eine Übung, wie sie in ähnlicher Form auch in der Prüfung *Start Deutsch 2* (Schreiben eines Antwortbriefes) vorkommt. Verteilen Sie dazu an jede(n) eine Kopie der Kopiervorlage L7/C2. Klären Sie mit den TN die Begriffe „Hafenrundfahrt", „Innenhafen" bzw. „Binnenhafen" (Innenhafen und Binnenhafen sind dasselbe. Ein Binnenhafen ist ein Hafen im Landesinneren.). Die TN bearbeiten die Übungen wie angegeben. Sammeln Sie die Texte der TN ein, dann können Sie sie am besten kontrollieren. Sammeln Sie typische Fehler und schreiben Sie daraus einen Text (siehe Tipp S. 60).
   Lösung: 1. Geburtstag; 2. Personen; 3. Essen; 4. Partyservice; 5. Getränke; 6. Geschenke; 7. Fotos; 8. Gutschein; 9. Idee; 10. Sonntag; 11. April; 12. Termin; 13. Wetter

C3 **Aktivität im Kurs: Über Gutscheine sprechen**

1. Bilden Sie Kleingruppen von 4–6 TN. Die TN lesen die Fragen im Kursbuch und machen sich Notizen. Geben Sie eine Zeit – ca. fünf Minuten – vor, damit das nicht zu lange dauert und die TN sich auf Stichwörter beschränken. Verweisen Sie auf den Grammatikspot: „von" als modale Präposition wird mit dem Dativ gebraucht.
2. Die TN sprechen in den Gruppen über Gutscheine. Ermuntern Sie die TN, nachzufragen und sich gegenseitig weitere Fragen zum Thema zu stellen.

Arbeitsbuch 20: als Hausaufgabe

PRÜFUNG **Arbeitsbuch 21–22:** Im Prüfungsteil „Sprechen" wählen die TN aus zwölf Karten mit Fragewörtern vier aus. Zu einem bestimmten Thema, hier „Geburtstag und Geschenke", stellen sie dann mit Hilfe der Karten vier Fragen an eine Partnerin / einen Partner. Im Kurs können Sie die Karten aus Übung 21 vergrößern und ausgeschnitten an Kleingruppen verteilen. Die TN üben in Kleingruppen. Verfahren Sie mit Übung 22 genauso.

C4 **Aktivität im Kurs: Einen Gutschein erstellen**

Die TN gehen zu zweit zusammen und schreiben einen Gutschein für die Partnerin / den Partner.

7 **D** Hochzeit
Von einer Hochzeit berichten
Lernziel: Die TN können über eigene Eindrücke und Erlebnisse erzählen.

Materialien
D1 Folie der Fotos aus D1
D2 Folie der E-Mail aus D2
D4 Kopiervorlage L7/D4, Spielfiguren, Würfel, Uhr

D1   **Präsentation des Wortfeldes „Braut"**
1. Legen Sie die Folie der Fotos aus D1 auf oder halten Sie Ihr Buch hoch. Fragen Sie einen TN: „Können Sie die Braut zeigen?" Der TN zeigt, auf welchen Bildern die Braut zu sehen ist.
2. Die TN sehen sich zu zweit die neuen Wörter im Buch an und überlegen, was was sein könnte.
3. Abschlusskontrolle (mit Hilfe der Folie) im Plenum.
   Lösung: die Braut: Foto A, B, C, D; der Brautstrauß: Foto B, D; das Brautpaar: Foto A, B, C, D; das Brautkleid: Foto A, C, D; der Bräutigam: Foto A, B, C, D; der Brautwalzer: Foto D
4. Sprechen Sie mit den TN über die Orte, an denen die Fotos gemacht worden sind.
   Lösungsvorschlag: A und D: zu Hause oder im Restaurant; B: auf dem Standesamt; C: in der Kirche

LÄNDER
INFO   Erklären Sie den TN den Unterschied zwischen kirchlicher und standesamtlicher Hochzeit. In vielen Ländern gibt es diese Trennung nicht, und es kann für die TN neu sein, dass die kirchliche Trauung allein in Deutschland nicht möglich ist. Man muss erst standesamtlich getraut sein, um in der Kirche heiraten zu können. Viele Paare heiraten auch nur auf dem Standesamt, weil sie keiner Kirche angehören oder sich der Kirche nicht mehr so verbunden fühlen. Die Trauung in der Kirche wird meist als feierlicher empfunden, weil sie in viele rituelle Handlungen eingebunden ist: So wird die Braut erst zu Beginn der Zeremonie vom Brautführer in die Kirche geführt. Es gibt Glockengeläute und Orgelmusik.

D2   **Leseverstehen 1: Fotos einer E-Mail zuordnen**
1. Die TN lesen die Aufgabenstellung und notieren ihre Ergebnisse zunächst in Stillarbeit. Bitten Sie die TN, die Schlüsselwörter zu unterstreichen, die darauf hinweisen, warum der Abschnitt zu dem jeweiligen Foto passt.
2. Ein TN überträgt seine Lösung inklusive der Schlüsselwörter auf die Folie.
3. Abschlusskontrolle anhand der Folie im Plenum. Diese können Sie auch vom TN durchführen lassen, der die Folie geschrieben hat. Sie/Er stellt das eigene Ergebnis vor. Die anderen TN korrigieren ggf.
   Lösung: Abschnitt 2: C; Abschnitt 3: D; Abschnitt 4: A

D3   **Leseverstehen 2: Informationen in einem Text suchen**
1. Die TN lesen die E-Mail ein zweites Mal und kreuzen die Lösungen an.
2. Abschlusskontrolle im Plenum. *Lösung:* richtig: b, c; falsch: a
3. *fakultativ:* Erstellen Sie mit den TN zusammen an der Tafel weitere Sätze, die richtig oder falsch sein können. Schreiben Sie z.B.: „Peter und Daniela haben die Torte allein aufgegessen." Lassen Sie die TN entscheiden, ob das richtig oder falsch ist. Bitten Sie die TN, sich in Kleingruppen von vier TN selbst solche Sätze zu überlegen und den anderen TN als Aufgabe zu stellen.
   Variante: Die ungeübten TN erstellen mit Hilfe der Seite 73 ein Plakat zum Wortfeld „Hochzeit". Dabei sind auch Zeichnungen erlaubt.
4. Die TN lesen ihre Sätze vor, die anderen TN entscheiden, ob sie richtig oder falsch sind.

D4   **Aktivität im Kurs: Über eine Hochzeit berichten**
Die TN sitzen in Kleingruppen zu viert zusammen und erzählen anhand der Fragen von einer Hochzeit. Ermuntern Sie die TN, sich gegenseitig Fragen zu stellen.
Variante: Die TN erhalten die Kopiervorlage L7/D4 und notieren zu jeder Frage einige Stichpunkte, um Ideen zu sammeln. Das kann auch als Hausaufgabe gemacht werden. Danach schneiden die TN die Kärtchen aus. Bilden Sie Kleingruppen von je vier TN. Die TN legen ihre Kärtchen zusammen und mischen sie. Dann legen sie sie zu einem Kreis zusammen. Jede Gruppe erhält einen Würfel und eine Spielfigur. Auch sollte jede Gruppe über eine Uhr mit Sekundenzeiger verfügen. Die Figur wird auf ein beliebiges Kärtchen gestellt. Ein TN würfelt und zieht die Figur im Uhrzeigersinn vor. Die Karte, auf der die Figur landet, wird umgedreht. Der TN, dessen Karte das ist, muss 30 Sekunden lang darüber sprechen. Einer behält die Uhr im Auge. Die anderen TN müssen Fragen stellen, wenn dem TN nichts mehr einfällt. Nach 30 Sekunden wird die Karte entfernt, die Figur erneut gezogen usw.

Arbeitsbuch 23–25: in Stillarbeit im Kurs oder als Hausaufgabe: Ungeübte TN lösen Übung 23 und 24, geübte TN lösen Übung 23 und 25.

Materialien
E3 Kopiervorlage zu E3 (im Internet)
Test zu Lektion 7
Fragebogen auf den Kursbuchseiten 78–79

Eine Party planen

Ein Planspiel

Lernziel: Die TN können ihre Meinung äußern und andere von etwas überzeugen.

E **7**

E1 Kursgespräch über Partys

1. Sprechen Sie mit den TN zur Einstimmung auf das Thema über verschiedene Arten von Partys und Festen. Malen Sie dazu einen Wortigel an die Tafel und sammeln Sie mit den TN alle Wörter, die ihnen zum Stichwort „Party" einfallen. Sicherlich haben die TN eine ganze Menge Assoziationen. Wenn Sie das Thema noch vertiefen möchten, lassen Sie die TN die Wörter auch nach Gruppen sortieren, um eine Struktur in das freie Assoziieren zu bringen.
2. Die TN betrachten die Fotos. Fragen Sie, wo die Personen sind, was ggf. gefeiert wird und wie.
3. Die TN erzählen, welche Party sie interessiert und warum.

E2 Hörverstehen: Verschiedene Meinungen unterscheiden

1. Die TN lesen die Aufgabe und die Aussagen. Geben Sie, wenn nötig, Gelegenheit zu Wortschatzfragen.
2. Die TN hören das Gespräch zwischen Silke und Wolfgang so oft wie nötig und ordnen die Aussagen zu. Weisen Sie die TN darauf hin, dass die Aussagen nicht wortwörtlich im Gespräch vorkommen. Die TN müssen auch erschließen, was die beiden Personen mit bestimmten Aussagen ausdrücken.
3. Abschlusskontrolle im Plenum. *Lösung:* W; W; S; S; S; W; S; S; S

Arbeitsbuch 26: als Hausaufgabe

PRÜFUNG **Arbeitsbuch 27: a)** im Kurs; **b)** im Prüfungsteil „Schreiben", Teil 2, schreiben die TN eine kurze Mitteilung, z.B. an eine Freundin. Aus den vier Inhaltspunkten, die stichwortartig vorgegeben sind, wählen die TN drei für ihre Bearbeitung aus.

E3 Aktivität im Kurs: Eine Party planen

1. Erarbeiten Sie als Vorübung Redemittel zum Thema „Prioritäten/Wichtigkeit ausdrücken" sowie „Zweifel an den Prioritäten eines anderen äußern". Spielen Sie das Gespräch aus E2 noch einmal vor und stoppen Sie nach jeder Wendung, die dazu passt. Die TN versuchen, die passenden Wendungen zu hören und zu nennen. Sammeln Sie diese an der Tafel:

Wichtigkeit äußern	*Zweifel äußern*
	Ist das wirklich so wichtig?
Also, ich finde eine richtige Einladung schon wichtig ...	
	Und was willst du?
	Ein Menü? Für 15 Leute? Muss das sein?
Für mich ist das keine richtige Party.	
Hauptsache, wir haben genug Getränke.	
Mir ist es wichtig, dass ...	
	Du willst also wirklich, dass ...?

2. Die TN finden sich zu Kleingruppen von vier TN zusammen und lesen Aufgabe a). Als Hilfe können Sie die Kopiervorlage zu E3 (im Internet) austeilen. Die TN überlegen in der Gruppe, was für eine Party sie machen könnten und was dafür benötigt wird. Sie diskutieren ihre Prioritäten und entscheiden gemeinsam, wie die Party sein soll.
   Variante: Wenn die TN vor der freien Diskussion noch mehr Struktur brauchen, geben Sie fünf Minuten Zeit vor. Die TN notieren zunächst jeder für sich, was ihm persönlich bei der Party wichtig bzw. weniger wichtig ist.
3. Jede Gruppe stellt im Plenum die Party vor. Achten Sie darauf, dass jeder TN der Gruppe spricht und einen Teil des Partyplans vorstellt. Geübte TN bemühen sich, die anderen Gruppen zu überzeugen, zur Party zu kommen.
4. *fakultativ:* Die TN überlegen in der Gruppe, zu welcher Party aus den anderen Gruppen sie gern gehen würden und diskutieren wieder. Sie müssen sich auf eine Party einigen.

TIPP   Der Unterricht wird für die TN immer lebendiger, motivierender und authentischer, wenn sie einen konkreten Bezug zur realen Welt herstellen können. Wenn möglich, belassen Sie es daher nicht bei der theoretischen Ausarbeitung einer Party, sondern planen Sie mit den TN eine wirkliche Kursparty mit einem schönen Motto. Die TN diskutieren, was sich für so eine Kursparty realisieren lässt und wo sie stattfinden könnte. Sie verteilen Aufgaben untereinander, wer sich worum kümmern muss und wer was mitbringen soll.

Einen Test zu Lektion 7 finden Sie auf Seite 134. Weisen Sie die TN auf die interaktiven Übungen auf ihrer Arbeitsbuch-CD hin. Die TN können mit diesen Übungen den Stoff der Lektion selbstständig wiederholen und sich ggf. auch auf den Test vorbereiten. Die TN können jetzt auch ihren Kenntnisstand mit dem Fragebogen auf den Seiten 78–79 im Kursbuch überprüfen.

Zwischenspiel 7
Ein Fest und seine Gäste
Smalltalk

Materialien
1, 3 Kopiervorlage „Zwischenspiel zu Lektion 7"

1   **Landeskunde: Smalltalk-Themen**

1. Die TN lesen den Einführungstext und betrachten das Bild auf Seite 76. Verteilen Sie die Kopiervorlage „Zwischenspiel zu Lektion 7". Sprechen Sie anhand von Übung 1 der Kopiervorlage mit den TN darüber, was „Smalltalk machen" ist. *Lösung*: b
2. Die TN machen sich paarweise mithilfe von Übung 1 auf Seite 76 im Kursbuch Gedanken zu Smalltalk-Themen auf einer Party. Geübte TN überlegen zusätzlich, worüber sich die Personen auf dem Bild wohl unterhalten und ordnen den Partygästen jeweils ein Thema zu.
3. Sprechen Sie mit den TN über Übung 1 und machen Sie ihnen bewusst, dass eine eindeutige Lösung hier nicht erforderlich ist. Geben Sie auch die Informationen aus der Länder-Info unten.

4. Teilen Sie den Kurs in ungeübtere und geübtere TN und erarbeiten Sie mit den ungeübten TN typische Redemittel für bestimmte Smalltalk-Situationen (Übung 2 der Kopiervorlage „Zwischenspiel zu Lektion 7"). Geübte TN finden sich paarweise zusammen und schreiben einen kurzen Dialog zu Partygästen, denen sie oben (Punkt 2) ein Thema zugeordnet haben. Durch diese Vorübungen wird auch das Hörverstehen in Aufgabe 2 erleichtert.

LÄNDER INFO   Auf Partys oder informellen Empfängen, wenn die Gäste sich nicht oder nur wenig kennen, kann man in Deutschland über folgende Themen sprechen: Reisen, Freizeit und Hobbys, das Wetter, aktuelle sportliche Ereignisse wie eine Fußball-Weltmeisterschaft o.Ä., Essen, die Musik. Auch Fragen nach der Familie und dem Arbeitsleben sind erlaubt. Allerdings bleibt man hier allgemein, Gespräche über familiäre Probleme oder intensives Nachbohren bei Arbeitslosigkeit sind nicht üblich. Als Tabu-Themen gelten Politik, religiöse Einstellungen, das Gehalt und Krankheiten. Jedoch kann man hier keine allgemeingültige Grenze ziehen, sondern muss sich auf das eigene Gespür für Takt verlassen. Denn es kann durchaus zwischen zwei sich fremden Personen recht schnell ein intensives Gespräch entstehen, bei denen auch tiefgründigere Themen behandelt werden. Dann ist man aber von der Ebene eines freundlichen, unverbindlichen Smalltalks weg.

2   **Hörverstehen 1: Partygespräche**

1. Die TN betrachten das Bild auf Seite 77 und lesen die Namen. Lesen Sie die Namen auch vor, damit die TN sie durch die Aussprache beim Hören schnell erkennen und zuordnen können.
2. Jeder TN bekommt 3–4 Partygäste zugeordnet, auf die er sich beim Hören konzentrieren soll. Geübte TN konzentrieren sich auf alle Personen gleichzeitig. Die TN hören die Gespräche abschnittsweise und ordnen „ihre" bzw. alle Personen zu.
3. Abschlusskontrolle im Plenum.
   Lösung: 1= Olaf; 2 = Ellen; 3 = Georg; 4 = Renate; 5 = Paula;
   6 = Sebastian; 7 = Günther; 8 = Chris; 9 = Jenny; 10 = Katharina;
   11 = Hubert; 12 = Anna; 13 = Friedrich; 14 = Lisa; 15 = Thomas;
   16 = Rosemarie; 17 = Beate; 18 = Edgar

4. Spielen Sie die Gespräche noch einmal vor, damit die TN, die sich beim ersten Hören sicher vor allem auf die Namen konzentriert haben, nun auf den Inhalt der Gespräche achten können.
5. Fragen Sie die TN, was sie aus den Gesprächen behalten haben, und lassen Sie sie berichten. Geben Sie ggf. auch Gelegenheit, die eigene Meinung zu äußern, z.B. falls die TN sich darüber gewundert haben sollten, dass Jenny und Katharina sich über das Essen beschweren, dem Gastgeber aber Lob für seine Party aussprechen.

3   **Hörverstehen 2: Wichtige Details verstehen**

1. Die TN lesen die Fragen in Aufgabe 3.
2. Spielen Sie die CD/Kassette noch einmal so oft wie nötig vor. Die TN kreuzen ihre Lösungen an.
3. Abschlusskontrolle im Plenum. *Lösung*: a) Nein; b) Nein; c) nicht so gut; d) langweilig; e) Golf; f) Anna; g) Nein, eher unsympathisch; h) Anna und Hubert; i) Chris
4. Die TN erarbeiten mithilfe von Übung 2 auf der Kopiervorlage „Zwischenspiel zu Lektion 7" Partygespräche und spielen ihr Gespräch im Kurs vor.
5. Die TN sprechen abschließend über eine Party in ihrem Land. Geben Sie die Informationen aus der Länder-Info unten.

LÄNDER INFO   Auf deutschen Partys ist es vor allem unter jüngeren Leuten möglich, wenn auch kein Muss, dass die Gäste Essen und Getränke mitbringen. Oft gibt es Salate und Snacks auf einem bunten Buffet, an dem sich jeder selbst bedient. Getanzt wird nicht immer, es gibt auch Spielepartys oder Partys, wo ausschließlich gegessen und gesprochen wird. Blumen oder Pralinen als Mitbringsel für den Gastgeber sind ebenfalls kein Muss, aber Freude machen sie doch!

Zwischenspiel 7
Ein Fest und seine Gäste
Smalltalk

TIPP

Eine gute Möglichkeit, spontane Sprache im Unterricht zu üben, ist der Einsatz von Elementen aus dem sogenannten Improvisationstheater. Dabei werden Situationen geschaffen, in denen die TN improvisieren, d.h. spontan reagieren müssen. Eines der wohl bekanntesten Elemente ist „Freeze" (= Frier ein, auf Deutsch vielleicht: Bleib so): Vier bis fünf TN bewegen sich frei im Raum, dabei dürfen sie Grimassen schneiden und wild gestikulieren sowie alle möglichen Verrenkungen machen. Ein TN ruft schließlich „Bleib so!". Die sich bewegenden TN bleiben in der Position stehen, in der sie gerade sind. Die anderen TN versuchen nun, mit den „erstarrten" Personen ein Gespräch zu beginnen, wobei sie deren Posen miteinbeziehen (Wenn eine Person z.B. zusammengekrümmt ist, könnte man sagen: „Oh, geht es Ihnen heute nicht gut? Was ist passiert?").

Ein weiteres Spiel, das Sie mit den TN auf diesem Niveau schon machen können, ist dieses: Ein TN geht hinter einem anderen her und sagt genau, was dieser tun soll (z.B. „Geh' gerade aus, heb' eine Hand ..."). Der vor ihm laufende TN führt die Anweisungen schweigend aus. Beim Zusammentreffen mit anderen „Pärchen" können hier die witzigsten Situationen entstehen. Neben jeder Menge Spaß werden die TN auch darauf vorbereitet, in Situationen spontan zu reagieren, und können so die Angst vor unbekannten Situationen abbauen. Auf höherem Niveau kann abschließend noch ein Kursgespräch über die Eigenwahrnehmung folgen.

Weitere Materialien für noch mehr Abwechslung im Unterricht finden Sie unter www.hueber.de/schritte-international.

1 **Hier sind zwölf Wörter versteckt. Sie stehen waagrecht (→) und senkrecht (↓).**

Achtung: Ä = AE, Ö = OE; Ü = UE!

A	B	W	O	G	G	G	U	Z	I	E	G	E	R	Z
U	B	Y	E	F	E	E	M	Z	Z	F	E	U	E	A
O	X	X	D	U	F	W	M	M	L	T	G	P	D	G
P	G	I	B	V	A	G	E	S	P	I	E	L	T	E
G	S	C	G	E	H	O	E	R	T	G	K	J	B	G
E	S	S	G	N	R	U	G	P	I	E	A	A	C	E
R	E	G	E	L	E	S	E	N	M	S	U	S	H	S
E	R	G	S	A	N	H	O	I	I	C	F	C	M	S
G	G	F	E	A	*G*	*E*	*M*	*A*	*C*	*H*	*T*	H	M	E
N	E	E	H	K	T	K	Z	U	R	R	G	E	E	N
E	R	R	E	G	O	H	L	O	E	I	T	P	U	E
T	T	T	N	R	F	P	A	E	A	E	Z	O	E	N
J	H	A	R	T	Z	O	E	G	R	B	M	T	T	E
G	E	S	C	H	L	A	F	E	N	E	U	R	I	N
L	O	E	Z	U	E	G	E	G	A	N	G	E	N	W

2 **Ergänzen Sie die Sätze mit den Wörtern aus Übung 1.**

a Gestern bin ich mit dem Auto ....

b Ach, das Buch habe ich schon zehnmal ....

c Hast du den Brief endlich .... ?

d Sabine hat den ganzen Tag mit dem Hund ....

e Haben Sie die Hausaufgaben .... ?

f Am Samstagabend bin ich mit meinem Mann ins Kino ....

g Sieh mal, ich habe mir ein neues Kleid ....

h Habt ihr die ganze Schokolade .... ?

i Ich habe dich gestern in der Stadt ....

j Am Montag hat es den ganzen Tag ....

k Hast du schon die Nachrichten im Radio .... ?

l Ich bin todmüde. Am Wochenende habe ich nur drei Stunden ....

Schritte international 3, Lehrerhandbuch 02.1853 • © Hueber Verlag 2007

Hinweis: Kopieren Sie die Vorlage in ausreichender Zahl. Schneiden Sie die Kärtchen aus. Jeder TN erhält ein Kärtchen. Er sucht sich eine Partnerin / einen Partner und stellt die Frage auf dem Kärtchen. Der Partner antwortet, stellt dann seinerseits eine Frage. Anschließend tauschen die Partner die Kärtchen und suchen sich neue Partner.

Warum haben Sie die Hausaufgaben nicht gemacht?	Warum sind Sie in Deutschland?
Warum kommst du immer zu spät zum Kurs?	Warum rauchst du nicht?
Warum stehst du immer so spät auf?	Warum kommst du morgen nicht zum Kurs?
Warum machst du einen Deutschkurs?	Warum lernen Sie Deutsch?
Warum bist du heute so müde?	Warum bist du heute so fröhlich?
Warum bringen Sie immer so viel zu essen mit?	Warum lesen Sie jeden Morgen die Zeitung?
Warum waren Sie gestern nicht im Kurs?	Warum siehst du nie deutsches Fernsehen?

Schritte international 3, Lehrerhandbuch 02.1853 • © Hueber Verlag 2007

Fragen Sie andere Teilnehmer: „Hast du gestern im Supermarkt eingekauft?" Bei „Ja" tragen Sie den Namen hier ein. Bei „Nein" müssen Sie weitersuchen.

a .... hat gestern im Supermarkt eingekauft.

b .... ist gestern aus einem Bus ausgestiegen.

c .... hat gestern Abend die Wohnungstür nicht abgeschlossen.

d .... hat heute Morgen schon ferngesehen.

e .... hat letzte Woche ein Kochrezept aufgeschrieben.

f .... hat gestern ihre/seine Mutter angerufen.

g .... hat gestern den ganzen Tag die Schuhe nicht ausgezogen.

h .... ist heute Morgen schon um sechs Uhr aufgestanden.

i .... ist nach dem Frühstück noch einmal eingeschlafen.

j .... hat heute der Lehrerin / dem Lehrer gut zugehört.

k .... hat letzten Monat ein Geschenk ausgepackt.

l .... hat im letzten Monat Blumen gekauft.

Schritte international 3, Lehrerhandbuch 02.1853 • © Hueber Verlag 2007

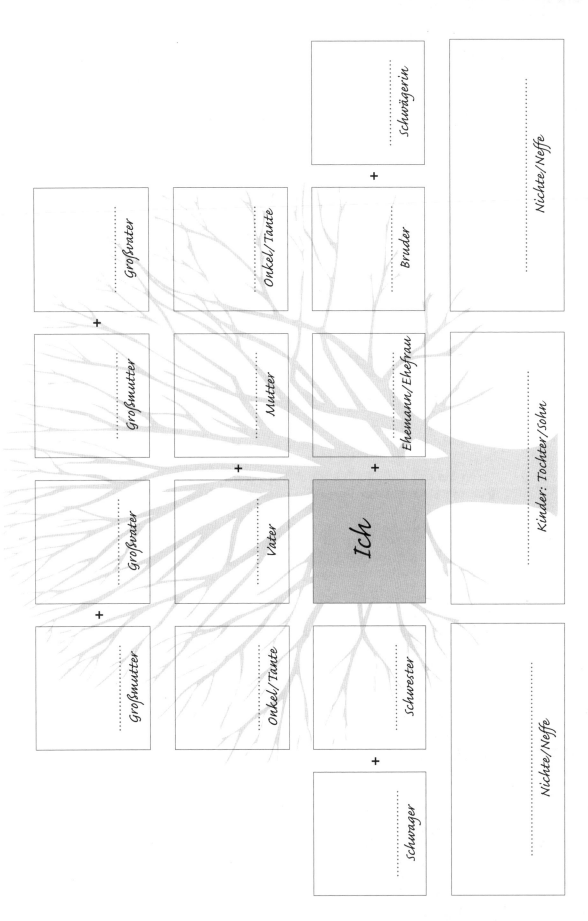

Meine Familie

Mein Stammbaum

Großvater + Großmutter

Großvater + Großmutter

Onkel/Tante

Mutter + Vater

Onkel/Tante

Schwägerin + Bruder

Ehemann/Ehefrau + Ich + Schwester

Schwager

Nichte/Neffe

Kinder: Tochter/Sohn

Nichte/Neffe

1 **Ergänzen Sie die Informationen aus den Texten.**

	Rostock	Magdeburg	Braunschweig
Gründung*			
Lage			
Einwohner			
Bundesland			
Bekannt für ... / Sehenswürdigkeit(en)			
Partnerstadt in Ihrem Land?			

* Seit wann gibt es die Stadt?

2 **Hören Sie das Lied noch einmal. Was würde eine Frau in Ihrem Land sagen? Arbeiten Sie mit einer Partnerin oder einem Partner und antworten Sie.**

a Du, sag mal ... Ich kenne dich doch!

b Ich habe dich ganz sicher schon mal irgendwo gesehen.

c Ich weiß es ganz genau! Das musst du doch verstehen.

d Sag mal, haben wir in ... über Fußball diskutiert?

e Oder hast du irgendwann einmal in ... studiert?

Schritte international 3, Lehrerhandbuch 02.1853 • © Hueber Verlag 2007

Der oder **dem**? Was passt? Ergänzen Sie.

Liebe Adriana,

wie geht es dir? Ich bin gestern in München angekommen. Die Familie ist sehr nett. Heute habe ich mit Larissa – das ist die Tochter – mein Zimmer eingeräumt. Willst du wissen, wie es aussieht? Ich erzähle es dir!

Links an .... Wand steht das Sofa. Auf .... Sofa schlafe ich auch. Am Tag liegt immer meine orangefarbene Lieblingsdecke – die kennst du doch noch? – auf .... Sofa. Links hinten in .... Ecke steht eine Pflanze. Über .... Pflanze hängt jetzt mein Bild von Mozart. Du weißt ja, ich liebe seine Musik!

Hinten an .... Wand steht im Moment ein Regal. Es ist aber zu klein für meine Bücher und CDs. Sie liegen jetzt auf .... Boden vor .... Regal. Am Wochenende kaufen wir vielleicht ein anderes Regal. Vor .... Fenster steht der Schreibtisch. Hier sitze ich jetzt und schreibe dir ☺. Auf .... Schreibtisch steht eine Lampe. Rechts neben .... Tür steht ein großer Kleiderschrank. Er ist fast leer. Ich habe ja nicht viel Kleidung mitgenommen. Unter .... Schrank stehen meine Schuhe. Ja, so wohne ich hier! Kannst du dir mein Zimmer jetzt vorstellen? Vielleicht besuchst du mich mal? Dann kannst du es selbst sehen!

Schreib mir bitte bald!

Alles Liebe
Maria

Schritte international 3, Lehrerhandbuch 02.1853 • © Hueber Verlag 2007

Was fehlt? Ergänzen Sie.

a Simone stellt den Wecker auf *den* .... Nachttisch.

b Der Wecker steht auf .... Nachttisch.

c Maria steigt .... Flugzeug.

d Maria sitzt .... Flugzeug.

e Die Kinder gehen in .... Schule.

f Die Kinder lernen in .... Schule Deutsch.

g Die Lehrerin schreibt die Aufgabe an .... Tafel.

h Die Aufgabe steht an .... Tafel.

Was ist richtig? Schreiben Sie.

a

....

....

d

....

....

b

....

....

e

....

....

c

....

....

f

....

....

Schritte international 3, Lehrerhandbuch 02.1853 • © Hueber Verlag 2007

1   **Was ist richtig? Kreuzen Sie an.**

a   Das Hundertwasser Haus ist die Nummer 1 von allen Sehenswürdigkeiten in Wien.   ❑

b   Die Stadt Wien hat das Haus in den 1980er-Jahren gebaut.   ❑

c   Fast eine Million Menschen hat das Haus in den letzten zwanzig Jahren besucht.   ❑

d   Jeder Bewohner darf die Farben an den Fenstern selbst mischen.   ❑

e   Das Haus gehört Friedensreich Hundertwasser.   ❑

f   Alle Wohnungen sind gleich groß.   ❑

g   Kinder dürfen nicht ins Hundertwasser Haus einziehen.   ❑

h   In dem Haus arbeitet auch ein Arzt.   ❑

i   Auf der Dachterrasse gibt es viel Grün.   ❑

2   **Was wissen Sie über den Künstler? Ergänzen Sie.**

Geburtsjahr:	
Geburtsort:	
Familienname:	
Vorname:	
Künstlername:	*Friedensreich Hundertwasser*
Familienstand:	
Kinder:	
Interessen:	
Philosophie:	
Todesjahr:	

3   **Das Hundertwasser Haus in Wien: Was gefällt Ihnen, was nicht?**
Möchten Sie dort wohnen? Warum (nicht)?

1   **Ergänzen Sie** *(k)einen,(k)eins, (k)eine, welche.*

a Susanne braucht **einen** Schokoladenkuchen, aber der Bäcker hatte

.... mehr.

Vielleicht kann sie ja im Supermarkt noch ....

kaufen?

b Maria möchte **ein** Vollkornbrot zum Frühstück, aber sie hat

.... mehr bekommen.

Vielleicht gibt es ja im Supermarkt noch ....?

c Larissa möchte **eine** Brezel zum Frühstück, aber Kurt hat

.... mehr bekommen.

Kurt kauft .... im Supermarkt.

d Kurt braucht Nussschnecken, aber er hat ....

mehr bekommen.

Die Bäckerei hatte .... mehr. Vielleicht gibt es im

Supermarkt noch ....?

2   **Schreiben Sie selbst weiter.**

a Susanne möchte Brötchen, aber …

b Kurt braucht eine Geburtstagstorte, aber …

c Kurt möchte ein Weißbrot kaufen, aber …

d Susanne braucht …

Schritte international 3, Lehrerhandbuch 02.1853 • © Hueber Verlag 2007

1   **Ergänzen Sie.**

a   Gibst du mir bitte den Löffel?   d**er** Löffel

→ Hier, bitte! Hier ist *einer*. ....

b   Gibst du mir bitte das Messer?   da**s** Messer

→ Hier, bitte! Hier ist ....

c   Gibst du mir bitte die Gabel?   di**e** Gabel

→ Hier, bitte! Hier ist ....

d   Gibst du mir bitte die Eier?   die Eier

→ Hier, bitte! Hier sind ....

2   **Ergänzen Sie.**

a   Gibst du mir bitte einen Löffel?   d**er** Löffel

→ Tut mir leid. Hier ist *keiner*. ....

b   Gibst du mir bitte ein Messer?   → Tut mir leid. Hier ist ....

c   Gibst du mir bitte eine Gabel?   → Tut mir leid. Hier ist ....

d   Gibst du mir bitte ein paar Eier?   → Tut mir leid. Hier sind ....

3   **Lesen Sie und schreiben Sie anders.**

a   ● Ich brauche einen Löffel.
Bringst du mir bitte ~~einen Löffel~~?   ■ Hier ist doch schon ~~ein Löffel~~.

        ....   *einer.* ....

b   ● Ich brauche ein Messer.
Bringst du mir bitte ein Messer?   ■ Hier ist doch schon ein Messer.

        ....

c   ● Ich brauche eine Gabel.
Bringst du mir bitte eine Gabel?   ■ Hier ist doch schon eine Gabel.

        ....

d   ● Ich brauche Eier.
Bringst du mir bitte Eier?   ■ Hier sind doch schon Eier.

        ....

Schritte international 3, Lehrerhandbuch 02.1853 • © Hueber Verlag 2007

1 **Lesen Sie und kreuzen Sie an: Was ist richtig?**

a Küsse auf die Wange sind
❏ generell üblich.

❏ ein noch neuer Trend unter befreundeten Frauen, manchmal auch bei Frau und Mann.

❏ verboten.

b Im Restaurant ist das Trinkgeld für den Kellner schon in der Rechnung.
❏ Man gibt aber immer ein bisschen mehr, wenn man mit dem Service zufrieden war.

❏ Man gibt kein Trinkgeld.

❏ Aber man muss für das Besteck extra bezahlen.

c Bei privaten Einladungen
❏ sollte man alkoholische Getränke auf keinen Fall ablehnen.

❏ gibt es in Deutschland generell nur Getränke ohne Alkohol.

❏ kann man auch sagen, dass man keinen Alkohol trinken möchte.

d Raucher sollten bei privaten Einladungen
❏ so viel rauchen, wie es ihnen gefällt.

❏ den Gastgeber fragen, ob und wo (zum Beispiel auf dem Balkon!) man rauchen kann.

❏ gar nicht rauchen. Das ist in Deutschland tabu!

e Wenn Gäste ein Geschenk mitbringen,
❏ öffnet man es sofort und bedankt sich mit freundlichen Worten.

❏ bedankt man sich und legt es zur Seite. Man öffnet es später, wenn die Gäste weg sind.

❏ muss man auch dem Gast ein Geschenk geben.

f Wichtig sind die richtigen Blumen! Rote Rosen
❏ sind beliebte Blumen bei einem Besuch.

❏ sind einfach nicht mehr in Mode. Heute schenkt man lieber weiße Blumen.

❏ sind die Blumen der Liebe. Also bei Einladungen lieber eine bunte Komposition aus verschiedenen Blumen, Zweigen und Gräsern!

g Bei Small Talk auf Partys
❏ kann man über die eigene Familie, das Haustier, Hobbys und Urlaub sprechen.

❏ muss man auf Fragen des Gesprächspartners nur mit „Ja" und „Nein" antworten. Das ist genug!

❏ darf man offen über Krankheiten, Religion und Geld sprechen.

2 **Was ist anders in Ihrem Land? Diskutieren Sie.**

Schritte international 3, Lehrerhandbuch 02.1853 • © Hueber Verlag 2007

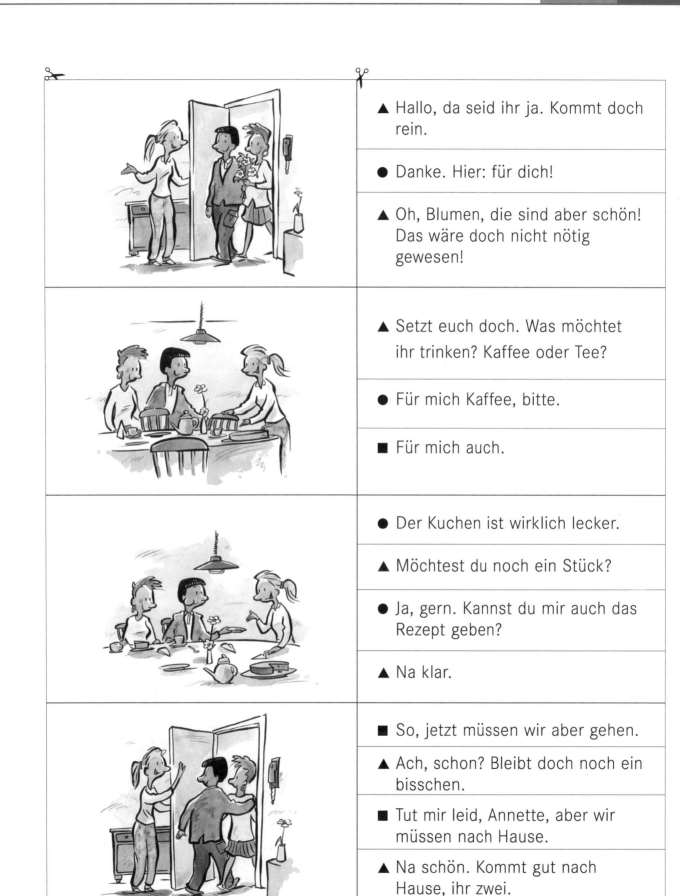

▲ Hallo, da seid ihr ja. Kommt doch rein.

● Danke. Hier: für dich!

▲ Oh, Blumen, die sind aber schön! Das wäre doch nicht nötig gewesen!

▲ Setzt euch doch. Was möchtet ihr trinken? Kaffee oder Tee?

● Für mich Kaffee, bitte.

■ Für mich auch.

● Der Kuchen ist wirklich lecker.

▲ Möchtest du noch ein Stück?

● Ja, gern. Kannst du mir auch das Rezept geben?

▲ Na klar.

■ So, jetzt müssen wir aber gehen.

▲ Ach, schon? Bleibt doch noch ein bisschen.

■ Tut mir leid, Annette, aber wir müssen nach Hause.

▲ Na schön. Kommt gut nach Hause, ihr zwei.

Schritte international 3, Lehrerhandbuch 02.1853 • © Hueber Verlag 2007

1   **Achtung, hier sind die Städtenamen falsch. Korrigieren Sie.**

Dresden

a   ~~Nürnberg~~ ist bekannt für sein Weihnachtsgebäck, den Stollen.

b   Die Sachertorte ist eine Spezialität aus Linz, der Hauptstadt von Österreich.

c   Berlin ist das finanzielle Zentrum von Deutschland.

d   Basel ist eine Großstadt und liegt ganz im Westen von Deutschland.

e   Die Stadt Salzburg liegt im Bundesland Bayern und hat eine berühmte Burg.

f   In Bremen leben fast 4 Millionen Menschen.

g   Linz liegt am Meer. Eine Spezialität dort ist das Marzipan.

h   In der Schweiz hat Aachen nach Zürich und Genf die meisten Einwohner.

2   **Lesen Sie das Rezept und den Text.**
Woher kommt die süße Spezialität und wie heißt sie?

3 Eiweiß
50 g feiner Zucker
1 Päckchen Vanillezucker
3 Eigelb
20 g Mehl
40 g Butter

Eiweiß zu Schnee schlagen, Zucker und Vanillezucker kurz unterrühren.
3 Esslöffel Eischnee nehmen, mit dem Eigelb mischen und wieder zum Eischnee geben.
Mehl darüber sieben und alles vorsichtig vermischen. In einer Form Butter zerlassen.
Teig in kleinen Portionen in die Form geben, im Ofen bei starker Hitze in 8 bis 10 Minuten goldgelb backen. Sofort servieren.
Mit Puderzucker oder Vanillezucker bestreuen.

* die Bühne: Im Theater, in der Oper: Dort stehen die Künstler.

Das Wahrzeichen der Stadt ist die Burg hoch über dem Fluss. Von dort hat man einen schönen Blick auf die Stadt mit ihren vielen barocken Kirchen und historischen Gebäuden.
Zum Einkaufen geht man am besten in die schöne Getreidegasse. Sie ist das Herz der Altstadt und dort steht auch das Geburtshaus des weltberühmten Komponisten.
Jedes Jahr im Sommer ist die Stadt eine große Bühne* für Musiker und viele andere Künstler.
Zu den international bekannten Festspielen kommen Musikfans und Kunstfreunde aus aller Welt.

Salzburg © PantherMedia/Haus Eder

Schritte international 3, Lehrerhandbuch 02.1853 • © Hueber Verlag 2007

Wählen Sie ein Bild und schreiben Sie Ratschläge für diese Person auf.

Ich komme einfach nicht
aus dem Bett.

Ich habe so viel Arbeit.

Immer nur Ärger mit der
Kollegin! Was soll ich nur tun?

So ein Mistwetter!
Wie langweilig!

Du bist krank.
Du solltest ...

Walter und ich haben
nur noch Streit.

Du	hast
keine Lust	auf deinen Job
Du	kannst
ja	in einer Bäckerei
arbeiten	Wenn
Dann	

Schritte international 3, Lehrerhandbuch 02.1853 • © Hueber Verlag 2007

1   **Feiertage in Deutschland, Österreich und der Schweiz. Suchen Sie im Internet. Welche Informationen finden Sie?**

		Name des Feiertags	Wo ist das ein Feiertag?
a	1. Januar	*Neujahr(stag)*	*D, A, CH*
b	6. Januar		
c	1. Mai		
d	1. August		
e	3. Oktober		
f	26. Oktober		
g	31. Oktober		
h	1. November		
i	25. Dezember		

2   **Manche Feiertage haben kein festes Datum. Zu welchem Fest gehören diese Feiertage? Wann finden sie in diesem Jahr statt? Notieren Sie.**

	Fest	Datum in diesem Jahr
Karfreitag		
Ostermontag		
Pfingstmontag		

Finden Sie zu jedem Buchstaben einen Beruf!

A	N
B	O
C	P
D	(QU)
E	R
F	S
G	T
H	U
(I)	(V)
(J)	W
K	(X)
L	(Y)
M	(Z)

Schritte international 3, Lehrerhandbuch 02.1853 • © Hueber Verlag 2007

Kopiervorlage „Zwischenspiel zu Lektion 4"

1   **Das „Ding". Lesen Sie die Fragen und antworten Sie.**

a Was kann man mit dem „Ding" machen?   *Brot schneiden,* ....

b Wo findet man das „Ding"?   ....

c Wie sieht das „Ding" aus?   ....

d Woher kommt das „Ding"?   ....

e Wie heißt das „Ding"?   ....

2   **Karl Elsener. Lesen Sie die Antworten und ergänzen Sie die passende Fragen.**

a .... ?

Er war Messerschmied.

b .... ?

1884.

c .... ?

Sein Ziel: Ein Messer für die Schweizer Armee herstellen.

3   **Die Firma Victorinox und ihr Produkt. Ergänzen Sie die Zahlen.**

a Das Schweizer Offiziersmesser kann man in .... Ländern kaufen.

b Das Messer gibt es in mehr als .... Modellen mit .... verschiedenen

Funktionen.

c Die Schweizer Firmengruppe produziert jährlich .... Messer und verkauft

.... Prozent davon ins Ausland.

d Victorinox und Wenger haben zusammen .... Angestellte.

Schritte international 3, Lehrerhandbuch 02.1853 • © Hueber Verlag 2007

1 **Was haben Sie heute morgen gemacht? Kreuzen Sie an.**

- ❑ sich kämmen
- ❑ aufstehen
- ❑ sich waschen
- ❑ sich an den Esstisch setzen
- ❑ sich anziehen
- ❑ die Wohnung aufräumen
- ❑ meine Kinder wecken
- ❑ sich rasieren
- ❑ Frühstück machen
- ❑ Hausaufgaben für den Deutschkurs machen
- ❑ meine Kinder anziehen
- ❑ sich duschen
- ❑ die Zeitung lesen
- ❑ sich ausruhen
- ❑ die Nachrichten im Radio hören

gemacht haben

sich gekämmt haben

sich gewaschen haben

aufgestanden sein

sich gesetzt haben

(sich) angezogen haben

geweckt haben

aufgeräumt haben

sich rasiert haben

gemacht haben

gelesen haben

sich geduscht haben

sich ausgeruht haben

sich angezogen haben

gehört haben

2 **Ordnen Sie die Stichwörter. Dann schreiben Sie.**

Um acht Uhr bin ich aufgestanden. Dann ...

Schritte international 3, Lehrerhandbuch 02.1853 • © Hueber Verlag 2007

Freust du dich auf ...?	**Denkst du oft an ...?**	**Sprichst du oft mit ...?**
Bist du zufrieden mit ...?	**Triffst du dich gern mit ...?**	**Träumst du oft von ...?**
Verabredest du dich oft mit ...?	**Ärgerst du dich über ...?**	**Interessierst du dich für ...?**
Wartest du oft auf ...?	**Kümmerst du dich gerne um ...?**	**Hast du Lust auf ...?**

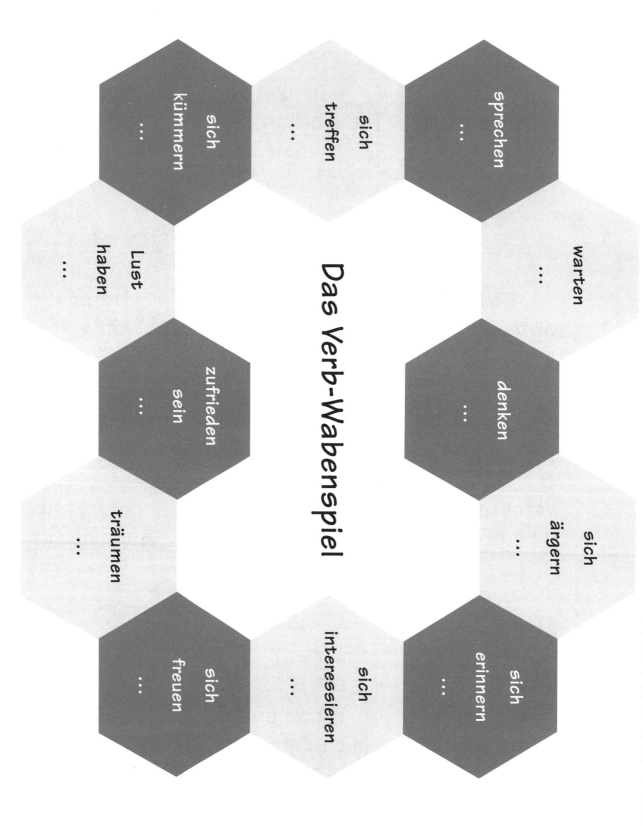

Schritte international 3, Lehrerhandbuch 02.1853 • © Hueber Verlag 2007

Kopiervorlage „Zwischenspiel zu Lektion 5"

1   **Was bedeutet das? Ordnen Sie zu.**

a Für das freie Klettern braucht man einen besonders durchtrainierten Körper.

b Free Climbing ist eine richtige Modesportart geworden.

c Die Sächsische Schweiz gehört zu den meist besuchten Klettergebieten Deutschlands.

d Fritz Wiessner ist beruflich erfolgreich.

e Er wird in seiner neuen Heimat auch zu einem berühmten Bergsteiger und Kletterer.

f Durch ihn wird Free Climbing dort erst richtig bekannt.

❑ Fritz Wiessner hat Glück: Seiner Chemiefirma geht es gut.

❑ Wenn man frei klettern will, muss man fit sein.

❑ Fritz Wiessner ist in Amerika der erste freie Kletterer. Deshalb kennt man ihn dort auch sehr gut.

❑ Weil sich immer mehr Leute für das Free Climbing interessieren, spricht man von einer „Mode".

❑ Vor Fritz Wiessner haben die Amerikaner den Sport Free Climbing nicht gekannt.

❑ Weil man dort gut klettern kann, fahren die meisten Kletterer in Deutschland in die Sächsische Schweiz.

2   **Was ist richtig? Kreuzen Sie an.**

a Free Climbing ist

❑ über hundert Jahre alt.

❑ eine Modesportart und deshalb sehr neu.

e In den Sächsischen Kletterregeln

❑ beschreiben Kletterer ihre Lieblingstouren in Sachsen.

❑ steht zum Beispiel: Dort darf man klettern, dort aber nicht.

b Das Elbsandsteingebirge liegt

❑ in der Sächsischen Schweiz.
❑ in Sachsen und in Tschechien.

f Fritz Wiessner

❑ klettert schon als junger Mann gern.
❑ beginnt erst in den USA mit dem Klettern.

c Die Felsen sind aus Sandstein.

❑ Deshalb kann man sie nicht kaputt machen.
❑ Deshalb können sie leicht kaputtgehen.

g Der Bergsteiger aus Dresden

❑ stirbt, weil er nicht mehr klettern kann.

❑ stirbt mit 88 Jahren.

d Das freie Klettern ist eine besondere Klettertechnik. Man braucht dafür

❑ viel Ausrüstung.
❑ nur wenig Ausrüstung.

Schritte international 3, Lehrerhandbuch 02.1853 • © Hueber Verlag 2007

zum ersten Mal allein ausgehen dürfen	mit 16 zu Hause sein müssen	als Kind werden wollen	zu Hause immer machen müssen	zum ersten Mal allein wegfahren dürfen
lesen können	*Wer* *Wann* *Konntest du* *Durftest du* *Musstest du* *Was*			als Kind nie dürfen
zum ersten Mal Auto fahren dürfen				bei schlechten Noten machen müssen
ein bisschen Deutsch sprechen können	**Ihre Kindheit** Stellen Sie Ihre Spielfigur auf ein beliebiges Feld. Würfeln Sie. Ziehen Sie Ihre Spielfigur vor. Machen Sie aus den Stichwörtern auf dem Feld eine Frage. Fragen Sie eine Mitspielerin / einen Mitspieler:			im Haushalt helfen müssen
immer gern wollen				nie machen dürfen
Rad fahren können	*Konnten Sie* *Mussten Sie* *Solltest du* *Wolltest du* *Wollten Sie* *Sollten Sie*			in eine eigene Wohnung ziehen können
allein auf Partys gehen dürfen	in der Schule immer machen müssen	nie machen wollen	bis heute nicht machen können	von Beruf werden sollen

Schritte international 3, Lehrerhandbuch 02.1853 • © Hueber Verlag 2007

Sind Noten
in der Schule wichtig?

Sollten auch die Lehrer /
die Professoren
Noten bekommen?

Sollen Mädchen und
Jungen in verschiedene
Klassen gehen?

Sollen Schüler
mit schlechten Noten
sitzen bleiben?

Lernen die Schüler
nur für gute Noten?

Sind gute
Zeugnisse wichtig?

Sollte jedes Kind
in den Kindergarten
gehen?

Ohne Fleiß, kein Preis –
ist das richtig?

Schritte international 3, Lehrerhandbuch 02.1853 • © Hueber Verlag 2007

1 **Schreiben Sie über Ihren eigenen Schulweg. Füllen Sie zuerst das Schema aus.**

Heute	Jetzt bin/mache ich …
Mit … Jahren / … Jahre lang habe ich …	
Mit … Jahren	*Kindergarten / Vorschule*

2 **Schreiben Sie dann einen Text.**

Mit .... Jahren ....

Danach .... Mit .... Jahren

....

....

....

Nach der Ausbildung / dem Studium ....

....

Heute ....

Schritte international 3, Lehrerhandbuch 02.1853 • © Hueber Verlag 2007

Kopiervorlage „Zwischenspiel zu Lektion 6"

1 **Was bedeuten „sie" und „es"? Ergänzen Sie.**

> Pina Bausch   die Theaterstücke   die Zuschauer   das Tanztheater

a **Sie** haben es gesehen, aber **sie** konnten oder

wollten es nicht verstehen.   sie = ...

Sie waren unzufrieden. **Sie** haben gerufen. (…)

b (…) denn so heißt das Haus seit 1973, seit **SIE**

hier die Chefin ist.   SIE = ...

c **Sie** entstehen in vielen langen Proben zusammen

mit den Tänzerinnen und Tänzern.   Sie = ...

d (…) Also muss man **es** selbst sehen, selbst hören,

selbst erleben.   es = ...

2 **Was ist richtig? Kreuzen Sie an.**

a Die Zuschauer waren unzufrieden,

weil sie das Theater von Pina Bausch zuerst nicht verstanden haben. ❑

weil sie nicht gut sehen konnten. ❑

b Die Journalisten nennen Pina Bausch eine Königin,

weil das Wuppertaler Tanztheater in einem Schloss ist. ❑

weil sie ihre Kunst so herrlich finden. ❑

c Die Theaterstücke von Pina Bausch sind besonders,

weil die Tänzerinnen und Tänzer so gut tanzen und das Licht so schön ist. ❑

weil die Tänzerinnen und Tänzer auch singen und sprechen und Licht
und Videos eine wichtige Rolle spielen. ❑

d Pina Bausch liebt den Tanz,

weil Bewegung und Emotion für sie zusammengehören. ❑

weil sie jeden Tag Bewegung braucht. ❑

Schritte international 3, Lehrerhandbuch 02.1853 • © Hueber Verlag 2007

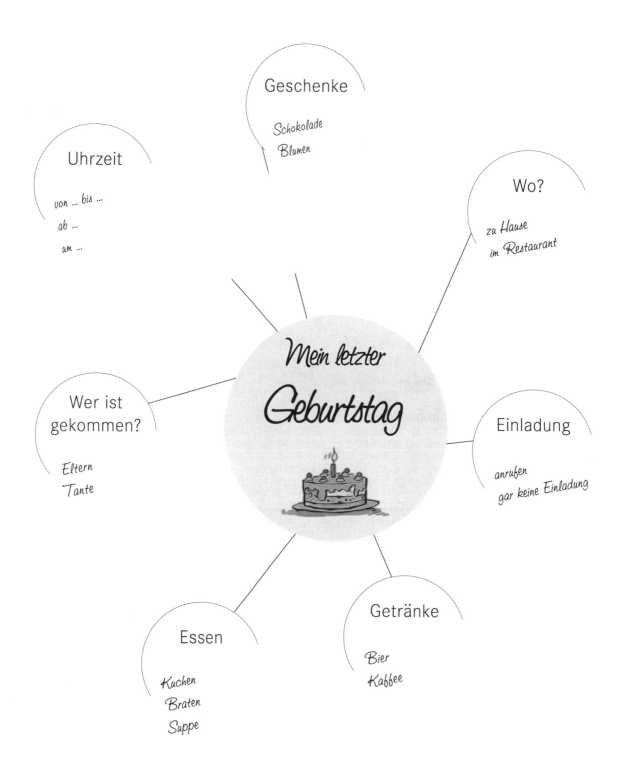

1 *die Kekse; die Keksdose* ....

2 ....

3 ....

4 ....

5 ....

6 ....

7 ....

8 ....

9 ....

10 ....

11 ....

12 ....

13 ....

14 ....

15 ....

16 ....

17 ....

18 ....

19 ....

20 ....

Schritte international 3, Lehrerhandbuch 02.1853 • © Hueber Verlag 2007

die Mutter • der Kaffee	die Eltern • die Zigaretten	der Bruder • das Rosinen- brötchen	die Katze • das Stück Fleisch	die Schwester • die Wurst	die Mutter • die Tomaten

der Bruder • das Ei	**Das Frühstücksspiel**

Das Frühstücksspiel

Die Familie sitzt am Frühstückstisch. Silvia hat schlechte Laune. Aber alle wollen etwas von ihr.
Jeder bittet sie: „Gib deinem Bruder das Ei." und so weiter. Silvia antwortet: „Gib es ihm selbst!"
Spielen Sie zu viert! Jeder Spieler setzt seine Figur auf ein Feld seiner Wahl. Der jüngste Spieler beginnt. Er würfelt und zieht seine Figur. Er fragt, der Spieler neben ihm antwortet. Die anderen zwei kontrollieren.

- der Bruder • das Ei
- der Vater • die Brötchen
- die Katze • die Milch
- der Hund • das Futter
- das Baby • die Milchflasche
- die Mutter • die Marmelade
- die Schwester • der Kakao

Rechte Spalte:
- der Bruder • das Messer
- die Mutter • das Brot
- der Vater • der Käse
- der Hund • der Knochen
- das Baby • der Schnuller
- die Geschwister • die Wasserflasche

Untere Zeile:
- die Schwester • der Kakao
- der Bruder • die Butter
- der Vater • die Oliven
- die Eltern • der Kaffee
- die Mutter • das Salz
- die Schwester • der Zucker

Schritte international 3, Lehrerhandbuch 02.1853 • © Hueber Verlag 2007

1 **Lesen Sie den Gutschein.**
Was bekommt die Oma?

Gutschein

Liebe Omi,

wir wissen, dass Du Ausflüge liebst. Deshalb schenken wir Dir zu Deinem 70sten Geburtstag eine Hafenrundfahrt im Duisburger Innenhafen. Das ist der größte Binnenhafen Europas. Den Termin kannst Du Dir aussuchen. Natürlich fahren Gerd und ich mit.

Deine Enkelkinder
Susi und Gerd

2 **Lesen Sie die E-Mail und ergänzen Sie die Lücken.**

Geburtstag	Personen	Getränke	Essen	Partyservice	Gutschein	Idee
Sonntag	Fotos	April	Termin	Wetter	Geschenke	

Betreff: Betreff: Euer Gutschein
Anlagen: *keine*

Liebe Susi, lieber Gerd,

schade, dass Ihr an meinem .... (1) nicht hier sein konntet. Es
waren fast 40 .... (2) da. Das .... (3) habe ich
von einem .... (4) kommen lassen. Nur die .... (5)
habe ich selbst gekauft. Aber Euer Opa hat mir viel geholfen. Wir haben bis
weit nach Mitternacht gefeiert und sogar getanzt. Ich habe viele schöne
.... (6) bekommen, viele Blumen und eine Collage aus alten
.... (7). Für Euren .... (8) möchte ich mich
herzlich bedanken. Das ist eine sehr schöne .... (9). Ich freue
mich riesig. Wenn Ihr mitfahrt, wird es noch mal so schön. Habt Ihr am nächsten
.... (10), den 24. .... (11) Zeit? Das ist doch
ein guter .... (12) für die Hafenrundfahrt, denn das
.... (13) ist im Moment so schön.
Viele Grüße
   Eure Omi

3 **Wählen Sie einen Gutschein aus dem Kursbuch, Seite 72, aus und schreiben Sie eine Antwort an den Schenker.**

Vergessen Sie nicht, sich zu bedanken und einen Termin für ein Treffen auszumachen.

**Erinnern Sie sich an eine Hochzeit? Schreiben Sie zu jeder Frage einige Stichpunkte.
Schneiden Sie dann die Kärtchen aus.**

Was hat die Braut getragen? Und was der Bräutigam?	....
Was hat es zu essen und zu trinken gegeben?	....
Hat es Musik und Tanz gegeben?	....
Was für Geschenke hat das Brautpaar bekommen?	....
Was war besonders lustig oder komisch auf der Hochzeit?	....
Wo wurde die Hochzeit gefeiert?	....

Schritte international 3, Lehrerhandbuch 02.1853 • © Hueber Verlag 2007

Kopiervorlage „Zwischenspiel zu Lektion 7"

1 **Kreuzen Sie an: Was bedeutet „Smalltalk machen"?**

a Zwei Leute unterhalten sich kurz auf Englisch. ❏

b Man unterhält sich erst einmal über leichte, allgemeine Themen. ❏

c Erwachsene sprechen mit Kindern. ❏

2 **Smalltalk machen – aber wie? Ordnen Sie zu.**

Und? Was machst du so? Hat mich gefreut, dich mal wiedergesehen zu haben. Hallo / Hi, ...!
Wann haben wir uns eigentlich das letzte Mal gesehen? Wie geht's denn so? Wie findest du ...
Entschuldige, aber ich muss jetzt mal ... Und – bist du schon lange hier? Ich bin / heiße ...
Übrigens, das ist ... Woher kennen wir uns noch einmal? Kennen wir uns nicht?
Hallo. Äh, wie war noch einmal dein Name? Was gibt's Neues? War nett, dich mal
wiederzusehen! Kennst du eigentlich schon ...? Darf ich vorstellen? Das ist ...

sich begrüßen	jemanden vorstellen	ein Gespräch beginnen	ein Gespräch beenden

	A	B	C
1	Benny – auf – der Sessel – einschlafen	Frau Rieder – der Schlüssel – in – das Schloss – stecken	Herr Brenner – heute Morgen – zu spät – aufstehen
2	Maria – fast – das Flugzeug – verpassen	Simone – in – Mannheim – aussteigen	Bruno – gestern – alleine – fernsehen
3	Simone – später – nach Hause – zurückfahren	Frau Reger – die Fotos – auf – der Tisch – stellen	Simone – in – der falsche Zu... – einsteigen
4	die Lehrerin – eine Aufgabe – an – die Tafel – schreiben	Simone – die Zeitung – in – die Tasche – stecken	Ahmed – an – der Busbahnh... – ankommen
5	Lisa – die Hose – in – der Schrank – hängen	Simone – heute Morgen – verschlafen	der Bus – ein Rad – verlieren
6	Maria – in – das Flugzeug – keinen Kaffee – bekommen	Familie Meyer – Herrn Bauer – zum Kaffee – einladen	Peter – die Milch – in – der Kühlschra... – stellen

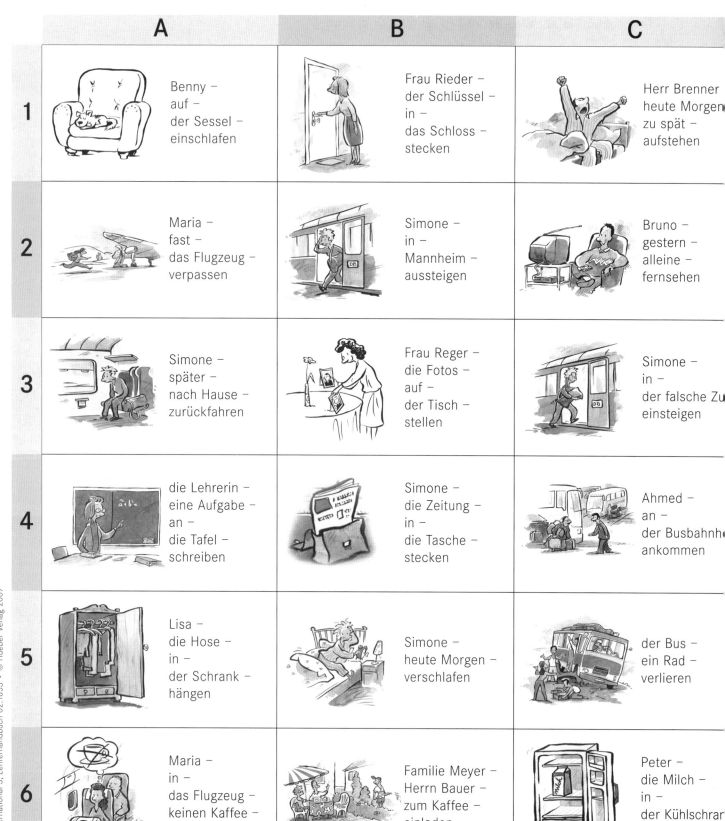

D	E	F	
Benny – an – die Tür – warten	Herr Müller – gestern – Frau Meise – besuchen	Frau Rieder – die Blumen – auf – der Tisch – stellen	1
Der Briefträger – die Zeitung – in – der Briefkasten – stecken	Robert – am Wochenende – mit Sofia – spazieren gehen	Marion – auf – das Sofa – liegen – und mit Benny – fernsehen	2
Alle Kinder – heute – in – die Schule – gehen	Frau Rieder – die Lampe – an – die Decke – hängen	Ich – der Schlüssel – an – der Haken – hängen	3
Benny – in – der Garten – eine Katze – sehen	Bernd und Tina – aus Italien – zurückkommen	Achim – Klara – an – der Bahnhof – abholen	4
Manfred – seine Fahrkarte – vergessen	Robert – die Grammatik – nicht – verstehen	Herr Werner – am Montag – lange – in – Büro – bleiben	5
Lilli und Jan – auf – der Baum – steigen	Tina – am Morgen – die Küche – aufräumen	Elke – gestern Abend – lange – an – der Computer – arbeiten	6

Schritte international 3, Lehrerhandbuch 02.1853 • © Hueber Verlag 2007

Hinweise:

1. Vergrößern Sie die Kopiervorlage und schneiden Sie die Karten aus. Kleben Sie sie auf festen Karton.
2. Teilen Sie Ihren Kurs in Team A und Team B. Die beiden Teams treten im Quiz gegeneinander an.
3. Mischen Sie die Karten. Die Kartennummer spielt hier keine Rolle. Sie dient lediglich dazu, die Lösung im Lösungsschlüssel schneller zu finden. Lesen Sie die Frage sowie die drei Lösungsmöglichkeiten vor. Team A berät sich und nennt die Lösung. Ist sie korrekt, erhält das Team <u>zwei</u> Punkte (z.B. in einer Tabelle an der Tafel). Wenn Team A die Lösung noch nicht gefunden hat, darf Team B raten. Wiederholen Sie dazu die Frage ggf. noch einmal. Ist die Lösung korrekt, erhält Team B <u>einen</u> Punkt. Jetzt ist Team B mit einer neuen Quizfrage an der Reihe. Lesen Sie die Aufgabe und die drei Lösungsmöglichkeiten vor. Weiter wie oben beschrieben. Team A und B wechseln sich ab, unabhängig davon, ob ein Team die Lösung des anderen korrigieren durfte oder nicht. Wer am Ende die meisten Punkte hat, hat gewonnen.

Variante: Wenn Sie sehr viele TN im Kurs haben, können Sie das Quiz auch in Kleingruppen von 4–6 TN spielen lassen. Ein TN ist dann Spielleiter(in). Sie/Er kontrolliert mit Hilfe des Lösungsschlüssels die Antworten der beiden Teams. Die Nummern auf den Karten erleichtern die Zuordnung.

---

❶ Sonntags frühstückt man in Deutschland

....

a) viel
b) wenig
c) nichts

❷ Maria möchte am Sonntag gerne

....

a) ausgehen
b) ausschlafen
c) viel frühstücken

❸ Wie ist die richtige Reihenfolge?

a) meistens – immer – oft
b) oft – immer – meistens
c) oft – meistens – immer

---

❹ *mittags* bedeutet

....

a) heute Mittag
b) jeden Mittag
c) am Mittag

❺ Was ist richtig? So Hyung isst Reis

....

a) zum Mittagessen
b) zum Mittag
c) für das Mittagessen

❻ Hast du Brot mitgebracht? – Tut mir leid. Ich habe

....

mehr bekommen.

a) keinen
b) keine
c) keins

Schritte international 3, Lehrerhandbuch 02.1853 • © Hueber Verlag 2007

Wiederholung zu Lektion 3 und Lektion 4
Spiel: „Wer wird *Schritte-international*-König?"

❼ Ich brauche eine Schüssel. Bringst du mir bitte

.... ?

a) eine
b) einen
c) keine

❽ Frau Maier ist nicht da. Kann ich etwas

....

a) zurückrufen
b) ausrichten
c) verbinden

❾ Wenn man privat zum Essen eingeladen ist, sollte man

....

a) seine Freunde mitbringen
b) pünktlich kommen
c) nur ganz wenig essen

❿ Ich brauche noch Eier für den Kuchen. Kaufst du bitte

.... ?

a) manche
b) eine
c) welche

⓫ Wie ist die richtige Reihenfolge?

a) selten – manchmal – nie
b) nie – selten – manchmal
c) nie – manchmal – selten

⓬ Danke für die Blumen, aber das

....

a) ist doch nicht nötig
b) wäre doch nicht nötig
c) wäre doch nicht nötig gewesen

⓭ In Deutschland gibt es

....

a) fast keine Bäckereien
b) nur Brezeln und Vollkornbrot
c) mehr als 300 Sorten Brot

⓮ Was stimmt?

a) Wenn Kurt müde ist, fährt er nachts Taxi.
b) Wenn Kurt nachts Taxi fährt, ist er tagsüber müde.
c) Wenn Kurt tagsüber Taxi fährt, ist er immer müde.

⓯ Wenn du müde bist,

....

a) solltest du mal ausschlafen
b) sollst du mal ausschlafen
c) sollten Sie mal ausschlafen

⓰ Entschuldige, ich habe meinen Bleistift vergessen. Kann ich mal

....

haben?

a) deine
b) deinen
c) meinen

⓱ Kann ich bitte mit Frau Bergmann sprechen? – Tut mir leid, sie ist

....

a) noch nicht da
b) schon da
c) noch da

⓲ Als Brufsanfänger sollte man

....

a) viel Privates über sich erzählen
b) keine Überstunden machen
c) sich die Namen der Kollegen merken

Lösungsschlüssel: 1 a); 2 b); 3 c); 4 b); 5 a); 6 c); 7 a); 8 b); 9 b); 10 c); 11 b); 12 c); 13 c); 14 b); 15 a); 16 b); 17 a); 18 c)

Schritte international 3, Lehrerhandbuch 02.1853 • © Hueber Verlag 2007

Hinweise:

1. Teilen Sie die TN in Gruppen mit etwa sechs Personen. Malen Sie folgendes Schema an die Tafel:

2. Legen Sie das Lehrerhandbuch mit den Fragen zurecht, aber so, dass die TN es nicht einsehen können.

3. Die erste Gruppe nennt einen Buchstaben und eine Zahl. Machen Sie bei diesen Koordinaten ein Kreuz an der Tafel, um deutlich zu machen, dass dieses Feld nicht mehr genannt werden kann. Lesen Sie die Aufgabe mit diesen Koordinaten vor. Die erste Gruppe hat 30 Sekunden Zeit, die Lösung zu nennen. Kann sie die Aufgabe nicht lösen oder nennt sie eine falsche Lösung, wird die Frage weitergegeben an die nächste Gruppe. Danach nennt die zweite Gruppe einen Buchstaben und eine Zahl usw.

4. Für jede richtige Antwort gibt es einen Punkt. Die Gruppe mit den meisten Punkten hat gewonnen.

Schritte international 3, Lehrerhandbuch 02.1853 • © Hueber Verlag 2007

Wiederholung zu Lektion 5 und Lektion 6
Quiz

	A	B	C	D	E	F
1	Nennen Sie fünf Berufe!	Wie heißt das Fragewort? … erinnerst du dich gerne?	Antworten Sie! Warum joggt Kurt?	**Joker!** **Die Gruppe bekommt einen Punkt und darf noch einmal!**	Machen Sie eine Frage! mit dreizehn Jahren – allein – in die Disko gehen	Nennen Sie zwei Tätigkeiten! Was macht ein Hausmeister?
2	Ergänzen Sie! Ich träume oft … meiner Schulzeit.	Antworten Sie! Wohin gehen die deutschen Kinder nach dem Kindergarten?	**Joker!** **Die Gruppe bekommt einen Punkt und darf noch einmal!**	Ergänzen Sie! Meine Tochter … gestern nicht in die Schule gehen, weil sie krank war.	Sagen Sie die richtigen Artikel! Zeugnis, Note, Fach	Erklären Sie! Was heißt „eine Weiterbildung machen"?
3	Wie heißt das Fragewort? … interessierst du dich?	In welchen zwei Schulen kann man das Abitur machen?	Nennen Sie fünf Schulfächer!	Konjugieren Sie das Verb „sich konzentrieren"!	Nennen Sie drei deutsche Schulformen nach der Grundschule!	Wie kann man im Alltag fit bleiben? Nennen Sie zwei Tipps.
4	Nennen Sie fünf Sportarten!	Ergänzen Sie! …, dass du Stress mit der Schule hast.	Wie heißt das Fragewort? … denken Sie nie?	Geben Sie einen Tipp! Ihre Freundin ist oft erkältet.	Nennen Sie vier Verben mit einer Präposition!	**Joker!** **Die Gruppe bekommt einen Punkt und darf noch einmal!**
5	Ergänzen Sie! Morgen treffe ich mich … dir.	Antworten Sie! Interessieren Sie sich für Popmusik?	Nennen Sie drei Wörter mit „sich" (= reflexive Verben)!	Antworten Sie! Ist Taxifahrer Kurts Traumberuf? Warum? / Warum nicht?	Geben Sie einen Tipp! Ihre Lehrerin kann sich nur schlecht konzentrieren.	In welchen Bereichen kann man sich weiterbilden? Nennen Sie drei Beispiele!

Test zu Lektion 1

Name:

....

1 Ergänzen Sie.

> Sie muss einkaufen.   ~~Ihr Mann kommt heute aus China zurück.~~   Ihre Katze ist krank.
> Sie möchte nach Österreich fahren.   Sie mag Kinder.

Beispiel: Susanne ist glücklich, weil *ihr Mann heute aus China zurückkommt.*

a Petra ist traurig, weil ....

b Merve macht einen Deutschkurs, weil ....

c Sibylle fährt zum Supermarkt, weil ....

d Maria möchte Lehrerin werden, weil ....

Punkte ..... / 8

2 Was passt? Ergänzen Sie die Partizipien.

> ~~beginnen~~   erzählen   abfahren   verpassen   aufschreiben   mitkommen

Ich habe …	Ich bin …
begonnen	

Punkte ..... / 5

3 Was hat sie/er gestern gemacht? Schreiben Sie.

Beispiel:
Sie ist mit dem Zug gefahren.

 a ....
....

 d ....
....

 b ....
....

 e ....
....

 c ....
....

 f ....
....

Punkte ..... / 6

Schritte international 3, Lehrerhandbuch 02.1853 • © Hueber Verlag 2007

Test zu Lektion 1

4   **Wer ist das? Ergänzen Sie.**

Beispiel: Der Bruder von meiner Mutter ist *mein Onkel.* ....

a   Der Vater von meinem Mann ist ....

b   Der Sohn von meinem Sohn ist ....

c   Die Schwester von meiner Frau ist ....

d   Der Bruder von meinem Bruder ist ....

e   Die Schwester von meinem Vater ist ....

f   Die Tochter von meiner Schwester ist ....

Punkte ..... / 6

5   **Schreiben Sie eine Geschichte.**

Heute war wirklich ein schrecklicher Tag
Zuerst ...
Dann ...
Zwei Stunden Später ...
Dann ...
Schließlich ...

Punkte ..... / 5

Insgesamt: .... / 30

Bewertungsschlüssel

30 – 27 Punkte	sehr gut
26 – 23 Punkte	gut
22 – 19 Punkte	befriedigend
18 – 15 Punkte	ausreichend
14 – 0 Punkte	nicht bestanden

Schritte international 3, Lehrerhandbuch 02.1853 • © Hueber Verlag 2007

1   **Wo sind die Personen? Wohin gehen sie? Ergänzen Sie.**

Beispiel: Simone ist *in den* ....
falschen Zug gestiegen.

d .... Flugzeug hat
Maria nichts zu trinken bekommen.

a Ahmed ist um sechs Uhr
morgens ....
Busbahnhof angekommen.

e Frau Rieder steht ....
Stuhl, weil sie die Lampe
aufhängen möchte.

b Klaus hat ....
Bahnhof auf Klara gewartet.

f Die Lehrerin schreibt eine
Mathe-Aufgabe ....
Tafel.

c Simone sitzt ....
Zug nach Köln.

g Frau Rieder stellt die Blumen
.... Tisch.

Punkte ..... / 7

2   **Sehen Sie die Bilder an und schreiben Sie. Verwenden Sie *stehen, stellen ...***

Beispiel:

Der Pullover hängt über
dem Stuhl.

c ....
....

a ....
....

d ....
....

b ....
....

e ....
....

Punkte ..... / 5

Schritte international 3, Lehrerhandbuch 02.1853 • © Hueber Verlag 2007

Test zu Lektion 2

3 **Ergänzen Sie:** *rein, raus ...*

 Beispiel: Komm doch *raus* !

Wir spielen Fußball!

 **a** Einen Imbiss suchen Sie?

Der ist da oben.

Nur die Treppe ....

b Zur U5? Da müssen

Sie hier ....

 **c** Gleis 18? Da müssen

Sie da .... ,

sehen Sie?

Punkte ..... / 3

4 **Richtig oder falsch? Kreuzen Sie an.**

Lieber Benny,

ich fahre für ein paar Tage in die Schweiz. Ich brauche ein bisschen Urlaub. Ich komme erst am Sonntag zurück. Kannst du bitte meine Blumen gießen? Mein Wohnungsschlüssel liegt in deinem Briefkasten. Ach ja, ich habe nicht bei der Zeitung angerufen. Das habe ich vergessen. Jetzt kommt jeden Tag die Ulmer Morgenpost. Sie steckt im Briefkasten oder liegt vor meiner Wohnungstür. Du kannst die Zeitung lesen und dann wegwerfen.
Vielen Dank schon mal für deine Hilfe. Ich rufe dich an, sobald ich zurück bin.

Liebe Grüße
Barbara

	richtig	falsch
Beispiel: Benny fährt in die Schweiz.	☐	☒
a Barbara kommt am Sonntag zurück.	☐	☐
b Ihr Wohnungsschlüssel liegt in ihrem Briefkasten.	☐	☐
c Benny soll bei der Zeitung anrufen.	☐	☐
d Die Zeitung steckt in Bennys Briefkasten.	☐	☐
e Barbara möchte die Zeitung am Sonntag lesen.	☐	☐

Punkte ..... / 5

5 **Schreiben Sie eine Mitteilung.**

Sie wohnen in einer WG und schreiben eine Mitteilung an Ihre Mitbewohnerin Anna:
– Sie sind heute den ganzen Tag an der Uni und haben keine Zeit für den Wohnungsputz.
– Anna soll sich um Küche und Bad kümmern und beim Vermieter anrufen,
   weil das Küchenfenster nicht mehr richtig schließt.
– Die Blumen brauchen Wasser und Ihr Papagei muss etwas zu essen
   bekommen.
– Entschuldigen Sie sich, weil Sie Anna alles allein machen lassen.
   Bieten Sie an, am Abend zu kochen.

Denken Sie an Anrede und Gruß!

Punkte ..... / 10

Insgesamt: .... / 30

Bewertungsschlüssel	
30 – 27 Punkte	sehr gut
26 – 23 Punkte	gut
22 – 19 Punkte	befriedigend
18 – 15 Punkte	ausreichend
14 – 0 Punkte	nicht bestanden

1   **Was passt: *immer, meistens, manchmal* …? Ergänzen Sie.**

Beispiel: Kurt isst jeden Mittag Pommes Frites. → Er isst mittags *immer* .... Pommes Frites.

a   Frau Müller mag Alkohol gar nicht. → Sie trinkt .... Alkohol.

b   So Hyung aus Korea isst morgens Reis oder eine Suppe. → Sie isst .... Reis.

c   Paula trinkt normalerweise keinen Kaffee. Aber heute möchte sie einen Kaffee. → Sie trinkt .... Kaffee.

d   Sandra raucht jeden Tag nach dem Mittagessen eine Zigarette, aber heute raucht sie nicht.

→ Sie raucht .... nach dem Mittagessen eine Zigarette.

e   Herr Bremer fährt immer mit dem Auto zur Arbeit. → Er nimmt .... den Bus.

f   Irene trinkt gern Tee, aber sie trinkt meistens Kaffee. → Sie trinkt nur .... Tee.

Punkte ..... / 6

2   **Ergänzen Sie.**

Beispiel: Larissa, ich brauche *eine* .... Kanne . Bringst du mir bitte *eine* ....?

a   Ich möchte Spaghetti kochen. Ich brauche .... großen Topf .

Manfred, bringst du mir bitte .... ?

b   Ich möchte heute einen Salat machen. Ich brauche .... Schüssel .

Klara, bringst du mir bitte .... ?

c   Ich möchte Brot schneiden. Dazu brauche ich .... Messer .

Marion, gibst du mir bitte .... ?

d   Oje, wir haben keine Eier für den Kuchen. Kaufst du bitte .... ?

e   Ich möchte jetzt gerne ein Bier. Ich brauche .... Bierkrug.

Holst du mir bitte .... ?

f   Wir könnten doch Wein zum Rinderbraten trinken. Wir brauchen aber noch Gläser.

Tina, holst du uns bitte .... ?

Punkte ..... / 10

Schritte international 3, Lehrerhandbuch 02.1853 • © Hueber Verlag 2007

Test zu Lektion 3

3   **Im Restaurant. Verbinden Sie.**

1 Kann ich bitte bestellen?

2 Haben Sie schon bestellt?

3 Hallo, zahlen bitte!

4 Entschuldigung, ist der Platz noch frei?

5 Verzeihung, aber der Kaffee ist kalt.

6 Ich zahle einen Salat und eine Cola.

7 Ich nehme einen Rinderbraten.

a Ja, nehmen Sie doch Platz!

b Oh, das tut mir leid! Ich bringe einen neuen.

c Nein, noch nicht.

d Ja, natürlich. Was möchten Sie?

e Zusammen oder getrennt?

f Das macht dann 9,80 Euro, bitte.

g Ja, gern. Kommt sofort.

Punkte ..... / 6

4   **Wählen Sie <u>ein</u> Bild aus und schreiben Sie einen Dialog.**

A)   **oder**   B)

....

....

....

....

....

....

....

....

Punkte ..... / 8

Insgesamt: .... / 30

Bewertungsschlüssel	
30 – 27 Punkte	sehr gut
26 – 23 Punkte	gut
22 – 19 Punkte	befriedigend
18 – 15 Punkte	ausreichend
14 – 0 Punkte	nicht bestanden

Schritte international 3, Lehrerhandbuch 02.1853 • © Hueber Verlag 2007

Test zu Lektion 4

1 **Geben Sie Tipps! Schreiben Sie.**

Beispiel: Kauf dir selbst mal ein Handy!

→ *Du solltest dir selbst mal ein Handy kaufen!*

a Gehen Sie in die Kantine, wenn Sie Hunger haben!

→ ....

b Lest jeden Tag Zeitung!

→ ....

c Sieh nicht so viel fern!

→ ....

d Mach nicht so viele Überstunden!

→ ....

e Streitet nicht dauernd!

→ ....

Punkte ..... / 5

2 **Geben Sie Ratschläge. Schreiben Sie.**

Beispiel: Ich habe Zahnschmerzen. → *Dann solltest du zum Zahnarzt gehen.*

a Meine Wohnung ist zu klein. → ....

b Mein Vater hat keine Arbeit. → ....

c Ich schlafe immer so schlecht. → ....

d Ich möchte gern Spanisch lernen. → ....

Punkte ..... / 4

3 **Verbinden Sie die Sätze.**

Beispiel: Kurt ist tagsüber müde. Er fährt nachts Taxi.

Wenn Kurt nachts Taxi fährt, (dann) ist er tagsüber müde.

a Die Brezeln sind zu teuer. Die Leute kaufen sie nicht beim Bäcker.

....

b Herr Keller braucht eine Arbeit. Er muss eine Bewerbung schreiben.

....

Schritte international 3, Lehrerhandbuch 02.1853 • © Hueber Verlag 2007

c Du bist Berufsanfänger. Du sollest im Büro nicht privat telefonieren.

....

d Die Kunden in der Apotheke sind nett. Susanne freut sich.

....

e Paul kommt später ins Büro. Er muss am Empfang anrufen.

....

Punkte ..... / 10

4 **Antworten Sie.**

Beispiel: Ist noch etwas zu essen da? → *Nein, es ist nichts mehr da.* ....

a Hat jemand für mich angerufen?   → Nein, ...

b Möchtest du etwas trinken?   → Nein danke, ...

c Hast du deiner Mutter schon zum Geburtstag

gratuliert?   → Nein, ...

d Brauchst du etwas aus der Stadt?   → Nein, ...

e Hast du schon mit Maria gesprochen?   → Nein, ...

Punkte ..... / 5

5 **Ein Anruf für Ihre Kollegin Maja! Schreiben Sie ihr eine E-Mail.**

bitte Rückruf   Anruf von Herrn Wunderlich   mehr Informationen über Produktangebot brauchen

Liebe Maja,

....

....

....

....

....

....

....

....

Punkte: ..... / 6

Insgesamt: .... / 30

Bewertungsschlüssel

30 – 27 Punkte	sehr gut
26 – 23 Punkte	gut
22 – 19 Punkte	befriedigend
18 – 15 Punkte	ausreichend
14 – 0 Punkte	nicht bestanden

Schritte international 3, Lehrerhandbuch 02.1853 • © Hueber Verlag 2007

1   Was tun die Leute? Schreiben Sie.

Beispiel:

Sie ärgert sich.
....

a ....

....

d ....

....

b ....

....

e ....

....

c ....

....

f ....

....

Punkte ..... / 6

2   Ergänzen Sie.

Beispiel: Ich möchte *mich* .... umziehen.

a   Wenn ihr .... nicht konzentrieren könnt, solltet ihr spazieren gehen.

b   Sabine kämmt .... nicht gern.

c   Hast du .... heute schon geduscht?

d   Dicke Menschen bewegen .... oft zu wenig.

e   Sonntags ruhe ich .... gerne aus.

f   Sabine, Paul, habt ihr .... gewaschen?

Punkte ..... / 6

Schritte international 3, Lehrerhandbuch 02.1853 • © Hueber Verlag 2007

Test zu Lektion 5

3 **Was passt? Ordnen Sie zu.**

a Eigentlich interessiere ich mich nicht

b Heute treffen wir uns

c Die Kinder freuen sich

d Die Schüler ärgern sich

e Kümmere dich mehr

f Die Sekretärin ist nicht zufrieden

g Maria denkt oft

h Ich spreche nicht mehr

i Jede Nacht träumt Larissa

1 auf Weihnachten.

2 mit dir. Du hast mich geärgert.

3 mit ihrem Chef.

4 um deine Mutter.

5 an ihre Heimat.

6 für Autos.

7 von ihrem Traummann.

8 mit unseren Freunden und gehen ins Kino.

9 über schlechte Lehrer.

Punkte ..... / 8

4 **Ergänzen Sie.**

Beispiel: _Woran_ denkst du nicht gern?

a .... interessierst du dich denn?

b .... hast du nie Lust?

c .... ärgerst du dich oft?

d .... freust du dich?

e .... hast du heute geträumt?

Punkte ..... / 5

5 **Schreiben Sie Antworten zu den Fragen aus Übung 4.**

Beispiel: Ich denke nicht gern an meine Deutschprüfung. ....

a ....

b ....

c ....

d ....

....

e ....

....

Punkte ..... / 5

Insgesamt: .... / 30

Bewertungsschlüssel

30 – 27 Punkte	sehr gut
26 – 23 Punkte	gut
22 – 19 Punkte	befriedigend
18 – 15 Punkte	ausreichend
14 – 0 Punkte	nicht bestanden

Schritte international 3, Lehrerhandbuch 02.1853 • © Hueber Verlag 2007

Test zu Lektion 6

Name:

....

1 Ergänzen Sie: *wollte, durfte, konnte ...*

Beispiel: Thomas *wollte* Tierarzt werden, aber er *durfte* kein Abitur machen.

Seine Eltern waren dagegen.

a Petra .... Lehrerin werden. Aber sie .... die Schule in der Stadt nicht

besuchen. Sie .... auf dem Bauernhof helfen.

b Mein Bruder und ich .... zusammen einen Bus kaufen. Aber wir hatten kein Geld.

c .... du mit vier Jahren schon lesen?

d Als Kinder .... wir nie allein in den Wald gehen.

e 144 + 188? Keine Ahnung! Ich .... noch nie gut rechnen.

f Die Kinder .... am Samstag immer das Auto waschen. Der Vater .... das so.

Punkte ..... / 9

2 Ergänzen Sie die Sätze.

| Ich glaube | Es tut mir leid | Ich bin froh | Ich weiß | Es ist wichtig | ~~Ich finde~~ |

Beispiel: *Ich finde* .... , dass kleine Kinder um acht Uhr im Bett sein müssen.

a .... , dass du so viel Stress in der Arbeit hast.

b .... , dass man eine gute Ausbildung hat.

c .... , dass ich meine Eltern bald wiedersehe.

d .... , dass Noten in der Schule wichtig sind.

e .... , dass „Zucker" auf Englisch „sugar" heißt.

Punkte ..... / 5

3 Ergänzen Sie die Sätze.

| Morgen komme ich nicht zum Deutschkurs. | Ich will nicht in die Schule. | Ich war immer eine gute Schülerin. | Die Kinder müssen ihre Hausaufgaben machen. | Ich liebe meinen Sportlehrer. |

Beispiel: Paul sagt, dass

er morgen nicht zum Deutschkurs kommt.

a Mein Sohn meint, dass

....

....

....

b Meine Mutter meint, dass

....

....

....

c Unser Lehrer findet, dass

....

....

....

d Meine Tochter sagt, dass

....

....

....

Punkte ..... / 4

Schritte international 3, Lehrerhandbuch 02.1853 • © Hueber Verlag 2007

Test zu Lektion 6

4 **Ergänzen Sie.**

Beispiel: Ich bin mit vier Jahren in den <u>*Kindergarten*</u> gekommen.

a Auf einer .... kann man das Abitur, den Realschulabschluss

und den Hauptschulabschluss machen.

b Mit sechs oder sieben kommen deutsche Kinder in die ....

c Elke ist auf das .... gegangen. Nach der 13. Klasse hat sie

das Abitur gemacht.

d Lorenz will Medizin studieren – an der .... in seiner

Heimatstadt Hamburg.

Punkte ..... / 4

5 **Drei Personen suchen einen Kurs. Welcher passt? Ordnen Sie zu.**

A Walter Moll ist sehr vorsichtig mit dem Internet. Sicherheit ist ihm absolut wichtig und er will alles darüber wissen.

B Petra Schmidt liebt es, im Internet zu surfen. Dort findet sie alle wichtigen Informationen. Aber sie möchte ihre Suche gern besser strukturieren.

C Anke Diepgen möchte, dass ihre Kinder von Anfang an richtig und sicher mit dem Internet arbeiten. Ein bisschen geübt haben sie schon.

1 **Internet für Fortgeschrittene**
Sie haben schon Erfahrung mit dem Internet? Hier lernen Sie mehr über den Umgang mit Suchmaschinen und Web-Katalogen. Wir besuchen nützliche Seiten und sehen, wie elektronisches Einkaufen funktioniert.

2 **Ran an das Internet II**
Erste Schritte im Internet für Kinder ab 7 Jahren Besuch von Kurs I Voraussetzung!

3 **Gefahren im World Wide Web**
Sie lernen, wie Sie sich vor Hackern und Spionen schützen und was Antivirenprogramme und Firewalls können. Außerdem erfahren Sie, was Sie bei der Weitergabe Ihrer persönlichen Daten und Kreditkartennummer beachten sollten.

Punkte ..... / 3

6 **Welches Wort passt nicht?**

Beispiel: Lehrerin – Malerin – ~~Schüler~~ – Ingenieur

a Hauptschule – Gymnasium – Kindergarten – Gesamtschule

b Deutsch – Mathe – Biologie – Lieblingsfach

c Hauptschulabschluss – Abitur – Zeugnis – Realschulabschluss

d studieren – lernen – üben – sitzen bleiben

e Beruf – Zeugnisse – Fächer – Lehrer

Punkte ..... / 5

Insgesamt: .... / 30

Bewertungsschlüssel	
30 – 27 Punkte	sehr gut
26 – 23 Punkte	gut
22 – 19 Punkte	befriedigend
18 – 15 Punkte	ausreichend
14 – 0 Punkte	nicht bestanden

Schritte international 3, Lehrerhandbuch 02.1853 • © Hueber Verlag 2007

Test zu Lektion 7

Name:

....

1 Schreiben Sie Sätze.

Beispiel: ich – meine Tochter – der Kugelschreiber:

Ich schenke meiner Tochter einen Kugelschreiber.

a du – dein Vater – der Computer:

....

b wir – unsere Kinder – Fahrräder:

....

c ihr – eure Freundin – die Puppe:

....

d ich – meine Schwester – das Bild:

....

e Petra – ihre Mutter – die CD:

....

Punkte ..... / 10

2 Ergänzen Sie *dem, der* oder *den*.

Beispiel: Ich leihe *dem* Mann kein Geld.

a Der Vater kauft .... Kindern heute kein Eis.

b Warum gefällt .... Frau der Mantel nicht?

c Ich gebe .... Hund einen Knochen.

d Wie schmeckt .... Baby die Milch?

e Die Jacke passt .... Kind nicht.

f Das neue Auto gefällt .... Eltern gut.

Punkte ..... /6

Schritte international 3, Lehrerhandbuch 02.1853 • © Hueber Verlag 2007

3   **Ergänzen Sie.**

Beispiel: ● Gibst du deinem Bruder bitte die Schokolade?

      ■ Ich habe *sie* .... *ihm* .... schon gegeben.

<u>a</u>   ● Leihst du dem Nachbarsjungen dein Fahrrad?

      ■ Nein, ich leihe .... nicht.

<u>b</u>   ● Kannst du uns dein Auto leihen?

      ■ Ich kann .... nicht leihen. Ich brauche es selbst.

<u>c</u>   ● Gib den Kindern bitte das Taschengeld.

      ■ Ich habe .... schon gestern gegeben.

<u>d</u>   ● Wo ist denn meine Uhr?

      ■ Hier! Ich bringe ....

Punkte ..... / 8

4   **Was passt? Ordnen Sie zu.**

A	B	C	D	E	F	G
4						

A   die Braut   1   So nennt man Mann und Frau am Tag ihrer Hochzeit.

B   das Brautkleid   2   Der erste Tanz auf einer Hochzeit.

C   das Brautpaar   3   Damit macht man Geschenke zu.

D   der Brautwalzer   4   Diese Frau heiratet gerade.

E   der Gutschein   5   Man braucht sie, wenn man Geschenke einpackt.

F   das Klebeband   6   Dafür kann man in einem Geschäft bis zu einem bestimmten Datum etwas kaufen.

G   die Schere   7   Dieses Kleid trägt die Braut.

Punkte ..... / 6

Schritte international 3, Lehrerhandbuch 02.1853 • © Hueber Verlag 2007

Insgesamt: .... / 30

Bewertungsschlüssel	
30 – 27 Punkte	sehr gut
26 – 23 Punkte	gut
22 – 19 Punkte	befriedigend
18 – 15 Punkte	ausreichend
14 – 0 Punkte	nicht bestanden

Lektion 1   Kennenlernen
Folge 1: *Maria*

Simon: Warum fahren wir eigentlich alle zum Flughafen?

Larissa: Genau! Warum müssen wir denn mitkommen?

Susanne: Das haben wir doch schon fünf Mal diskutiert! Weil Maria gleich am Anfang die ganze Familie kennenlernen soll. Außerdem finde ich das einfach nett!

Simon: Hach! Das ist nicht nett ...

Larissa: ... das ist langweilig!

Larissa: Ich finde, wir brauchen kein Au-pair-Mädchen ...

Simon: Genau!

Kurt: Doch! Wir brauchen ein Au-pair-Mädchen, weil bald das Baby kommt ...

Susanne: ... und weil Kurt und ich beide arbeiten müssen. Das wisst ihr doch alles!

Simon: Und wie sollen wir mit ihr reden? Kann sie Deutsch?

Susanne: Natürlich kann sie Deutsch. Ihre Mutter kommt ja aus Deutschland.

Larissa: Und warum bekommt sie das Wohnzimmer?

Simon: Genau!

Kurt: Weil das Wohnzimmer unser einziges freies Zimmer ist und weil ein Au-pair-Mädchen ein eigenes Zimmer haben muss.

Larissa: Wieso? Wer sagt das?

Susanne: Die Behörden sagen das. Kein eigenes Zimmer – kein Au-pair-Mädchen, verstanden?

Simon: Kein Au-pair-Mädchen? Das wäre auch viel besser!

Kurt: Simon. Simon! Mach das Ding aus und komm mit! Wir sind da! SIMON!

Susanne: Guckt mal, da! Ich glaube, da kommt sie! Seid bitte nett, okay? Äh, hallo!? Hallo!

Maria: Ja?!

Susanne: Maria Torremolinos?

Maria: Ja!

Susanne: Hallo! Herzlich willkommen in Deutschland!

Maria: Ah! Sind Sie Frau Weniger?

Susanne: Ich bin Susanne, ja ...

Maria: Hallo! Guten Tag!

Susanne: ... und das ist Kurt ...

Maria: Hallo. Guten Tag, Kurt!

Kurt: Hallo, Maria! Herzlich willkommen! Wie schön, dass du da bist!

Susanne: ... und das sind Larissa und Simon.

Maria: Hallo, Larissa! Hallo, Simon!

Larissa: Hallo!

Susanne: Na, wie war die Reise? Erzähl doch mal!

Maria: Eine Katastrophe. Madre mia!

Kurt u.
Susanne: Eine Katastrophe?

Maria: Ich bin schon um drei Uhr aufgestanden. Das Flugzeug nach Miami startet nämlich um sechs Uhr früh.

Susanne: Um drei Uhr morgens aufgestanden!? Du Arme!

Maria: Aber ich habe fast das Flugzeug verpasst.

Kurt: Wieso? Was ist denn passiert?

Maria: Auf dem Weg zum Flughafen hat der Bus ein Rad verloren.

Kurt: Ha! Unglaublich!

Maria: Wartet nur, es geht noch weiter: Auf der ganzen Reise habe ich nicht mal eine Tasse Kaffee bekommen.

Susanne: Oh je! Hast du denn wenigstens ein bisschen geschlafen?

Maria: Nein. Ich habe es versucht. Aber die Sitze waren total unbequem.

Kurt: Na, dann wird's Zeit, dass wir nach Hause fahren! Komm, gib mir deinen Koffer! Simon und Larissa, ihr nehmt Marias Tasche.

Maria: Du, Larissa! Hört dein Bruder den ganzen Tag diese Musik?

Larissa: Er ist nicht mein Bruder.

Maria: Was?

Larissa: Simon ist Kurts Sohn.

Maria: Und du?

Larissa: Ich bin Susannes Tochter.

Maria: Na also, dann seid ihr doch Geschwister, oder nicht?

Susanne: Hm, das ist etwas schwierig zu erklären, Maria. Also, pass auf: Kurt und seine frühere Frau leben getrennt.

Maria: Seine frühere Frau, das ist Simons Mutter, oder?

Susanne: Genau! Mein früherer Mann ...

Maria: Larissas Vater?

Susanne: Richtig! Wir leben auch getrennt.

Maria: Ah! Und das Baby, das du bekommst? Das ist von Kurt, oder?

Susanne: Wie? Ja ja, natürlich!

Maria: Na also: Simon ist doch dein Bruder, Larissa!

Larissa: Nein! Wieso?

Maria: Simon ist der Bruder von dem Baby. Du bist die Schwester von dem Baby. Also seid ihr Bruder und Schwester. Basta!

Larissa: Du, Mama?

Susanne: Leise, sie ist eingeschlafen!

Larissa: Glaubst du, das stimmt wirklich? Wird Simon jetzt mein Bruder, nur weil ihr ein Baby kriegt?

Susanne: Tja, keine Ahnung. Was meinst du, Kurt?

Kurt: Na ja, irgendwie hat sie schon recht, finde ich: Wir werden immer mehr zu einer ganz normalen Familie.

Larissa: Schrecklich!

Simon: Was? Was ist los?

Larissa: Schrecklich!

Simon:	Wieso? Was habt ihr denn? Ich finde Maria eigentlich ganz nett.
Larissa:	Oh Mann!

Schritt A   **A3**
vgl. Kursbuch Seite 10

Schritt B   **B2**
vgl. Kursbuch Seite 11

Schritt B   **B3**

Max:	Heinemann!?
Simone:	Hallo, Max! Max!?
Max:	Ich hab' am Bahnhof zwei Stunden auf dich gewartet, Simone.
Simone:	Ich weiß, du, es tut mir so leid!
Max:	Wo bist du denn? Ist was passiert?
Simone:	Ach, Max, ich weiß gar nicht, was los ist. Heute hab' ich nur Pech!
Max:	Wieso denn?
Simone:	Zuerst bin ich zu spät aufgestanden. Nicht so schlimm, denke ich, das kannst du noch schaffen. Ich renne also los, zum Bahnhof und dann ...
Max:	... und dann was?
Simone:	Dann bin ich in den falschen Zug gestiegen.
Max:	Nein!
Simone:	Doch! Natürlich bin ich an der nächsten Station wieder ausgestiegen.
Max:	Und dann?
Simone:	Dann hab' ich erst mal gewartet und gewartet und gewartet. Eine Stunde später bin ich dann zurückgefahren.
Max:	Ja, aber warum hast du mich denn nicht angerufen?
Simone:	Ich hab' mein Handy zu Hause liegen lassen und mein Geld.
Max:	Oh je!
Simone:	Und jetzt sehen wir uns heute nicht. Ich sag's doch: Heute ist mein Pechtag!
Max:	Na ja, so schlimm ist es nun auch wieder nicht. Schließlich bist du gut wieder zu Hause angekommen, oder?
Simone:	Hm-hm.
Max:	Weißt du was? Ich setz' mich jetzt ins Auto und komm' zu dir.
Simone:	Max! Du, ich liebe dich!
Max:	Ich dich auch. Bis später. Tschüs.

Schritt C   **C1**
vgl. Kursbuch Seite 12

Schritt E   **E1/E2**

Interviewerin:	In dem Haus auf Seite 14 gibt es vier Wohnungen. Wir haben mit den Leuten gesprochen, die dort leben. Hören Sie jetzt ein paar interessante Stellen aus unseren Interviews. Danach können Sie die Fragen in den Aufgaben E1 und E2 beantworten.
Frau Kaiser:	Bis vor einem Jahr hat meine Mutter noch in ihrer eigenen Wohung gelebt. Dann ist sie leider krank geworden. Sie hat oft Schmerzen in den Beinen und kann nicht mehr so gut gehen. Na ja, wir haben sie dann zu uns geholt.
Interviewerin:	War das für Sie ein Problem?
Frau Kaiser:	Für mich? Nein. Nein, eigentlich nicht. Unsere Wohnung ist ja groß genug und sie ist im Erdgeschoss, keine Treppe – das ist natürlich sehr wichtig.
Interviewerin:	Und das Leben mit Oma, Eltern und Kindern – wie funktioniert das?
Frau Kaiser:	Ach, eigentlich ganz gut. Die Kinder finden es super! Meine Mutter verwöhnt ihre Enkel sehr. Zu sehr! Manchmal ist das wirklich ein Problem. Aber daran kann man wohl nichts ändern.
Interviewerin:	Oh! Ihre Dachwohnung sieht ja sehr gemütlich aus.
Herr Kummer:	Ja, sie ist nicht sehr groß, aber ich fühl' mich wohl hier oben. Na ja, im Sommer ist es manchmal ein bisschen heiß, aber sonst gibt es eigentlich keine Probleme.
Interviewerin:	Leben Sie allein hier?
Herr Kummer:	Ja ja, ich lebe allein, aber wissen Sie, ich habe viele Freunde, die kommen mich oft besuchen und ich gehe auch sehr gerne aus, verstehen Sie?
Interviewerin:	Sie möchten damit sagen: Sie leben allein, aber Sie sind nicht allein.
Herr Kummer:	Ja. Richtig! Ganz genau!
Frau Meinhard:	Mein Mann und ich, wir haben früher oben unter dem Dach gewohnt. Da, wo jetzt Herr Kummer wohnt.
Interviewerin:	Ach, wirklich? Aber die Dachwohnung ist ja ziemlich klein, oder?
Frau Meinhard:	Na ja, zu zweit war es schon okay, aber dann mit dem Kind, das war schon sehr schwierig.
Interviewerin:	Dann haben Sie aber diese Wohnung hier im ersten Stock bekommen.
Frau Meinhard:	Ja! Und hier haben wir richtig viel Platz. Ach, das ist wunderbar! Ich will ja so gerne noch ein Kind haben oder zwei?
Interviewerin:	Sie sind alleinerziehend und wohnen hier im zweiten Stock in einer 4-Zimmer-Wohnung.
Frau Würfel:	Ja, das stimmt. Mein Mann und ich leben getrennt. Er ist vor einem Jahr weggegangen.
Interviewerin :	Und Sie sind mit Ihrem Sohn hier geblieben.
Frau Würfel:	Hm-hm. Alex und ich sind geblieben.
Interviewerin:	Die Wohnung ist ja ziemlich groß für zwei, oder?

Frau Würfel:	Ja, schon, und auch ein bisschen teuer. Aber wir bleiben. Wir haben hier sehr nette Nachbarn und Alex hat viele Freunde im Haus und in der Nachbarschaft.

Zwischenspiel 1 *Ich kenn' dich*

1

Sie:	Hey! Mann! Pass doch auf!
Er:	Oh, Entschuldigung! Tut mir leid!
Sie:	Hach! Also so was!
Er:	Sei doch nicht sauer! Das haben wir gleich. So! Hier, bitte! Und hier ist noch was. Du, sag mal …
Sie:	Ja?
Er:	Hey! Ich kenn' dich doch!
Sie:	Du? Mich?
Er:	Ja! Ich kenn' dich!
Sie:	Er kennt mich! So ein Zufall!
Er:	Ich habe dich ganz sicher schon mal irgendwo gesehen. Ich kenn' dich.
Sie:	Irgendwo? So so! Wo war das denn, hm?
Er:	Ich weiß es ganz genau. Das musst du doch verstehen! Ich kenn' dich.
Sie:	Ja, ja! Ich hab' schon verstanden.
Er:	Sag mal, haben wir in Rostock über Fußball diskutiert? Ich kenn' dich.
Sie:	Na, so 'n Pech! Fußball finde ich überhaupt nicht interessant.
Er:	Oder hast du irgendwann einmal in Magdeburg studiert? Ich kenn' dich.
Sie:	Irgendwann? Ich war noch nie in Magdeburg!
Er:	Ich kenn' dich.
Sie:	Ich komme aus der Schweiz …
Er:	Ich kenn' dich.
Sie:	… und bin ganz neu hier in Braunschweig.
Er:	Oh, ich kenn' dich.
Sie:	Nein, das kann nicht sein. Ich bin ja gerade erst eingezogen!
Er:	Ich kenn' dich.
Sie:	Vielleicht sagst du mir erst einmal, wie du heißt, hm?
Er:	Ich kenn' dich.
Sie:	Ja, du kennst mich.
Er:	Ja, ich kenn' dich.
Sie:	Ich kenn' dich leider noch nicht.
Er:	Oh, ich kenn' dich.
Sie:	Ich würd' dich doch vielleicht gern kennenlernen. Auf 'ne Stunde oder zwei.
Er:	Oh, ich kenn' dich.
Sie:	Du wirst mich schon noch kennenlernen. Verlass dich drauf.
Er:	Oh, ich kenn' dich.

2 Ich kenne dich, ich kenne dich, ich hab' dich schon gesehen.
Ja, ich weiß es ganz genau. Das musst du doch verstehen!

Er kennt sie, er kennt sie, er hat sie schon gesehen.
Ja, er weiß es ganz genau. Das muss sie doch verstehen!

Was willst du denn? Was willst du denn? Ich hab' dich nie gesehen.
Ich kenn' dich nicht, ich kenn' dich nicht. Kannst du das nicht verstehen?

Lektion 2   Zu Hause
Folge 2: *Wieder was gelernt!*

Larissa:	Sieh mal, hier! Häng das Bild doch an die Wand!
Maria:	Ja, super! An der Wand kann man es sehr gut sehen. Ähm, hältst du das Bild mal einen Moment?
Larissa:	Na klar!
Maria:	So! Vielen Dank für deine Hilfe, Larissa!
Larissa:	Schon gut! Das mache ich gerne. Zimmer einrichten macht Spaß!
Maria:	Ja? Findest du wirklich?
Maria:	Puh, das ist aber ganz schön viel Müll!
Larissa:	Der Mann auf dem Bild sieht lustig aus! Ist das dein Onkel?
Maria:	Mein Onkel? Haha! Larissa! Was lernt ihr denn in der Schule?
Larissa:	Wieso? Wer ist denn der Mann?
Maria:	Du, sag mal, wo sind denn hier die Mülltonnen?
Larissa:	Die Müllcontainer stehen im Hof.
Larissa:	Siehst du? Da unten stehen sie.
Maria:	Okay. Dann bringe ich mal schnell den Müll runter.
Larissa:	Soll ich dir helfen?
Maria:	Nein, danke, das schaffe ich schon. Bis gleich!
Larissa:	Bis gleich!
Kolbeck:	He! Hallo! Stopp!
Maria:	Entschuldigung? Meinen Sie mich?
Kolbeck:	Ja, natürlich! Die Flaschen gehören nicht da rein.
Maria:	Moment mal, das verstehe ich nicht. Das hier sind doch die Müllcontainer, oder?
Kolbeck:	Ja, schon, aber, äh … Warten Sie einen Moment, ich komme raus.
Kolbeck:	Flaschen und Gläser gehören hier rein, in den Altglascontainer!
Maria:	Ach so!
Kolbeck:	Moment mal! Was haben Sie denn da noch alles? Da ist ja eine Menge Plastik dabei! Und Papier!
Kolbeck:	Papier kommt da rein, in den Altpapiercontainer. Und das Plastik dort rein, sehen Sie: Und alles andere kommt dann hier rein, in den Restmüll.
Maria:	Madre mia! Ganz schön schwierig!
Kolbeck:	Tja, in Deutschland wird der Müll getrennt.
Maria:	Aha! Jetzt habe ich wieder was gelernt! Bei uns zu Hause ist das anders …
Kolbeck:	Bei Ihnen zu Hause? Sie sind Spanierin, stimmt's?
Maria:	Nein.
Kolbeck:	Aber „Madre mia!" klingt doch spanisch!

Hörtexte Kursbuch

Kolbeck:	Ah, Sie haben natürlich recht! Südamerika! Da sprechen auch viele Menschen Spanisch. Sehen Sie: Ich muss auch lernen!
Larissa:	Maria? Maria?
Maria:	Hier bin ich!
Larissa:	Sag mal, wo bleibst du denn so lange?
Kolbeck:	Hallo, Larissa!
Larissa:	Hallo, Herr Kolbeck!
Larissa:	Maria wohnt jetzt bei uns. Sie ist unser Au-pair-Mädchen.
Kolbeck:	Na, da muss ich mich jetzt wohl auch mal vorstellen: Ich bin hier der Hausmeister. Kolbeck ist mein Name. Wolfgang Kolbeck.
Maria:	Wolfgang? Mein Lieblingskomponist heißt auch Wolfgang: Wolfgang Amadeus Mozart.
Larissa:	Ach! Mozart? Ist das etwa der Typ auf dem Bild?
Maria:	Hmhm!
Larissa:	Oh Mann! Und ich dachte, es ist ihr Onkel!
Kolbeck:	Na, siehst du, da haben wir heute alle drei was gelernt!

Schritt B B1

a Häng das Bild doch an die Wand. An der Wand kann man es sehr gut sehen.

b Stell deine CDs in das Regal hier. In dem Regal haben sie doch noch Platz, oder?

c Die Fotos? Stell sie doch hier auf den Tisch. Da kannst du sie immer anschauen.

d Die Bücher kannst du doch erst einmal neben das Bett legen. Und morgen kaufen wir noch ein kleines Bücherregal.

Schritt B B3

vgl. Kursbuch Seite 21

Schritt C C1

1	Maria:	Dann bringe ich mal den Müll runter.
2	Hausmeister:	Warten Sie einen Moment. Ich komme raus.
3	Hausmeister:	Flaschen und Gläser gehören hier rein.
4	Hausmeister:	Papier kommt da rein.

Schritt D D2/D3/D4

Teil 1

Ilse:	Aach! Hmm …
Heidrun:	Ilse! Guten Morgen!
Ilse:	Guten Morgen, Heidrun. Aach!
Heidrun:	Was ist? Hast du wieder Probleme mit dem Rücken?
Ilse:	Oh, ich sag's dir, das sind Schmerzen!
Heidrun:	Du Arme! Gehst du zum Arzt?
Ilse:	Ja, muss ich ja wohl.
Heidrun:	Hm. Du, sag mal, Ilse, da fällt mir was ein: Kommt heute nicht dieser neue Mieter?
Ilse:	Ja, richtig. Der Herr Fürst.
Heidrun:	Ach, Fürst heißt der?

Ilse:	Ja. Du, über den hab' ich schon ein paar Dinge gehört.
Heidrun:	Aha! Erzähl doch mal! Was ist denn das für einer?
Ilse:	Er ist geschieden.
Heidrun:	Ach!?
Ilse:	'n Hund hat er.
Heidrun:	Einen Hund?
Ilse:	Und 'n paar kleine Kinder!
Heidrun:	Kleine Kinder!? Nein!
Ilse:	Wenn ich's dir doch sage!
Heidrun:	Oh Gott! Dann stellt er bestimmt seinen Kinderwagen hier vor dem Aufzug ab!
Ilse:	Pscht! Leise!
Heidrun:	Warum? Was ist denn?
Ilse:	Da kommt er!

Teil 2

Ilse:	Achtung! Passen Sie auf!
Herr Fürst:	Oh! Hoppla! Ach, entschuldigen Sie bitte!
Ilse:	Och, macht nix, ist ja nix passiert!
Herr Fürst:	Na ja, die Kiste ist ganz leicht, ist ja auch leer. Ich, ach, darf ich mich kurz vorstellen? Ich bin neu hier, mein Name ist Fürst.
Ilse und Heidrun:	Guten Tag!
Herr Fürst:	Wir wohnen ab jetzt im zweiten Stock … äh … links.
Heidrun:	Aha! Und wo sind die Kinderlein?
Herr Fürst:	Die Kinderlein?
Heidrun:	Na ja, Ihre kleinen Kinder …
Herr Fürst:	Ich habe keine Kinder.
Ilse:	Sie meint den Hund.
Herr Fürst:	Was?!
Heidrun:	Ihren Hund.
Herr Fürst:	Wir haben keinen Hund! Wir haben einen Papagei.
Ilse:	Wir? Wer ist denn „Wir"?
Herr Fürst:	Na, meine Frau und ich!
Ilse und Heidrun:	Ach so.
Herr Fürst:	Ähm … entschuldigen Sie bitte, ich stelle diese Kiste für einen Moment unten vor dem Eingang ab, ja? Ich muss nämlich schnell mein Auto einparken. Also dann, auf Wiedersehen!
Ilse und Heidrun:	Auf Wiedersehen!

Teil 3

Heidrun:	So so! Geschieden, was? Ha! Na, hoffentlich ist der Papagei nicht so laut!
Ilse:	Du, Heidrun, sei mir nicht böse, aber ich muss jetzt dringend einkaufen gehen.
Heidrun:	Die Wagners sind schon laut genug.
Ilse:	Die Wagners? Was ist denn mit denen?
Heidrun:	Sag bloß, du hast das nicht gehört, letzte Nacht?
Ilse:	Nein! Was denn?
Heidrun:	Ich konnte nicht einschlafen, so laut haben die gestritten.

Ilse:	Wirklich? Na ja, die wohnen ja auch direkt neben dir.
Heidrun:	Sie hat geweint und er hat geschimpft. Hach, das war richtig schlimm!
Ilse:	Ich hab' leider überhaupt nichts gehört.
Heidrun:	Du, ich glaube, er will sich von ihr trennen.
Ilse:	Was?!
Heidrun:	Sie ist ja beruflich viel unterwegs und er ist dauernd allein. So was kann gar nicht gut gehen.
Ilse:	Oh-oh! Da kommt sie gerade!

Teil 4

Frau Wagner:	Guten Morgen!
Ilse und Heidrun:	Guten Morgen, Frau Wagner!
Heidrun:	Na, Sie Arme! Geht's Ihnen denn heute wieder besser?
Frau Wagner:	Was?
Ilse:	Wie lange sind Sie eigentlich schon verheiratet?
Frau Wagner:	Nächsten Monat werden es 20 Jahre. Warum wollen Sie das denn wissen?
Heidrun:	Na sehen Sie! So eine langjährige Ehe geht nicht so leicht kaputt!
Ilse:	Was ist? Warum lacht sie?
Heidrun:	Keine Ahnung!
Frau Wagner:	Und ich hab' ihm noch gesagt: Mach den Fernseher nicht so laut! Der Ehestreit war im Fernsehen, nicht bei uns. Tut mir leid, mein Mann hat zur Zeit ein bisschen Probleme mit seinen Ohren. Tschüs! Ich muss jetzt los!
Ilse:	Er will sich also von ihr trennen! So so!
Heidrun:	Musst du nicht dringend einkaufen, meine Liebe?

Zwischenspiel 2 *Das bunte Haus von Wien*

Besucher:	Entschuldigen Sie? Hallo?
Bewohnerin:	Ja, bitte?
Besucher:	Das hier … das ist doch das „Hundertwasser Haus", oder?
Bewohnerin:	Ja, natürlich.
Besucher:	Ich bin Tourist und ich möchte das Haus sehr gerne besichtigen.
Bewohnerin:	Ja, bitte schön! Besichtigen Sie es! Nur zu!
Besucher:	Äh. Ja, aber … wo kommt man denn hier rein?
Bewohnerin:	Reinkommen? Gar nicht.
Besucher:	Wie bitte?
Bewohnerin:	Sie können nicht reinkommen.
Besucher:	Warum denn nicht?
Bewohnerin:	Weil das hier kein Museum ist.
Besucher:	Wie? Als Tourist darf man in das „Hundertwasser Haus" überhaupt nicht reingehen?
Bewohnerin:	Richtig! Das ist ein Privathaus, verstehen Sie? Hier in dem Haus leben 200 Leute.
Besucher:	Ach! Ähm, entschuldigen Sie, darf ich Sie noch etwas fragen?
Bewohnerin:	Ja gut, aber schreien Sie hier nicht so rauf!

	Warten Sie einen Moment! Ich komme zu Ihnen runter.
Besucher:	Ja. Ja, danke.

Lektion 3 Guten Appetit!
Folge 3: *Tee oder Kaffee?*

Susanne:	So, jetzt haben wir alles, nur der Kaffee und die Eier fehlen noch. Äh, Simon? Simon!
Simon	Was ist?
Susanne:	Sieh doch mal nach, ob Maria schon wach ist. Aber – pst! – bitte ganz leise!
Simon:	Haaach! Immer ich! Larissa muss nie was machen!
Susanne:	Simon!
Simon:	Okay, okay! Was soll ich ihr denn sagen?
Susanne:	Wir frühstücken in zehn Minuten.
Simon	Mhm, sonst noch was?
Susanne:	Vielleicht möchte sie ein Ei haben, hm?
Simon:	Ja, ja, ja …
Susanne:	Frag sie, wie sie es am liebsten mag, weich oder hart gekocht.
Maria:	Hä, äh, was ist? Was ist denn?
Simon:	Hi! Keine Panik! Ich bin's nur.
Maria:	Ach, Simon! Was ist denn los?
Simon:	Nix. Ich soll nur nachsehen, ob du noch schläfst.
Maria:	Jetzt nicht mehr. Wie spät ist es denn?
Simon:	Kurz nach acht.
Maria:	Acht Uhr erst? Jesus! Heut' ist doch Sonntag! Schlaft ihr denn in Deutschland nie richtig aus?
Simon:	Was? Äh, ich soll dich was fragen, hm, was war's noch gleich? Ach ja: Magst du's lieber hart oder weich?
Maria:	Wie bitte? Äh, was denn?
Simon:	Dein Ei.
Maria:	Welches Ei?
Simon:	Na, dein Frühstücksei. Ach so, ja, und ich soll dir sagen: Wir frühstücken in zehn Minuten.
Maria:	Aha! Na dann: Vielen Dank, Simon!
Larissa:	Guten Morgen, Maria! Entschuldige die Störung.
Maria:	Was gibt's denn, Larissa?
Larissa:	Nur 'ne ganz kurze Frage: Möchtest du Tee oder Kaffee?
Maria:	Ich trinke meistens Kaffee zum Frühstück. Tee mag ich am Morgen nicht so gern. Gibt's denn Kaffee?
Larissa:	Ja klar! Ich sag' Mama Bescheid.
Maria:	Hm!
Kurt:	Hallo, Maria! Na, du bist schon wach?
Maria:	Hm-hm. Guten Morgen, Kurt!
Kurt:	Ich habe gedacht, heute ist Sonntag, da schläft Maria sicher mal richtig lange.
Maria:	Na ja, das wollte ich eigentlich auch …
Kurt:	Unser Bäcker macht super Nussschnecken. Aber am Sonntag muss man ganz früh hin. Manchmal gibt's schon um acht Uhr keine mehr. Aber hier – ich hab' noch welche bekommen.

Maria: Mmmm! Die sehen lecker aus! …

Kurt: Gell! Ach, übrigens: Möchtest du vorher lieber Vollkornbrot oder Brötchen?

Maria: Ich, äh, weiß nicht.

Kurt: Na ja, du musst dich ja noch nicht gleich entscheiden.

Susanne: Hallo! Guten Morgen, Maria! Na, wie hast du geschlafen?

Maria: Gut, ein bisschen kurz vielleicht, aber …

Susanne: Möchtest du frischen Orangensaft zum Frühstück?

Maria: Hey! Bin ich in einem Restaurant, oder was?

Susanne: Wieso?

Maria: Im Restaurant fragt man auch: ‚Was möchten Sie essen?' und ‚Was möchten Sie trinken?'

Susanne: Ach so!

Maria: Mmmhh! Mamita! Ist das viel!

Simon: Ach, weißt du, Maria, am Sonntag frühstücken wir immer ganz gemütlich.

Larissa: Da gibt es bei uns meistens auch ein bisschen mehr zu essen.

Maria: Ein bisschen mehr …?!

Kurt: Hier sind Wurst und Käse. Oder möchtest du lieber Honig? Oder Marmelade? Oder Quark? Oder ein Müsli?

Maria: Madre mia!

Simon: Jetzt lass sie doch erst mal hinsetzen, Kurt!

Larissa: Ja genau! Zuerst braucht sie was zu trinken!

Maria: Äh, Entschuldigung, Larissa, ich mag keinen Tee. Zum Frühstück trinke ich immer Kaffee.

Larissa: Aber das ist doch Kaffee!

Maria: Bist du sicher? Kaffee ist schwarz, das hier sieht aus wie Tee.

Larissa: Es ist Kaffee, probier ruhig mal … Und?

Maria: Also, das Frühstück ist in Deutschland wirklich super. Aber beim Kaffee müsst ihr noch was dazulernen!

Schritt A　　**A1**

Maria: Ich trinke meistens Kaffee zum Frühstück. Tee mag ich am Morgen nicht so gern. Den trinke ich lieber abends.

Larissa: Ich trinke manchmal am Nachmittag einen Kaffee, allerdings am liebsten einen Milchkaffee oder eine Latte Macchiato.

Kurt: Ich trinke am Morgen zum Frühstück zwei Tassen, dann am Vormittag, wenn ich die erste Pause mache, und auch am Nachmittag. Nach dem Abendessen trinke ich mit Susanne auch noch einen Espresso. Also, eigentlich trinke ich immer Kaffee! Ohne Kaffee kann ich gar nicht leben.

Simon: Bäh, Kaffee trinke ich nie. Tee auch nicht. Ich mag nur Milch oder Kakao zum Frühstück.

Susanne: Normalerweise bin ich auch ein Kaffee-Fan, so wie Kurt, und trinke oft Kaffee.
Aber jetzt, wo das Baby bald kommt, muss ich vorsichtig sein. Jetzt trinke ich nur selten Kaffee.

Schritt B　　**B1**

A Kurt: Unser Bäcker macht super Nussschnecken. Aber am Sonntag muss man ganz früh hin. Manchmal gibt es schon um acht Uhr keine Nussschnecken mehr. Aber hier: Ich habe noch welche bekommen.

B Larissa: He, hallo, Kurt. Hast du mir eine Brezel mitgebracht?

Kurt: Tut mir leid, Larissa. Ich habe keine Brezel bekommen. Ich bringe dir das nächste Mal eine mit, okay?

C Susanne: Milch haben wir, Eier, Butter, hm. Hm. Aber wir brauchen ein Vollkornbrot. Kurt, bringst du bitte eins mit? Und ich hätte gern einen Schokoladenkuchen. Vielleicht hat der Bäcker noch einen.

D Maria: Hm, das Brötchen war aber lecker!

Susanne: Möchtest du vielleicht meins auch noch haben? Ich habe gar keinen Hunger!

Schritt B　　**B2**
vgl. Kursbuch Seite 31

Schritt C　　**C1**
vgl. Kursbuch Seite 32

Schritt D　　**D1**
Grönemeyer „Currywurst"
Gehst du in die Stadt,
was macht dich da satt,
eine Currywurst.

Kommst du von der Schicht,
etwas Schöneres gibt es nicht
als Currywurst.

Mit Pommes dabei,
ach, geben Sie gleich zweimal Currywurst.

Bist du richtig down,
brauchst du was zu kauen,
eine Currywurst.

Willi, komm, geh mit,
ich kriege Appetit
auf Currywurst.

Ich brauche etwas im Bauch.
Für meinen Schwager hier auch noch eine Currywurst.

Willi, das ist schön,
wie wir zwei hier stehen
mit Currywurst.

Willi, was ist mit dir?
Trinkst du noch ein Bier
zur Currywurst?

Kerl, scharf ist die Wurst.
Mensch, das gibt 'nen Durst, die Currywurst.

Schritt E E2

Moderator:	Meine Damen und Herren, hier im Deutschfunk hören Sie jetzt unsere Sendung Du und Ich, heute mit dem Thema: Bei Freunden zu Gast.
Sven:	Du, sag mal, Monika, wo bleiben die denn?
Monika:	Ich weiß nicht, Schatz.
Sven:	Acht Uhr war ausgemacht, oder?
Monika:	Ja, acht Uhr war ausgemacht.
Sven:	Und jetzt ist es gleich halb neun ...
Monika:	Sven!
Sven:	... und das Essen ist schon lange fertig!
Monika:	Sven! Du kennst doch Renate und Eberhard! Waren die denn schon einmal pünktlich?
Sven:	Ja, ja, aber eine halbe Stunde, das ist zu viel! Das finde ich nicht in Ordnung!
Moderator:	Sven hat recht: Sie sind in Deutschland zum Essen eingeladen? Dann ist eine halbe Stunde Verspätung wirklich sehr unhöflich. Willkommen bei Du und Ich, liebe Hörerinnen und Hörer. Sie merken es schon: Wir sprechen heute über Regeln. Regeln für eine Einladung bei Freunden. Die erste Regel haben Sie schon gelernt: Kommen Sie nicht zu spät! Ein paar Minuten und auch eine Viertelstunde sind noch in Ordnung, aber mehr darf es wirklich nicht sein. Kommen Sie viel zu spät, dann müssen Sie sich entschuldigen und erklären, warum es so lange gedauert hat.
Monika:	Hallo, Renate! Hallo, Eberhard!
Eberhard und Renate:	Hallo! Hallo, Monika!
Renate:	Ach, Monika! Wir sind viel zu spät!
Monika:	Na ja, ein bisschen spät seid ihr schon.
Eberhard:	Wir haben die Straßenbahn verpasst! Es tut uns wirklich so leid!
Monika:	Ach was! Ist doch nicht so schlimm! Kommt rein! Sven! Unsere Gäste sind da!
Eberhard:	Hier, die sind für dich!
Monika:	Oh! So schöne Blumen! Das ist aber lieb! Vielen Dank!
Moderator:	Na, haben Sie es gehört? Die Entschuldigung ist bei Monika gut angekommen und auch Sven ist nun sicher nicht mehr sauer. Renate und Eberhard sind zu spät gekommen. Aber sie

	haben an ein kleines Geschenk für ihre Gastgeber gedacht. Das ist ganz richtig. Ein Mitbringsel, das kann ein Blumenstrauß sein oder ein Buch. Sehr oft bringt man auch eine gute Flasche Wein mit.
Renate:	Hmm, das sieht aber lecker aus! Und es riecht so gut!
Sven:	Eberhard, darf ich dir auch Fleisch und Soße geben?
Eberhard:	Nein danke, Sven. Ich nehme nur Kartoffeln.
Sven:	Was? Ja, aber ...
Renate:	Eberhard macht doch zurzeit diese Nudel-Kartoffel-Reis-Diät.
Monika:	Ach so?
Sven:	Ja, wie? Und du isst gar nichts anderes?
Eberhard:	Nö, danke. Nur Kartoffeln.
Moderator:	Also so was! Sven und Monika hatten mit dem Kochen so viel Arbeit und nun isst Eberhard nur die Kartoffeln! Das ist wirklich sehr unhöflich! Warum hat er das mit seiner Diät nicht vorher gesagt? Also bitte: Sie machen eine Diät? Sie mögen bestimmte Lebensmittel nicht oder dürfen etwas nicht essen? Bitte sagen Sie das Ihrem Gastgeber nicht erst beim Essen.
Sven:	Möchtest du noch, Renate? Darf ich dir noch ein bisschen geben?
Renate:	Ah, nein danke, Sven!
Monika:	Wirklich nicht? Es ist aber noch genug Fleisch und Soße da.
Renate:	Tut mir leid, Leute, aber ich kann einfach nicht mehr.
Sven:	Kein Problem.
Renate:	Es hat wirklich super geschmeckt! Sehr, sehr lecker!
Monika:	Danke! Das freut uns!
Moderator:	In Deutschland dürfen Sie als Gast viel essen, Sie müssen aber nicht. Natürlich freuen sich Ihre Gastgeber, dass Ihnen das Essen gut schmeckt und Sie alles aufessen. Aber Sie dürfen gerne auch etwas auf Ihrem Teller übrig lassen.
Eberhard:	So, Leute, das war ein netter Abend, aber ich glaube, wir gehen dann mal so langsam.
Monika:	Wie bitte? Ihr wollt jetzt schon los?
Eberhard:	Na ja, es ist schon fast zehn und ich hab' morgen einen sehr harten Arbeitstag.
Sven:	Aber es gibt doch noch Nachspeise!
Renate:	Ach, komm, Eberhard! Natürlich bleiben wir noch.
Moderator:	Also, dieser Eberhard ist doch wirklich ein ziemlich unhöflicher Mensch, finden Sie nicht? Man wartet doch, bis das Essen beendet ist! Und auch dann kann man nicht gleich gehen. Nach dem Essen bleibt man wenigstens noch

für eine Weile bei den Gastgebern. Natürlich soll man auch nicht zu spät nach Hause gehen! Ihr Gastgeber fängt an zu gähnen? Oder er schläft schon fast ein? Dann müssen Sie langsam „Tschüs" sagen. Das mache ich jetzt auch. Ich sage: Danke fürs Zuhören und tschüs bis zu unserer nächsten Sendung!

Schritt E   **E4**
vgl. Kursbuch Seite 34

Lektion 4   Arbeitswelt
Folge 4: *Backen macht müde*

Susanne:	He, was machst du denn da, Maria? Fotografierst du etwa unsere Brötchen?
Maria:	Ja.
Susanne:	Warum denn?
Maria:	Ihr habt so tolles Brot hier in Deutschland. Das möchte ich meiner Familie zeigen. Ich schicke ihnen die Bilder übers Internet.
Susanne:	Ach so! Verstehe! Hey!
Maria:	Was?
Susanne:	Thomas!
Maria:	Thomas?
Susanne:	Ja. Thomas Wagner. Das ist ein guter Freund von Kurt und mir. Den solltest du mal besuchen, Maria! Thomas kann dir alles über Brot erklären. Er ist nämlich Bäcker und hat eine eigene Bäckerei. Dort kannst du auch viel interessantere Fotos machen. Wenn du möchtest, rufe ich ihn an.
Maria:	Oh ja, gerne!
Verkäuferin:	Guten Tag! Bitte? Was darf's denn sein?
Maria:	Äh ... Hallo! Guten Tag! Mein Name ist Maria Torremolinos und ich ...
Verkäuferin:	Aah, die junge Frau aus Südamerika!
Maria:	Ja, genau.
Verkäuferin:	Herr Wagner!? Sie haben Besuch!
Thomas:	Ah, hallo!
Maria:	Hallo, Herr Wagner.
Thomas:	Ach, wir sind doch beide Freunde von Kurt und Susanne. Da können wir Du sagen, oder?
Maria:	Ja, gerne.
Thomas:	Ich heiße Thomas.
Maria:	Ich bin Maria.
Thomas:	Aha! Du möchtest also eine Bäckerei von innen sehen, Maria?
Maria:	H-hm, genau: eine deutsche Bäckerei.
Thomas:	Warum eigentlich? Bei dir zu Hause gibt's doch sicher auch viele Bäcker.
Maria:	Ja, natürlich.
Thomas:	Und die backen ja sicher auch ein sehr gutes Brot, oder?
Maria:	Ja, ja, aber hier gibt's viel mehr verschiedene Arten von Brot: Schwarzbrot und Weißbrot und Mischbrot und ...
Thomas:	Ja, das stimmt schon. Bei uns hat das Backen eine lange Tradition. Jede Region hat ihr eigenes Brot. Du wirst es nicht glauben: In Deutschland gibt es über dreihundert verschiedene Sorten.
Maria:	Dreihundert Sorten Brot!?
Thomas:	Und 1200 Sorten Kleingebäck!
Maria:	Kleingebäck? Du meinst Brötchen und so?
Thomas:	Ja, verschiedene Brötchen und Stangen und Brezeln und so weiter.
Maria:	Hmm, Brezeln! Die sind überhaupt das Allerbeste!
Thomas:	Brezeln? Aha!
Thomas:	Hier.
Maria:	Hm?
Thomas:	Da hast du auch ein bisschen Teig. Wenn du möchtest, kannst du's selbst mal probieren.
Maria:	Oje! Aber ... ich weiß nicht ...
Thomas:	Komm, das geht schon! Du machst es einfach genau wie ich, okay?
Maria:	Okay!
Thomas:	Es wird schon.
Maria:	Wie viele Leute arbeiten denn hier?
Thomas:	Insgesamt sind wir sieben. Vier in der Backstube und drei im Verkauf.
Maria:	Hm-hm. Und wie läuft das Geschäft?
Thomas:	Ach, weißt du, heute ist das nicht mehr so einfach wie früher. Viele Leute wollen nur noch eins: Billig soll es sein, möglichst billig!
Maria:	Aha.
Thomas:	Ich finde das schlimm. Als kleiner Handwerker kann man nicht billig arbeiten. Wirklich billig geht's nur, wenn man das Brot in großen Fabriken herstellt.
Maria:	In Fabriken?
Thomas:	Ja, aber dann gibt's natürlich nicht mehr so viele verschiedene Sorten, verstehst du? Und die Qualität? Na ja! Aber dazu gibt es verschiedene Meinungen. Meine kennst du jetzt. Nun möchte ich mal deine hören. Wie denkst du denn darüber?
Maria:	Hm. Na, weißt du, ich finde: Beim Essen sollte man nicht sparen. Wenn man was Gutes haben will, dann muss man auch gut bezahlen.
Thomas:	Tja, leider denken viele Leute nicht so wie du. So! Siehst du? So macht man eine Brezel.
Maria:	Aha!
Thomas:	Jetzt bist du dran!
Maria:	Oh, oje!

Thomas:	Na, die ist doch schon ganz prima, deine Brezel!
Maria:	So? Findest du?
Thomas:	Hm-hm!
Maria:	Du bist müde, was? Ist ja eigentlich klar: Du arbeitest sicher schon seit fünf Uhr oder so.
Thomas:	Fünf Uhr!? Bei uns geht's schon um zwei Uhr los!
Maria:	Um zwei Uhr nachts!?
Thomas:	Na ja! Wenn die ersten Brötchen morgens fertig sein sollen, dann muss man halt nachts anfangen. So, jetzt wollen wir aber.
Maria:	Halt! Warte mal, Thomas! Ich möchte noch ein Foto machen. Einen Moment!
Thomas:	Äh, ... so vielleicht?
Maria:	Ja! Danke schön!

Susanne:	Und? Wie war's bei Thomas?
Maria:	Super! Guck mal, wir haben Brezeln gemacht. Rate mal: Welche ist seine und welche ist meine?
Susanne:	Hm, die sehen ja beide toll aus! He! Wenn du keine Lust mehr auf deinen Job hast, dann kannst du ja in einer Bäckerei arbeiten.
Maria:	Ach nein, weißt du: Brot backen macht müde! Ich esse es lieber!

Schritt A   A1

1	Mann 1:	Hallo, Herr Müller. Gehen Sie noch gar nicht ins Büro?
	Mann 2:	Doch, natürlich. Warum?
	Mann 1:	Aber wir haben doch heute diese wichtige Sitzung mit unserem Exportpartner.
	Mann 2:	Ja und?
	Mann 1:	Hm, also ich meine ... wie soll ich das sagen ... hm vielleicht sollten Sie doch etwas anderes anziehen!
	Mann 2:	Warum? Muss man denn immer in Anzug und Krawatte ...
2	Susanne:	Ja. Thomas Wagner. Das ist ein guter Freund von Kurt und mir. Den solltest du mal besuchen, Maria! Thomas kann dir alles über Brot erklären. Er ist nämlich Bäcker und hat eine eigene Bäckerei.
3	Frau:	Mensch, wir müssen unbedingt noch diese Tabelle finden.
	Mann:	Ja, und die Präsentation müssen wir auch noch fertig machen.
	Susanne:	Tschüs, ihr zwei. Ich gehe jetzt.
	Frau:	Tschüs, Susanne.
	Mann:	Tschüs!
	Susanne:	Es ist schon 19 Uhr. Ich finde, ihr solltet wirklich auch bald nach Hause gehen.
	Frau:	Ja, ja, aber dann schaffen wir unsere Präsentation ...

Schritt B   B1

vgl. Kursbuch Seite 41

Schritt B   B2

Kurt:	Ich bin Taxifahrer. Ich habe seit sieben Jahren ein eigenes Taxi. Diese Arbeit ist oft anstrengend, weil ich manchmal nachts und manchmal tagsüber fahre.
	Wenn Susanne nachmittags arbeiten muss, dann bin ich meistens zu Hause. Dann sind die Kinder nicht allein.
	Taxifahren macht oft Spaß – vor allem, wenn ich interessante Fahrgäste habe. Manchmal lernt man sogar etwas: Neulich habe ich zum Beispiel einen netten, alten Herrn gefahren – jetzt weiß ich ganz schön viel über das alte Ägypten.
	Wenn ich aber betrunkene oder schlecht gelaunte Kunden habe, finde ich meine Arbeit oft auch gar nicht so toll.
Susanne:	Ich bin Apothekerin und arbeite Teilzeit, im Moment dreißig Stunden pro Woche. Wenn das Baby dann da ist, will ich erstmal natürlich nicht so viel arbeiten. Am Anfang vielleicht stundenweise und nach drei Monaten dann halbtags.
	Meine Arbeit gefällt mir gut. Ich arbeite gern mit Menschen zusammen. Besonders viel Freude macht es mir, wenn ich den Kunden Tipps geben kann.
	In letzter Zeit bin ich oft ganz schön müde, wenn ich nach Hause komme. Aber das ist ja normal. Ich bin ja auch schon im sechsten Monat.

Schritt C   C1

Frau Kleiner:	Minster und Co, Kleiner, Guten Tag.
Herr Jelinek:	Guten Tag, hier Jelinek. Guten Tag, Frau Kleiner.
Frau Kleiner:	Guten Morgen!
Herr Jelinek:	Ist der Chef schon im Haus?
Frau Kleiner:	Nein, er ist noch nicht da. Soll er Sie zurückrufen, wenn er kommt?
Herr Jelinek:	Äh, nein, aber vielleicht können Sie ihm etwas ausrichten?
Frau Kleiner:	Natürlich gern, Herr Jelinek.
Herr Jelinek:	Ich kann nämlich heute erst später ins Büro kommen, weil ich noch einen Termin gabe, der etwas länger dauern könnte ...

Schritt C   C2

1. ● Firma Kletz, Maier, guten Tag.
   ▲ Guten Tag, hier ist Schmidt. Könnten Sie mich bitte mit Herrn Kraus verbinden?
   ● Tut mir leid, der ist gerade nicht am Platz. Kann ich ihm etwas ausrichten?
   ▲ Nein danke. Ich versuche es später noch einmal.
   ● Gut, dann auf Wiederhören und einen schönen Tag noch.
   ▲ Danke, gleichfalls. Auf Wiederhören.

2 ■ Grüß Gott, Fehr hier. Kann ich bitte Herrn Burli aus der Exportabteilung sprechen?

▼ Tut mir leid, der ist leider gerade außer Haus.

■ Ist denn sonst jemand aus der Abteilung da?

▼ Nein, da ist im Moment niemand da. Es ist gerade Mittagspause. Können Sie vielleicht später noch einmal anrufen? So gegen 14 Uhr?

■ Ja, gut.

3 ■ Mielske und Partner, guten Tag. Sie sprechen mit Frau Schnarr.

♦ Guten Tag, Frau Schnarr, hier ist Müller. Ist Frau Huber schon im Haus?

■ Nein, sie ist leider noch nicht da. Kann ich etwas ausrichten?

♦ Nein danke, nichts. Aber geben Sie mir doch bitte ihre Durchwahl.

■ Ja, gern. Das ist die zwei-sieben-vier.

♦ Vielen Dank. Also, dann, auf Wiederhören.

■ Wiederhören, Frau Müller.

Lektion 5　Sport und Fitness

Folge 5: *Gymnastik*

Larissa:　„a plus b im Quadrat." Hach! „a plus b im Quadrat". Hm, das ist a Quadrat, hm, plus, a Quadrat plus ... Mann! Wie soll man sich denn bei dem Lärm konzentrieren?

Larissa:　Du, sag mal, Maria ...

Maria:　Ja, was ist denn, Larissa?

Larissa:　Ja, ich ... äh, du machst Gymnastik zu klassischer Musik?

Maria:　Ach, weißt du, Mozart ist immer gut – auch bei Gymnastik! Hier, guck mal!

Larissa:　Hey, du kannst das aber ziemlich gut!

Maria:　Ach, das ist nicht so schwer. Komm, mach mit! Ich zeig' dir, wie es geht.

Larissa:　Hm, eigentlich muss ich noch Mathe-Hausaufgaben machen.

Maria:　Mathe kannst du auch nachher machen.

Larissa:　Stimmt! Warte! Ich zieh' mich nur schnell um.

Susanne:　Ja, was machen die denn?

Susanne:　Was ist denn hier los?

Larissa:　Siehst du doch: Wir machen Gymnastik!

Susanne:　Aber Kinder! Sagt mal, müsst ihr denn dazu die Musik so laut machen?

Larissa:　Hör auf zu meckern, Mama! Mach lieber mit!

Susanne:　Nee, nee, das ist keine gute Idee. Ich möcht' mich lieber in die Badewanne legen. Aber leider muss ich bügeln.

Larissa:　Ach was! Bügeln kannst du später, Mama! Komm! Gymnastik macht Spaß!

Maria:　... und eins ... und zwei ... und drei ... und vier! ... So, und jetzt Rad fahren! ... Rad fahren! ... und eins ... und zwei ... und drei ... und vier! ...

Kurt:　Hey! ... Was is 'n hier los? Warum macht ihr denn solchen Lärm?

Simon:　Is' das 'ne Party oder was?

Susanne:　Was soll denn das blöde Gekicher?

Kurt:　Nichts, äh, ich meine: Was macht ihr denn da eigentlich?

Susanne:　Gymnastik. Das siehst du doch.

Kurt:　Aber du bist schwanger! Denk an das Baby! Denk an deinen Bauch!

Susanne:　Was? Denk du lieber an deinen Bauch!

Kurt:　Wieso? Wa ... Was meinst du denn damit?

Susanne:　Du isst zu viel und bewegst dich zu wenig. Guck doch mal in den Spiegel!

Kurt:　Das ist ja ... das ist ja ...

Susanne:　Du solltest ruhig auch mal Gymnastik machen.

Kurt:　Das ist einfach lächerlich!

Kurt:　Wirklich lächerlich! Mein Bauch ist völlig in Ordnung – oder was meinst du?

Simon:　Na ja, eigentlich schon.

Kurt:　Eigentlich? Was heißt: eigentlich?

Simon:　Hm, in der letzten Zeit bist du eben ein bisschen dick geworden.

Kurt:　Was?!

Kurt:　Gymnastik! Darauf hab' ich keine Lust! Wir Männer interessieren uns nicht für Gymnastik! Wir Männer ham ... Hey! Simon! Warte doch! Nicht so schnell! Hey, Simon!

Schritt A　　A1

a Larissa:　Wie soll man sich bei dem Lärm konzentrieren?

b Susanne:　Ich möchte mich lieber in die Badewanne legen.

c Susanne:　Du isst zu viel und du bewegst dich zu wenig.

d Kurt:　Wir Männer interessieren uns nicht für Gymnastik.

Schritt C　　C1

vgl. Kursbuch Seite 52

Schritt C　　C2/C3

1 Sprecher:　... nun zum Handball: Die deutschen Handballerinnen verlieren gegen die norwegische Mannschaft mit 30 zu 31. Sie verpassen damit einen wichtigen Punktgewinn in der Hauptrunde der Weltmeisterschaft ...

Mann:　Das gibt's doch nicht. Jetzt verlieren die schon wieder!

Frau:　Seit wann interessierst du dich für Frauenhandball?

Mann:　Wofür soll ich mich am Sonntagmittag denn sonst interessieren?

Frau:　Der Braten ist fertig!

Mann:　Ah! Dafür interessiere ich mich natürlich noch mehr!

2 Sprecher: ... und morgen findet das Spiel der diesjährigen Eishockey-Saison statt: die Begegnung der beiden Spitzenreiter Eisbären Berlin und Frankfurter Lions. Die Eisbären Berlin sind zurzeit Tabellenführer ...

Mann: Ahhh, endlich geht die Eishockey-Saison wieder los! Darauf freue ich mich schon seit Wochen.

Frau: Na, ich weiß nicht, Eishockey finde ich ziemlich brutal.

Mann: Ach, du hast ja keine Ahnung!

3 Frau 1: Hier! Guck mal! Das Foto! Unsere Steffi! Steffi Graf mit Goldmedaille! Kannst du dich daran noch erinnern?

Frau 2: Klar kann ich mich daran erinnern. Das war 1988, bei der Olympiade in Seoul. Das war doch unglaublich, wie sie damals ...

4 Sprecher: Foul im Strafraum! Foul im Strafraum! Und das in der 89. Minute! Und der Schiedsrichter entscheidet ganz klar auf Elfmeter! Ja, ist denn das die Möglichkeit? Müller wird den Ball treten, er nimmt Anlauf ... und ... Tor! Tor!

Mann: Das darf nicht wahr sein. Das gibt's doch nicht! Das war doch kein Foul!

Frau: Und darüber ärgerst du dich jetzt? Das ist doch Quatsch!

Mann: Worüber soll ich mich denn sonst ärgern? Jetzt haben wir verloren!

Frau: Du vielleicht. Ich nicht!

Schritt D **D2**

1 Herr Vesely: Sport Fleck Reisen, Vesely am Apparat.

Frau: Guten Tag, hier spricht Scherer. Sagen Sie, Sie bieten doch auch Snowboard-kurse für Erwachsene an, oder ...?

Herr Vesely: Ja, natürlich. Sind Sie Anfänger oder?

Frau: Nein, nein, ich habe schon ein paar Snowboardkurse gemacht. Ich bin schon fortgeschritten.

Herr Vesely: Hm, also: Wir bieten Tageskurse oder Wochenkurse an.

Frau: Die Tageskurse klingen interessant. Wann sind die denn?

Herr Vesely: Die sind immer viermal samstags oder sonntags, von Dezember bis März.

Frau: Ah ja, und wie viel kostet das?

Herr Vesely: 180 Euro pro Person, das ist inklusive allem, also mit Busfahrt und so weiter.

Frau: Könnten Sie mir bitte Informationen zufaxen?

Herr Vesely: Ja, gern. Ihre Faxnummer?

Frau: Das ist 069 / 733 488.

Herr Vesely: Hm-hm, gut. Dann faxe ich Ihnen alle Informationen und das Anmeldeformular zu, okay?

Frau: Prima. Herzlichen Dank für Ihre Hilfe. Auf Wiederhören.

Herr Vesely: Gern geschehen. Auf Wiederhören.

2 Herr Vesely: Sport Fleck Reisen, Vesely am Apparat.

Mann: Guten Tag, mein Name ist Roger. Meine Freundin und ich interessieren uns für einen Tennisurlaub – und zwar schon Anfang September, so für eine Woche.

Herr Vesely: Schon Anfang September?! Ja, da kann ich Ihnen eine günstige Woche in einem sehr schönen Clubhotel in der Toskana, in der Nähe von Grossetto anbieten.

Mann Ja, das hört sich gut an. Wann ist das genau?

Herr Vesely: Das ist vom 5. bis zum 12. September.

Mann: Hmhm ... und wie teuer ist das?

Herr Vesely: Also: Die Woche im Hotel inklusive Übernachtung mit Halbpension kostet 455 Euro pro Person. Die Tennisplätze können Sie jederzeit kostenlos benutzen und eine Stunde Tennis mit Lehrer kostet Sie 15 Euro. Und die erste Stunde ist kostenlos.

Mann: Ah ja, sehr schön. Eine Bitte: Könnten Sie mir das Angebot mailen, an roger@yahoo.de?

Herr Vesely: roger@yahoo.de. Gern, das schicke ich gleich raus.

Mann: Wunderbar. Vielen Dank für die Informationen. Wiederhören.

Herr Vesely: Bitte. Auf Wiederhören.

3 Herr Vesely: Sport Fleck Reisen, Vesely am Apparat.

Frau: Ja, guten Tag, Meinhard hier. Bieten Sie eigentlich auch Kletterkurse an?

Herr Vesely: Ja.

Frau: Ich bin noch nie geklettert, möchte es aber gern einmal probieren.

Herr Vesely: Da kann ich Ihnen unseren Schnupperkurs empfehlen: Der dauert zwei Tage.

Frau: Das klingt gut. Wann ist der?

Herr Vesely: Einmal pro Monat – von Mai bis September, der nächste und letzte Termin für dieses Jahr wäre 12./13. September in Garmisch.

Frau: Und wie teuer ist das?

Herr Vesely: 150 Euro inklusive Übernachtung. Dazu kommen dann noch 15 Euro für die Busfahrt nach Garmisch.

Frau: Perfekt – den nehme ich. Wie kann ich mich anmelden?

Herr Vesely: Ich sende Ihnen das Anmeldeformular und alle Informationen zu.

Frau: Ja, gern. Meine Adresse ist: Martina Meinhard, Am Friedenstor 11 ...

Lektion 6   Ausbildung und Karriere
Folge 6: *Zwischenzeugnis*

Simon: Okay! Okay! Ich bin halt einfach zu dumm fürs Gymnasium. Was kann ich denn dafür?

Kurt: Zu dumm? Nein, Simon. Zu dumm bist du nicht, zu faul bist du. Den ganzen Tag Skateboard fahren, Comics lesen und laute Musik hören, das kannst du schon. Aber lernen? Lernen willst du nicht. Das ist das Schlimme.

Simon: Na und? Lernen ist voll blöd!

Kurt: Was?! Was sagst du da?

Kurt: Ich wollte Abitur machen, als ich so alt war wie du. Ich wollte studieren. Aber ich durfte nicht. Ich musste raus und Geld verdienen … und du? Eh?!

Simon: Bei mir ist es genau andersrum: Ich will nicht studieren, aber ich muss anscheinend …

Kurt: Simon! Du weißt doch: Wenn du heute einen interessanten Beruf willst, brauchst du Abitur!

Simon: Interessanten Beruf! Zur Not kann ich ja immer noch Taxi fahren!

Kurt: Was?!

Kurt: Ich unterschreib' das Zeugnis erst, wenn du dich bei mir entschuldigt hast.

Simon: Da kannst du aber lange warten! Ich entschuldige mich nicht!

Maria: Madre mia! … Tz-tz-tz-tz! Madre mia!!!

Maria: Hey, Simon! Simon! Simon! Was ist denn los?

Simon: Was los ist? Heute gab's Zwischenzeugnisse. Und mein Erziehungsberechtigter muss das Zeugnis unterschreiben. Das fand er leider gar nicht komisch.

Maria: Deine Noten sind nicht so toll, oder?

Simon: Da, sieh's dir selbst an!

Maria: Na ja, zwei Fünfen, eine in Mathematik und eine in Deutsch, das ist doch gar nicht so schlimm, Simon.

Simon: Nicht so schlimm?! Mit zwei Fünfen bleib' ich sitzen! Dann muss ich noch 'n Jahr länger auf diese blöde Schule!

Maria: Hm, interessiert dich das Gymnasium denn gar nicht?

Simon: Nein, ich hasse es! Ich hasse es!

Maria: Es ist aber wichtig, dass man eine gute Ausbildung hat. Das weißt du doch, oder?

Simon: Ja, ja, trotzdem!

Maria: Hör mal, es tut mir leid, dass du Stress in der Schule hast. Aber da hilft nur eins: lernen, lernen, lernen!

Simon: Wie soll ich das denn machen? In unserer ganzen Familie gibt's keinen, der Mathe kann.

Maria: Wenn du willst, helf' ich dir.

Simon: Du? Du verstehst Mathe? Warst du denn auch aufm Gymnasium?

Maria: Hm-hm! Und Mathe war mein Lieblingsfach. Was interessiert dich denn am meisten?

Simon: Bio find' ich ganz gut. Englisch ist auch okay und Sport natürlich!

Maria: Aha! Weißt du, bei uns zu Hause haben nur ganz wenige Kinder die Chance, auf ein Gymnasium zu gehen.

Simon: Wirklich?

Maria: Für die meisten Familien ist das viel zu teuer.

Simon: Dann ist deine Familie also reich?

Maria: Nein, nicht reich. Sagen wir so: Meine Eltern sind nicht arm. Aber sie mussten sparen, damit ich auf eine bessere Schule gehen konnte. Ich bin ihnen dafür sehr, sehr dankbar.

Kurt: Du verstehst also, wie wichtig das Abitur ist?

Simon: Hm-hm.

Kurt: Das finde ich schön, Simon.

Simon: Weißt du noch, Papa? Am Anfang wollte ich überhaupt nicht, dass wir ein Au-pair-Mädchen bekommen.

Kurt: Und jetzt?

Simon: Jetzt bin ich richtig froh, dass Maria da ist!

Kurt: Na siehst du!

Simon: Sie hilft mir ab heute beim Mathelernen!

Kurt: Oh! Das ist aber wirklich sehr nett von ihr!

Maria: Tja! Für Mozart und ein bisschen Ruhe tu ich fast alles!

Schritt A   A1

Kurt: Ich wollte Abitur machen, als ich so alt war wie du. Ich wollte studieren, aber ich durfte nicht. Ich musste raus und Geld verdienen … und du?

Simon: Bei mir ist es genau andersherum. Ich will nicht studieren, aber ich muss anscheinend.

Schritt B   B2/B3

Reporter: Hallo, liebe Hörer! Wir stehen hier in Neustadt vor dem Eingang der Ruppert-Zeisel-Realschule. Für die Schülerinnen und Schüler ist heute ein wichtiger Tag. Heute bekommen sie nämlich ihre Zeugnisse. Wir von Radio Sieben wollen wissen: „Sind Noten wirklich wichtig?" – Hallo? Du bist Schüler hier?

Jakob: Ja.

Reporter: Okay! Wie heißt du und wie ist deine Meinung zum Thema?

Jakob: Ich heiße Jakob und ich finde, dass die Noten in der Schule nicht so wichtig sind. Wir lernen nicht, weil wir Mathe oder Deutsch interessant finden. Wir lernen nur noch, weil wir 'ne gute Note brauchen. Das finde ich nicht gut.

Reporter: Aha! Jakob ist also gegen Noten. Und die Lehrer? Was sagen Sie dazu? Sie sind doch Lehrer, oder?

Olaf Meinhard: Richtig. Mein Name ist Olaf Meinhard. Ich bin Mathematiklehrer und ich finde Noten sehr wichtig. Wenn es keine Noten gibt, dann lernen die meisten Schüler gar nichts mehr, da bin ich mir sicher.

Anneliese
Koch: Moment mal, darf ich bitte auch mal?
Reporter: Aber natürlich! Wenn Sie uns sagen, wer Sie sind.
Anneliese
Koch: Mein Name ist Koch. Anneliese Koch. Meine Tochter geht hier auf diese Schule und ich finde Noten nicht so wichtig. Man kann ja schlechte Noten in der Schule haben und später doch Karriere machen. Zum Beispiel Albert Einstein. Ich glaube, der hatte sogar mal 'ne Vier in Mathe! Und später hat er den Nobelpreis bekommen.
Reporter: Ja, vielen Dank! Tja, Sie haben es gehört, liebe Hörerinnen und Hörer: Beim Thema Schulnoten gehen die Meinungen immer noch weit auseinander. Und damit zurück ins Studio.

Schritt C   C2

1 Hanne Heinrich: In der Krippe und im Kindergarten war ja alles noch ganz nett. Aber danach, die Schule? Nein, die hat mir nie wirklich Spaß gemacht. Meine Noten waren auch nicht gut. Ich war schon in der Grundschule nur so mittel und danach in der Hauptschule war's genauso. Nach der 9. Klasse hab' ich dann den Hauptschulabschluss gemacht und jetzt mach' ich eine Lehre als Friseurin. Das find' ich cool. Das gefällt mir viel besser als die Schule.

2 Klaus Eggers: Also, ich war zuerst im Kindergarten und dann auf der Grundschule. Dort hat's mir aber nicht so gut gefallen, weil's so langweilig war. Danach bin ich dann auf die Realschule gegangen und da war's besser. Der Unterricht war interessant und meine Freunde und ich, wir hatten viel Spaß. Ja, das war eigentlich 'ne echt tolle Zeit da. Tja, und nach der Realschule hab' ich dann eine Lehre als Mechaniker gemacht.

3 Anne Niederle: Vor der Schule war ich drei Jahre im Kindergarten. Und dann bin ich 13 Jahre lang zur Schule gegangen. An die Grundschule hab' ich schöne Erinnerungen. Danach, im Gymnasium, musste ich richtig viel lernen. Ich wollte ja gute Noten haben, das war für mich sehr wichtig. Mein Lieblingsfach war Englisch. Ich hatte ein paar Jahre lang eine wirklich tolle Englischlehrerin. Deshalb bin ich dann nach dem Abitur an die Universität gegangen und habe Englisch studiert. Heute bin ich selbst Englischlehrerin. Tja, und die Arbeit macht mir wirklich großen Spaß.

4 Daniel Holzer: Ich war nicht im Kindergarten, weil meine Eltern das nicht wollten. Mit sieben bin ich in die Grundschule gekommen, seit der 5. Klasse geh' ich in die Gesamtschule. Jetzt bin ich in der 7. Klasse. In zwei Jahren kann ich meinen Hauptschulabschluss machen, dann bin ich endlich mit der Schule fertig. Ich habe nämlich überhaupt keine Lust mehr auf die Schule. Danach möchte ich dann 'ne Lehre machen. Ich möchte irgendein Handwerk lernen, vielleicht Schreiner oder so.

Schritt D   D2

A Mann: Entschuldigung?
Information: Ja bitte?
Mann: Können Sie mir helfen? Ich suche einen Kurs – für mich.
Information: Ja, gerne. Welche Richtung soll's denn sein?
Mann: Ich interessiere mich für andere Länder und Kulturen. Haben Sie da was?
Information: Oh ja, da haben wir ganz sicher etwas. Hier, zum Beispiel – in diesem Kurs geht es um Wirtschaft und Politik in verschiedenen Ländern.
Mann: Wirtschaft? Nein, nein, ich … äh … Haben Sie nicht etwas mit Musik oder so?
Information: Musik? Hhmm. Ja, das hier ist mit Musik aus verschiedenen Ländern, sehen Sie, hier.
Mann: Oh! Ja! Da kann man ja sogar richtig mitmachen! Das ist interessant!

B Information: Hören Sie? Der Kurs beginnt am Montag um 19 Uhr. Ja genau, 19 Uhr. … Bitte, sehr gern! Auf Wiederhören! So, bitte, wie kann ich Ihnen helfen?
Mann: Was? Ah ja! Ein Bekannter hat erzählt, dass Sie hier Kurse anbieten für äh … äh, was hat er gesagt? Ach ja: Konzentrationstraining! Kurse für Konzentrationstraining, ist das richtig?
Information: Ja, das stimmt. Sie können sich also manchmal nicht gut konzentrieren.
Mann: Äh … was?
Information: … und vergessen manche Dinge.
Mann: Ja ja! Vergessen, leider!
Information: Dann gucken Sie doch mal hier: Dieser Kurs ist für Sie genau das Richtige!
Mann: Wirklich!?

C Frau: Sagen Sie mal, haben Sie auch Computerkurse?
Information: Ja, natürlich. Was suchen Sie? Möchten Sie ein bestimmtes Computerprogramm lernen? Oder wollen Sie …

Frau:	Nein, nein, nein, bei mir geht's nicht um Programme. Ich hab' ganz andere Probleme.
Information:	Aha?
Frau:	Ich finde meine Dokumente nicht wieder. Kennen Sie das? Das macht mich ganz verrückt!
Information:	Wir haben …
Frau:	Man sucht und sucht und diese dummen Dateien sind einfach weg! Ich meine, sie sind nicht weg, aber ich kann sie nicht mehr finden …
Information:	… einen Kurs …
Frau:	Also, ich finde sie schon, irgendwann, aber das dauert immer so lange! Gibt es denn keinen Kurs, wo man so etwas lernen kann?
Information:	Ja, so etwas gibt es.
Frau:	Wirklich?
Information:	Hier, sehen Sie mal.

D	Information:	Womit kann ich Ihnen helfen?
	Frau:	Ähm, ich interessiere mich für Kommunikationstraining.
	Information:	Ah ja? Zu diesem Thema haben wir einige Kurse. Was interessiert Sie denn genau? Kommunikation im Alltag, in der Familie …
	Frau:	Nein, es geht eigentlich mehr um die Arbeit. Wissen Sie, in meiner Firma gibt's oft Stress zwischen den Kollegen und ich … ich kann ganz oft meine Meinung nicht richtig sagen.
	Information:	Hm-hm …
	Frau:	Gute Argumente oder die richtigen Antworten, die fallen mir immer erst abends ein, wenn ich zu Hause bin. Das ist mein Problem, verstehen Sie?
	Information:	Hm. Haben Sie schon mal ein Kommunikationsseminar oder einen Rhetorikkurs besucht?
	Frau:	Ja, das habe ich, das war letztes Jahr, glaube ich.
	Information:	Dann könnte dieser Kurs für Sie interessant sein. Hier, lesen Sie doch mal die Beschreibung!
	Frau:	Vielen Dank!
	Information:	Gerne.

E	Information:	Ja bitte? Was kann ich denn für Sie tun?
	Mann:	Tja, ich möchte einen Kurs machen, um Leute kennenzulernen.
	Information:	Leute kennenlernen? Na, das können Sie eigentlich in fast allen Kursen. Wie wäre es denn zum Beispiel mit Sport?
	Mann:	Sport? Nein, lieber nicht.
	Information:	Dann vielleicht Kultur? In unserem „Filmcafé Europa" können Sie interessante Fernsehfilme sehen.

Mann:	Fernsehen? Nö, da guckt man ja nur, oder? Ich möchte lieber reden und so.
Information:	Verstehe ich Sie richtig? Sie möchten lernen, mit Leuten so richtig in Kontakt zu kommen?
Mann:	Na, also … äh … wenn Sie so fragen. Ja!
Information:	Aha! Da haben wir hier einen Kurs, der ist perfekt für Sie.

Lektion 7   Feste und Geschenke

Folge 7: *Tante Erika*

Maria:	Ja, hallo? Was? Doch, das ist schon die richtige Nummer. Nein, tut mir leid, Susanne ist im Moment nicht zu Hause. Wie? Ich bin Maria, Maria Torremolinos, das Au-pair-Mädchen. Das Au-pair-Mädchen! Und wer sind Sie? Ach so!? Moment, bitte! Ja? Ja. Mhm, ja. Okay. Ja, ich hab' alles aufgeschrieben. Ich gebe Susanne den Zettel. Bitte! Auf Wiederhören!
Susanne:	Tante Erika hat angerufen!? Was hat sie denn gesagt, Maria?
Maria:	Nur, was ich aufgeschrieben habe: Morgen ist ihr 80. Geburtstag und du sollst sie besuchen.
Susanne:	Ich verstehe.
Maria:	Sie hat eine sehr nette Stimme …
Susanne:	Ich hab' so ein schlechtes Gewissen.
Simon:	Ich wusste gar nicht, dass du 'ne Tante hast, Susanne!
Susanne:	Tja, ich hab's selbst fast vergessen. Ähm, Moment mal, ich zeig' euch mal ein paar Fotos von ihr.
Susanne:	Eigentlich ist Erika die Tante meines Vaters, also meine Großtante. Sie lebt seit ein paar Jahren im Altersheim. Hier: Das ist sie … und da auch.
Simon:	Hihi, guck mal, hier das Foto: Susanne schenkt ihrer Tante einen Frosch!
Susanne:	Das ist doch kein echter, du Witzbold! Der ist aus Marzipan!
Simon:	Ach so! Wann hast du deine Tante denn zum letzten Mal gesehen?
Susanne:	Hm, lass mich nachdenken. Das war vor fünf Jahren, an ihrem 75. Geburtstag. Unglaublich, wie schnell die Zeit vergeht! Damals hat mein Vater noch gelebt.
Susanne:	Seht mal, hier ist noch ein Foto von Tante Erika! Äh, Maria?
Maria:	Ja?
Susanne:	Über was denkst du denn nach?
Maria:	Kommen da viele Leute, morgen, zu dieser Geburtstagsfeier?
Susanne:	Hm, das glaub' ich nicht. Seit Papa tot ist, hat Erika keine Verwandten mehr.
Maria:	Nur noch dich.
Susanne:	Hm, äh, ja. Das stimmt natürlich. Kommt jemand mit?

Simon:	Tut mir leid. Ich hab 'ne Verabredung.
Larissa:	Also, ehrlich gesagt, besondere Lust hab' ich nicht.
Maria:	Ich komme mit.
Alle:	Du?
Maria:	Wisst ihr, ihre Stimme … Sie klang irgendwie ziemlich traurig. Wenn ich mir vorstelle, ich bin 80 und sitze in so einem … wie heißt das? … Altersheim und bin ganz alleine und …
Simon, Larissa:	Okay, okay, okay! Wir haben es verstanden, Maria! Wir kommen auch mit.
Susanne:	Was schenken wir ihr? Was wünscht sich eine Achtzigjährige zum Geburtstag?
Maria:	Ihr könntet eine Collage aus diesen Fotos machen. Ich habe meiner Oma mal so ein Bild geschenkt.
Susanne:	Hey, das ist 'ne super Idee, Maria! Hm, aber ist es nicht schade, die Fotos zu zerschneiden?
Simon:	Wieso zerschneiden? Man kann sie doch in den Computer einscannen.
Susanne:	Prima, Simon! Da hast du gleich 'ne Aufgabe.
Larissa:	Und ich? Was soll ich machen?
Susanne:	Du? Du schenkst ihr einen selbst gebackenen Kuchen!
Kurt:	Könntest du das Ding jetzt ausschalten? Simon!
Simon:	Is' was?
Kurt:	Ausmachen!!
Simon:	Was is'?
Kurt:	Pass auf, dass sie dich nicht gleich hierbehalten im Altersheim. Taub genug bist du ja schon!
Simon:	Sehr witzig!
Kurt:	Hier!
Simon:	Was soll ich denn mit dem Bild?
Kurt:	Na, was wohl? Du gibst es ihr.
Lied:	Zum Geburtstag viel Glück!
Susanne:	Liebe Tante Erika, zu deinem Geburtstag wünschen wir dir alles, alles Gute!
Erika:	Oh, danke! Vielen Dank!
Erika:	Ach, ist das schön! Ich freue mich sehr über eure Geschenke!
Susanne:	Schön, dass dir das Bild gefällt.
Erika:	Und der Kuchen auch! Und die schönen Blumen! Aber …
Susanne:	Was ist? Hast du noch einen anderen Wunsch?
Erika:	Ja, Susanne, etwas wünsche ich mir noch: Ich hätte so gerne, dass wir uns öfter sehen.

Schritt A   A1
vgl. Kursbuch Seite 70

Schritt B   B1
vgl. Kursbuch Seite 71

Schritt B   B2
A ● Ich nehme die Puppe.
  ■ Soll ich sie Ihnen als Geschenk einpacken?
B Probier doch den Fisch. Ich kann ihn dir nur empfehlen.
C Ich brauche den Mixer. Bringst du ihn mir bitte?
D ● Wie geht dieses blöde Ding nur an? Ich verstehe es nicht!
  ■ Warte, ich zeige es dir. Du musst hier drücken.

Schritt E   E2

Silke:	Ja, Mama, am 15. März machen wir unsere Geburtstagsparty. Nee, wir haben noch gar nichts vorbereitet. Nein, Mama, wir wissen noch nicht wo. Ja, Mama, ich sag' dir Bescheid. Wolfgang und ich wollten die Party eh bald planen. Gut, tschüs, Mama, ich melde mich. Ja, mach' ich! Grüß du Papa auch. Tschüs! Och, na ja, irgendwie hat sie schon recht, wir müssen die Party jetzt wirklich mal ein bisschen planen.
Wolfgang:	Wieso denn? Wir haben doch noch zwei Wochen Zeit!
Silke:	Zwei Wochen, du, das ist nicht lang, und wir haben noch nicht mal die Einladungen geschrieben.
Wolfgang:	Einladungen schreiben, ist das wirklich so wichtig? Können wir nicht einfach anrufen? Oder 'ne SMS schreiben? Oder 'ne E-Mail?
Silke:	E-Mail? Hm, also, ich finde eine richtige Einladung schon wichtig.
Wolfgang:	Wir haben ja noch nicht einmal entschieden, wie viele Leute wir einladen und wen wir einladen.
Silke:	Doch. Ich habe schon 'ne Liste gemacht, schau mal hier.
Wolfgang:	Was?! 50 Leute? Sag mal, bist du verrückt? Wie sollen die denn alle hier ins Wohnzimmer passen? Ich dachte, wir laden 15 Leute ein, höchstens!
Silke:	15 Leute? Zu 'ner Tanzparty?
Wolfgang:	Tanzparty? Jetzt geht's aber los! Ich will doch nicht tanzen! Tanzen ist blöd!
Silke:	So! Und was willst du?
Wolfgang:	Keine Ahnung. Hauptsache, es gibt was Gutes zu essen. Lass uns doch 'n schönes Menü kochen! Tolle Antipasti und dann vielleicht …
Silke:	Ein Menü? Für 15 Leute? Muss das sein? Da sitzen dann alle rum und essen die ganze Zeit. Also nee, für mich ist das keine richtige Party.
Wolfgang:	So?
Silke:	Ich dachte, jeder Gast bringt selbst was mit. 'Nen Salat oder 'nen Kuchen. Hauptsache, wir haben genug Getränke: ein paar Kästen Bier, und natürlich auch Wasser und Saft, nicht nur Alkohol.
Wolfgang:	Bier? Saft? Zum Menü? Nee, nee, das passt nicht. Du, im Weinladen gibt's zurzeit einen super Verdicchio. Der passt sicher sehr gut zu den Antipasti …
Silke:	Ach, Wolfgang, mir ist es wichtig, dass die Leute ihren Spaß haben! Dass wir gute Musik haben!

	Dass wir mal wieder richtig tanzen können! So 'n langweiliges Essen, das haben wir doch alle paar Wochen.
Wolfgang:	Du willst also wirklich, dass 50 Leute hier herumhüpfen? 50 Leute in diesem winzigen Wohnzimmer?
Silke:	Ja, wir können die Möbel doch alle rausräumen.
Wolfgang:	Den Esstisch? Den Fernseher? Die Schrankwand? Alles rausräumen?
Silke:	Ach, komm! Das geht doch.
Wolfgang:	Nein!
Silke:	Natürlich! Dann können wir den Raum auch viel schöner dekorieren.
Wolfgang:	Was? Dekorieren?
Silke:	Ja! Ich habe Lampions gekauft und Luftschlangen. Das gibt 'ne lustige Atmosphäre. Du, wir könnten 'ne Kostümparty machen! Vielleicht fällt uns ja 'n nettes Motto ein.
Wolfgang:	Motto?
Silke:	Salsa Picante!
Wolfgang:	Kostümparty?
Silke:	African Queen!
Wolfgang:	Dekorieren? Nein! So geht das nicht!
Silke:	Doch! So geht das! Nur so geht das!

Zwischenspiel 7 *Ein Fest und seine Gäste*

1 Chris: Hallo? Hier ist Chris. Ja? Ja ja. Du, hör mal, ich wollte schon lange mal wieder persönlich mit dir sprechen. Ja. Ich bin hier auf 'ner Party, das ist ganz in deiner Nähe. Ja ja, genau. Du hast recht: Auf solchen Geburtstagspartys ist ja meistens 'ne langweilige Atmosphäre. Du, weißt du was? Ich trinke hier noch aus und komm' dann zu dir rüber, okay? Ja, bis gleich dann, tschüssi!

2 Jenny: Sag mal, Katharina: Hat Anna die Party organisiert?
Katharina: Ja, Jenny, und ich finde, das schmeckt man auch.
Jenny: Wirklich? Moment ... Stimmt! Es ist mal wieder aus der Dose.
Katharina: Hm-hm ... und zu trinken gibt's auch fast nix mehr.
Hubert: Na, ihr beiden.
Katharina und Jenny: Hallo, Hubert!
Hubert: Und, wie findet ihr meine Party?
Katharina: Du, super, Hubert!
Jenny: Echt toll, wie jedes Jahr!
Hubert: Ja? Na prima!

3 Anna: Ich wünsch' dir Glück. M-mmh... Zum Geburtstag viel Glück. M-mmh ... Alles Glück auf der Welt ... M-mmh ... Alles, was dir gefällt, lieber Hubert ...
Herzlichen Glückwunsch zum Geburtstag, lieber Hubert. Du bist mein Einundalles. Ich freu' mich, dass so viele Leute heute gekommen sind, um mit uns zu feiern. Diesen Festtag. Nochmals von Herzen alles Gute, mein Schatz.

4 Sebastian: Hallo, Günther!
Günther: Hallo ... äh ... wie war noch mal dein Name?
Sebastian: Ich bin Sebastian.
Günther: Ach ja, genau! Tut mir leid, Sebastian.
Sebastian: Schon gut. Ist ja auch lange her. Wann haben wir uns zuletzt gesehen?
Günther: Tja, ich denke, das war genau vor einem Jahr.
Sebastian: Stimmt! Ich glaube, wir sehen uns immer nur hier bei Hubert und Anna, oder?
Günther: Ja, ja, ja ... immer auf Huberts Geburtstagsparty, genau.
Sebastian: Und? Wie geht's so? Was macht der Beruf?
Günther: Ach, weißt du ... na ja ... also ...

5 Olaf: Komm doch, Ellen! Komm! Hier rein!
Ellen: Wieso? Was willst du denn da? Da geht's doch in den Keller runter.
Olaf: Na ja ... ach ... da unten können wir uns in aller Ruhe ... unterhalten.
Ellen: Olaf! Also wirklich! Ich hab' immer gedacht, bei dir kann mich nichts mehr überraschen.

6 Lisa: Weißt du, wenn Anna singt, muss ich immer weinen.
Friedrich: Was!? Was hast du gesagt, Lisa?
Lisa: Ich habe gemeint: Ich muss immer weinen, wenn Anna singt.
Friedrich: Ja, ja, ... verstehe ... Weißt du, da gibt es nur zwei Lösungen ...
Lisa: Was?
Friedrich: Du kannst rausgehen oder die Ohren zuhalten.
Lisa: Friedrich!

7 Georg: Hallo, Paula!
Paula: Hallo, Georg! Hallo, Renate!
Renate: Hallo!
Georg: Na, wie geht's denn so?
Paula: Gut. Du, ich komm' gleich noch mal zu euch, ich möchte nur schnell was zu trinken holen.
Georg: Okay. Alles klar! Bis gleich!
Renate: Hach! Die muss aber auch überall mit dabei sein, oder?
Georg: Hey, Renate! Was ist los? Was hast du gegen Paula? Ich finde sie nett.
Renate: Ja, das merke ich!

8 Edgar: Beate und ich, wir schenken uns jedes Jahr das Gleiche zum Geburtstag.

Beate: Ja, stimmt! Edgar schenkt mir immer was zum Anziehen und ich kaufe ihm was fürs Golfen. Ziemlich langweilig, oder?

Rosemarie: Na ja, aber ihr denkt wenigstens dran und kauft Geschenke ein.

Thomas: Rosemarie und ich vergessen unsere Geburtstage.

Beate: Was? Ihr vergesst sie? Ja, und dann?

Rosemarie: Und dann schenken wir uns immer Gutscheine, nicht wahr, Thomas?

Beate: Ja, sagt mal, und das macht euch gar nichts aus?

Thomas: Ach was! Wenn man sich liebt, dann sind Geburtstage nicht so wichtig, oder, Rosimäuschen?

Rosemarie: Ja, mein Schnuckel.

Beate: Gutscheine, eh? Hast du das gehört?

Hörtexte Arbeitsbuch

Lektion 1   Kennenlernen
Schritt A   Übung 5
vgl. Arbeitsbuch Seite 83

Schritt A   Übung 6
vgl. Arbeitsbuch Seite 83

Schritt C   Übung 24
vgl. Arbeitsbuch Seite 88

Lektion 2   Zu Hause
Schritt C   Übung 20
a Mitte / Müll
b Brüder / Briefe
c mieten / müde
d Flüge / fliegen
e Brücke / Brille
f vier / für

Schritt C   Übung 21
vgl. Arbeitsbuch Seite 99

Schritt C   Übung 22
vgl. Arbeitsbuch Seite 99

Schritt D   Übung 25
vgl. Arbeitsbuch Seite 100

Lektion 3   Guten Appetit!
Schritt C   Übung 13 b

Kellner: Haben Sie schon gewählt?
Frau 1: Ja, also, ich möchte bitte eine Tasse Kaffee und ein Stück Nusskuchen.
Kellner: Oh, das tut mir leid, heute haben wir leider keinen Nusskuchen. Aber ich könnte Ihnen unseren wunderbaren Käsekuchen anbieten. Der ist ganz frisch.
Frau 1: Na gut, dann probier' ich den mal.
Kellner: Und für Sie? Was darf's sein?
Frau 2: Ich nehme auch eine Tasse Kaffee und ein Stück Schwarzwälder Kirschtorte.
Kellner: Ja, gern.
Frau 1: Sag mal, hast du mal wieder was von Frau Bayerlein gehört? Ich habe sie ein paar Mal angerufen und ...

Schritt C   Übung 16
vgl. Arbeitsbuch Seite 108

Schritt C   Übung 17
vgl. Arbeitsbuch Seite 108

Schritt C   Übung 18
a Mein Freund heißt Klaus.
   Er ist groß und isst meistens sehr viel. Deshalb ist er auch ein bisschen dick. Er macht auch selten Sport. Fußball im Fernsehen findet er besser.
b Du trinkst ja nur Mineralwasser und isst nur Brot. Was ist denn passiert?
c Reisen ist mein Hobby. Das macht mir Spaß. Ich habe schon dreißig Städte besucht.
d Hallo, Susanne. Du musst schnell nach Hause kommen, ich habe schon wieder meinen Schlüssel vergessen.

Lektion 4   Arbeitswelt
Schritt C   Übung 14
a ● Vor fünf Minuten hat jemand für dich angerufen. Ein Herr Peterson oder so ähnlich war sein Name.
   ■ Wie bitte? Peterson? Ich kenne niemand mit dem Namen Peterson.
b ● Ich habe uns etwas zu essen mitgebracht.
   ■ Vielen Dank, das ist sehr nett. Aber ich möchte jetzt nichts. Ich habe gerade etwas gegessen.
c ● Was hat er gesagt? Hast du etwas verstanden?
   ■ Nein, tut mir leid, ich habe auch nichts verstanden.
d ● Hallo, ist da jemand?
   ■ Komm! Wir gehen rein, ich glaube, hier ist niemand.

Schritt C   Übung 15 b
Sekretärin: Firma Hens und Partner, Maurer, guten Tag.
Anrufer: Guten Tag, hier spricht Grahl. Könnten Sie mich bitte mit Frau Pauli verbinden?
Sekretärin: Tut mir leid, Frau Pauli ist außer Haus. Kann ich ihr etwas ausrichten?
Anrufer: Nein, danke. Ist denn sonst noch jemand aus der Export-Abteilung da?
Sekretärin: Nein, es ist gerade Mittagspause. Da ist im Moment niemand da.
Anrufer: Gut, dann versuche ich es später noch einmal. Könnten Sie mir noch die Durchwahl von Frau Pauli geben?
Sekretärin: Ja, gerne, das ist die drei-null-eins. Also neun-sechs-null-zwei-drei-null-eins.
Anrufer: Vielen Dank. Auf Wiederhören und einen schönen Tag noch!
Sekretärin: Danke, gleichfalls.

Schritt C   Übung 17
vgl. Arbeitsbuch Seite 118

Schritt C   Übung 18
vgl. Arbeitsbuch Seite 118

Schritt D/E   Übung 21
1 Hallo, Nina. Hier spricht Anne. Du, ich habe heute im Internet nach Flügen für unseren Urlaub im April geschaut. Da gibt es echt tolle Angebote, aber wir müssen bald buchen. Die Flüge sind immer freitags. Ein Flug geht zum Beispiel morgens um 6 Uhr 5 ab Berlin. Dann

müssten wir in Frankfurt umsteigen. Ankunft in Tunis wäre um 12 Uhr 35. Hin- und Rückflug für nur 296 Euro. Das klingt doch gut, oder? Mit dem Zugticket nach Berlin macht das insgesamt circa 300 Euro für jeden von uns. Also, ruf mich möglichst bald an, dann buche ich die Flüge. Ciao.

2   Hallo, Jürgen, hier spricht Alex. Du, Susi hatte heute beim Mittagessen in der Kantine die gute Idee, dass wir alle, also die ganze Abteilung, am Wochenende in die Berge fahren könnten. Wohin wir genau fahren, das wissen wir noch nicht. Das entscheiden wir dann zusammen. Wir treffen uns heute nach der Arbeit im Café Peterhof in der Schillerstraße. Das kennst du ja. Komm doch einfach dorthin, so um 18 Uhr, okay.? Bis dann. Tschüs.

3   Ja, guten Tag, Herr Breitner, hier spricht Frau Lang. Ich habe Ihren Flug nach Basel für den 18.03. gebucht. Ihre Flugzeiten sind: Abflug Hamburg 14 Uhr 55, Ankunft Basel 16 Uhr 35. Ein Fahrer der Firma Novamed holt Sie in Basel am Flughafen ab. Rufen Sie mich noch mal kurz zurück? Danke! Auf Wiederhören.

Lektion 5   Sport und Fitness
Schritt B   Übung 23
vgl. Arbeitsbuch Seite 127

Schritt B   Übung 24
vgl. Arbeitsbuch Seite 127

Schritt B   Übung 25
vgl. Arbeitsbuch Seite 127

Lektion 6   Ausbildung und Karriere
Schritt B   Übung 16
vgl. Arbeitsbuch Seite 138

Schritt B   Übung 17
glücklich, lustig, traurig, freundlich, ruhig, höflich, ledig, eilig, selbstständig, schwierig, langweilig, günstig, billig

Schritt B   Übung 18
vgl. Arbeitsbuch Seite 138

Schritt B   Übung 19
Wein, Bier, bald, Brot, Wecker

Schritt B   Übung 20
a Wo war Willi?
b Vera will nach Wien.
c Werner wohnt in Berlin.
d Willst du so bald ins Bett?
e Auf Wiedersehen, bis Mittwoch.
f Veronika wartet auf Bernd.

Schritt B   Übung 21
vgl. Arbeitsbuch Seite 138

Lektion 7   Feste und Geschenke
Schritt A   Übung 10
vgl. Arbeitsbuch Seite 148

Schritt A   Übung 12
vgl. Arbeitsbuch Seite 148

Schritt B   Übung 18
vgl. Arbeitsbuch Seite 150

Schritt B   Übung 19
vgl. Arbeitsbuch Seite 150

Lösungen zu den Übungen im Arbeitsbuch

Lektion 1

A

1 **a** Sibylle fährt zum Flughafen. Ihr Freund Hisayuki kommt heute zu Besuch. **b** Sie wartet lange am Flughafen. Das Flugzeug hat Verspätung. **c** Sie ist glücklich. Sie trifft Hisayuki endlich wieder. **d** Hisayuki möchte zwei Monate in Deutschland bleiben. Er macht einen Deutschkurs.

2 **b** ... weil das Flugzeug Verspätung hat. **c** ... weil sie Hisayuki endlich wieder trifft. **d** ... weil er einen Deutschkurs macht.

3 **b** arbeitet **c** gefällt **d** arbeitet

4 **b** Weil ich gestern keine Zeit hatte. **c** Weil ich den Film schon kenne. **d** Weil er krank ist. **e** Weil wir unsere Freundin abholen.

5 **a** ▲ Warum? ↘
  ■ Weil meine Mutter Geburtstag hat. ↘
  b ◆ Gehen wir morgen wirklich joggen? ↗
  ■ Warum nicht? ↗
  ◆ Na ja, → weil doch dein Bein wehtut. ↘
  c ● Franziska kommt heute nicht zum Unterricht. ↘
  ▼ Warum denn nicht? ↘
  ● Weil ihre Tochter krank ist. ↘
  d ■ Ich gehe nicht mit ins Kino. ↘
  ● Weil dir der Film nicht gefällt → oder warum nicht? ↘
  ■ Ganz einfach, → weil ich kein Geld mehr habe. ↘

7 Weil ich noch so müde bin. – Weil ich zu wenig geschlafen habe. – Weil ich im Bett bleiben möchte. – Weil ich meine Kleider nicht aufräumen will. – Weil das Wetter so schlecht ist.

8 **b** Sie ist müde, weil sie zu wenig geschlafen hat. **c** Er ist sauer, weil Sandra nicht gekommen ist. **d** Er ist traurig, weil er Carla zwei Monate nicht sieht.

9 **b** ... weil sie gestern in Urlaub gefahren sind. **c** ... weil sie heute ins Restaurant gehen möchten. **d** ... weil ihre Freundin heute gekommen ist.

10 *Musterlösung:* ... weil meine Eltern mich am Wochenende besuchen und wir für Samstag schon Kinokarten haben. Paul hat leider auch keine Zeit, weil er gerade in Berlin ist und erst am Sonntag zurückkommt. Ich hoffe, du bist nicht traurig.

B

12

ge ... t			ge ... en		
	er/es/sie	er/es/sie		er/es/sie	er/es/sie
baden	badet	hat gebadet	bitten	bittet	hat gebeten
bringen	bringt	hat gebracht	fliegen	fliegt	ist geflogen
danken	dankt	hat gedankt	liegen	liegt	hat/ist gelegen
dauern	dauert	hat gedauert	riechen	riecht	hat gerochen
enden	endet	hat geendet	sitzen	sitzt	hat/ist gesessen
feiern	feiert	hat gefeiert	stehen	steht	hat/ist gestanden
heiraten	heiratet	hat geheiratet			
putzen	putzt	hat geputzt			
rauchen	raucht	hat geraucht			
schauen	schaut	hat geschaut			
wissen	weiß	hat gewusst			
zahlen	zahlt	hat gezahlt			

13 hat gelernt – hat getanzt – hat gesucht – ist gekommen – ist gereist – hat gearbeitet – hat gekocht – hat gegessen

14 ist ... abgeflogen – ist ... angekommen – habe ... abgeholt – ist ... eingeschlafen

15 **b** abgeholt **c** angerufen **d** gefahren **e** ausgepackt, aufgehängt **f** gegangen **g** aufgestanden

16 **a** ... sind ... aufgestanden **b** ... bin ... zurückgefahren **c** ... ist ... mitgekommen **d** ... ist ... abgefahren **e** ... habe ... angerufen **f** ... haben ... abgeholt **g** habe ... eingekauft **h** ... hat ... ausgepackt **i** ... hat ... aufgehängt

17 **a** Sie ist abgefahren. – Sie ist angekommen. **b** Sie ist aufgestanden. – Sie ist ins Bett gegangen. **c** Sie hat die Tür aufgemacht. – Sie hat die Tür zugemacht. **d** Sie ist ausgestiegen. – Sie ist eingestiegen. **e** Sie hat ausgepackt. – Sie hat eingepackt.

18 **b** gegessen **c** getrunken **d** gegangen **e** eingestiegen **f** gefahren **g** angekommen **h** angefangen **i** zurückgefahren

19 **a** aufgestanden **b** getrunken **c** angekommen **d** gearbeitet **e** gefahren **f** eingekauft **g** gekocht **h** angerufen **i** gegangen **j** eingeschlafen

20 *Musterlösung:* ... bin ich viel zu spät aufgestanden, dann bin ich schnell mit dem Taxi zum Flughafen gefahren. In Palma ist dann mein Koffer nicht angekommen und Diego, mein Freund, war nicht am Flughafen. Später habe ich ihn angerufen und schließlich hat er mich abgeholt. Am Abend sind wir dann ganz toll essen gegangen.

21 *Musterlösung:* ... getroffen. ... sind wir dann ausgestiegen und ich habe dich angerufen. Aber du warst nicht zu Hause. Dann sind wir beide zusammen etwas trinken gegangen und danach sind wir noch in eine Disko gefahren. Dort haben wir bis drei Uhr getanzt. Schließlich war ich um halb vier zu Hause und bin sofort eingeschlafen.

C

22 **a** Maria hat fast das Flugzeug verpasst. **b** Was ist denn passiert? **c** Der Bus hat ein Rad verloren. **d** Maria hat auf der Reise keinen Kaffee bekommen.

25 **a** verstanden **b** begonnen **c** besucht **d** bezahlt **e** diskutiert **f** vergessen **g** bestellt

26 bedeutet – begonnen – besichtigt – bezahlt – erklärt – erzählt – verkauft – verloren – verschickt – versucht

27 *Musterlösung*: **a** ... aufgestanden. Sie hat schnell den Koffer gepackt. Aber sie hat kein Taxi bekommen. Also ist sie zum Bahnhof gelaufen. Aber sie hat den Zug verpasst. **b** Nach seiner Ankunft hat er ein Taxi vom Flughafen ins Hotel genommen. Aber wo war sein Koffer? Er hat nachgedacht. Oje! Er hat seinen Koffer am Flughafen vergessen.

D

28 **b** Ist das Peters Onkel? **c** Ist das der Mann von Frau Tahy? **d** Ist das Tante Käthes Haus? **e** Ist das die Freundin von Otto? **f** Ist das Angelas Tochter?

29 **a** Schwiegervater ... Schwiegermutter **b** Tante **c** Onkel **d** Cousine **e** Cousin **f** Nichte **g** Neffe **h** Schwägerin **i** Schwager

30

der	die
Schwiegervater	Schwiegermutter
Onkel	Tante
Cousin	Cousine
Neffe	Nichte
Schwager	Schwägerin

31 Onkel – Cousin – Bruder – Enkelkind – Vater – Nichte – Neffe – Opa – Tante – Schwager

E

33 **b** der alleinerziehende Vater **c** die Kleinfamilie **d** der Single

34 **a** Das ist eine Gruppe von Leuten ... **c** 1 Linda – 2 Angelika – 3 Angelika – 4 Linda

Lektion 2

A

1 **c** hängt **d** steht **e** steht, liegt **f** liegt, hängt **g** liegt **h** hängt **i** steckt **j** steht

2 **a** liegt **b** Steckt, liegt **c** hängt **d** stehen **e** liegt **f** hängt **g** liegt

3 auf – hinter – in – neben – über – unter – vor – zwischen

4 die Katze – die Wand – der Tisch – das Sofa – der Stuhl – das Regal – die Jacke – der Schrank – das Bett – das Buch

5 **b** vor dem **c** zwischen den **d** an der **e** auf dem **f** neben der **g** unter dem **h** im **i** über dem **j** hinter dem **k** vor den

7 **a** 2 der Schreibtisch 3 der Stuhl 4 das Regal 5 der Schrank 6 die Lampe 7 die Katze 8 der Tisch 9 die Bücher 10 der Teppich 11 das Bild 12 das Fenster 13 der Fernseher 14 der Papierkorb 15 das Bild 16 die (Blumen)Vase 17 die Tasche 18 das Glas 19 die Hose 20 die Jacke

B

9 **b** ... auf dem Bett **c** ... an der Wand

10

	Wohin? Ich lege das Buch ...	Wo? Das Buch liegt ...	
a	x		auf den Tisch.
		x	auf dem Tisch.
b		x	auf dem Schreibtisch.
	x		auf den Schreibtisch.
c		x	neben dem Bett.
	x		neben das Bett.
d	x		in den Schrank.
		x	im Schrank.
e		x	unter dem Stuhl.
	x		unter den Stuhl.

11 **b** an die **c** neben das **d** in den **e** an die **f** ins **g** auf den **h** an die **i** unter den **j** auf den

12

neben dem Schrank	neben den Schrank
an der Wand	an die Wand
unter dem Fenster	unter das Fenster

14 **b** gestellt – steht **c** gehängt – hängt **d** gesteckt – steckt

15 **b** in das / ins – im **c** unter dem – Unter dem **d** zwischen die – zwischen den Kleidern **e** neben das – neben dem **f** in die Tasche – in der Tasche **g** vor dem – vor dem **h** in den Papierkorb – In den

C

16 **b** Sie geht ins Haus. – Sie geht rein. **c** Sie geht in den dritten Stock. – Sie geht rauf. **d** Sie geht in den Hof. – Sie geht runter. **e** Sie geht über die Straße. – Sie geht rüber.

17 **b** raus **c** rüber **d** runter **e** rauf

18 **b** Hier darf man nicht reingehen. **c** Hier darf man nicht rausgehen. **d** Hier darf man nicht raufgehen. **e** Hier darf man nicht rübergehen. **f** Hier darf man nicht rauffahren.

20 **a** 2 **b** 1 **c** 2 **d** 1 **e** 1 **f** 2

D

23 **b** Party **d** Hof, Hausmeister **e** Frau **f** Kinderwagen **g** Katze **h** Keller **i** Ordnung

24 **a** das Haus + die Nummer – das Haus + der Meister – das Dach + die Wohnung – das Fahrrad + der Keller – der Müll + der Container – der Müll + die Tonne **b** kaufen + das Haus – mieten + die Wohnung – parken + der Platz – wohnen + das Zimmer – schreiben + der Tisch

E

26 **b** Ich bin ungefähr um 7 Uhr zurück. **c** Ich bin von Freitag bis Sonntag nicht hier. **d** Ich muss unbedingt zur Uni fahren. **e** Ich bekomme bald einen wichtigen Brief. **f** Bitte ruf deine Eltern an. Es ist wichtig.

27 einen Anruf erwarten/bekommen – Strom verbrauchen/bekommen – einen Brief schreiben/erwarten/bekommen – eine Freundin erwarten/wecken – ein Fahrrad bekommen/ausleihen – Blumen gießen/bekommen/ausleihen

28 **a** 6 **c** 7 **d** 2 **e** 4 **f** 3 **g** 5

Lektion 3

A

1 **b** Zweimal im Monat schwimmen – das ist genug! – Ich gehe manchmal schwimmen. **c** Schwimmen? Dreimal im Jahr, das ist o.k.! – Ich gehen selten schwimmen. **d** Schwimmen, nein danke. – Ich gehe nie schwimmen.

2 **a** immer **b** selten – oft **c** oft – selten **d** nie

B

5 **b** welche **c** einen **d** eins **e** keins **f** eine

6 **b** welche **c** keins **d** einer **e** keine **f** eins **g** keine **h** keiner

7

Nominativ	maskulin der (Löffel)	neutral das (Messer)	feminin die (Gabel)	Plural die (Tassen)
Hier ist …	einer	eins	eine	
Hier sind …				
Tut mir leid, hier ist …				
hier sind …	keiner	keins	keine	keine
Akkusativ	den	das	die	die
Ja, ich brauche …	einen	eins	eine	welche
Nein, ich brauche …	keinen	keins	keine	keine

8 **a** Pfanne **b** Schüssel **c** Teller **d** Gabel

9 **b** eure **c** deine **d** ihren **e** ihren **f** sein **g** meine – meinen **h** unser

10 **a** meinen **b** Deine **c** Ihrs **d** meins **e** meiner

11 **a** einen – einer **b** eure – unsere **c** keine – eine **d** Ihrer **e** ihren **f** seins

12 *Musterlösung*: **A** deins **B** Sagen Sie, ist das Ihr Schlüssel? Nein, das ist nicht meiner. Ich habe meinen hier. **C** Ich

habe mein Feuerzeug vergessen. Kann ich Ihres nehmen? Natürlich, nehmen Sie meins.

C

13 **a** 1 ein kleines Frühstück 2 ein Glas Tee, eine Brezel mit Butter 3 ein Stück Käsekuchen, ein Stück Schwarzwälder Kirschtorte, zwei Tassen Kaffee **b** Tisch 3

14 **a** … Gern. Was darf ich Ihnen bringen? – Einen Apfelsaft, bitte. – Und was möchten Sie essen? – Ich nehme den Braten mit Kartoffeln. **b** Wir möchten bitte zahlen. – Zusammen oder getrennt? – Zusammen. – Das macht 13,60 €. – Stimmt so.
c Entschuldigung! – Ja bitte? – Ich habe einen Milchkaffee bestellt und keinen Espresso. – Oh, das tut mir leid. Ich bringe Ihnen sofort den Milchkaffee.

15 **a** Kann ich bitte bestellen? – Was möchten Sie trinken? **b** Können wir bitte bezahlen? – Zusammen oder getrennt? – Stimmt so. **c** Ja natürlich, bitte sehr. **d** Oh, das tut mir leid!

18 **a** Mein Freund heißt Klaus. Er ist groß und isst meistens sehr viel. Deshalb ist er auch ein bisschen dick. Er macht auch selten Sport. Fußball im Fernsehen findet er besser. **b** Du trinkst ja nur Mineralwasser und isst nur Brot. Was ist denn passiert? **c** Reisen ist mein Hobby. Das macht mir Spaß. Ich habe schon dreißig Städte besucht. **d** Hallo, Susanne. Du musst schnell nach Hause kommen, ich habe schon wieder meinen Schlüssel vergessen.

D

19 schnell – Bratwurst – Cola – billig – mit den Händen essen – Pommes Frites

20

	scharf	sauer	süß	fett	salzig
a Chili	x				
b Schweinebraten				x	(x)
c Kuchen			x		
d Zitrone		x			
e Wurst				x	(x)
f Eis			x		
g Essig		x			
h Pommes Frites				x	x
i Schokolade			x		
j Sauerkraut		x			

21 **a** Mahlzeiten **b** Gericht **c** Metzgerei **d** probieren **e** schneidet **f** Rezept

E

23 **A** Setzen Sie sich doch! **B** Möchten Sie noch einen Kuchen? – Der Kuchen ist wirklich lecker. – Können Sie mir das Rezept geben? **C** Kommen Sie gut nach Hause. – Ich muss leider wirklich nach Hause. – Und vielen Dank für die Einladung.

24 <u>b</u> Der Kuchen schmeckt mir! <u>c</u> Nehmt doch bitte Platz! <u>d</u> Ich danke Ihnen für die Einladung!

25 <u>a</u> Ach schade, aber wir fahren am Wochenende nach Berlin. <u>b</u> Vielen Dank, das ist sehr nett von Ihnen. – Das wäre doch nicht nötig gewesen. <u>c</u> Ja, gern. Sie schmeckt wirklich lecker. – Die Nachspeise ist wirklich sehr gut. Aber ich habe leider keinen Hunger mehr. <u>d</u> Ach, bleibt doch noch ein bisschen. – Schon? Schade. Dann kommt aber mal gut nach Hause.

26 <u>a</u>   1c 2 d 3 a 4 b 5 e

<u>b</u>   *Musterlösung*: ... Der Wein hat auch nicht besonders gut geschmeckt. Die Freunde von Klaus sind alle langweilig gewesen, nur Axel hat die ganze Zeit mit mir gesprochen. Aber auch er ist furchtbar langweilig gewesen! Ich bin dann früh gegangen und habe lieber andere Freunde getroffen. Mit ihnen habe ich dann bis zwei Uhr morgens viel Spaß gehabt. ...

Lektion 4

A

1 <u>a</u> Sie sollten im Büro nicht so viel rauchen! <u>b</u> Sie sollten im Büro nicht privat telefonieren! <u>c</u> Sie sollten die Füße nicht auf den Schreibtisch legen!

2 <u>b</u> solltest – Bild 1 <u>c</u> sollten – Bild 2 <u>d</u> solltest – Bild 1 <u>e</u> solltet – Bild 3 <u>f</u> sollten – Bild 2 <u>g</u> solltest – Bild 1 <u>h</u> solltet – Bild 3

3 <u>b</u> Sie sollten abends spazieren gehen. <u>c</u> Wir sollten einen Handwerker anrufen. <u>d</u> Sie sollte einen Terminkalender kaufen. <u>e</u> Du solltest nicht so viel Süßes essen. <u>f</u> Sie sollten eine paar Tage im Bett bleiben.

B

4 <u>a</u> Bild 2 <u>b</u> Bild 1 <u>c</u> Bild 3

5 <u>b</u> Wenn das Wetter schön ist, (dann) fahre ich mit dem Fahrrad. <u>c</u> Wenn ich keine Zeit habe, nehme ich die U-Bahn. <u>d</u> Wenn ich mit dem Auto fahre, (dann) brauche ich zehn Minuten bis zum Büro.

7 <u>a</u> Wenn Sie abends nach Hause gehen, schalten Sie bitte Ihren Computer aus. <u>b</u> Wenn Sie mittags in die Kantine gehen, schließen Sie bitte das Büro ab. <u>c</u> Wenn Sie Kopfschmerzen haben, kann ich Ihnen Medikamente

geben. <u>d</u> Wenn Sie Kaffee getrunken haben, spülen Sie Ihre Tasse bitte selbst. <u>e</u> Wenn ein deutscher Text zu schwierig ist, übersetzt Frau Albrecht ihn für Sie.

8 <u>b</u> Sprechen Sie bitte mit dem Hausmeister, wenn im Büro etwas kaputt ist. <u>c</u> Rufen Sie bitte an, wenn Sie morgens einmal später kommen. <u>d</u> Fragen Sie Ihre Kolleginnen, wenn Sie Büromaterial suchen. <u>e</u> Kommen Sie zu mir, wenn Sie noch Fragen haben.

9 <u>a</u> ... Ihre Arbeit fertig ist. <u>b</u> ... Frau Volb da ist. <u>c</u> ... wir Sie immer anrufen können. <u>d</u> ... kein anderer Termin möglich ist.

11 <u>b</u> in einer Fabrik etwas produzieren <u>c</u> eine Quittung schreiben <u>d</u> den Gästen Tee und Gebäck anbieten <u>e</u> zu viel Geld ausgeben <u>f</u> den Computer ausschalten

C

13 <u>a</u> noch nicht <u>b</u> schon – noch nicht – noch nicht

14 <u>a</u> niemand <u>b</u> etwas – nichts – etwas <u>c</u> etwas – nichts <u>d</u> jemand – niemand

15 <u>b</u> S: Firma Hens und Partner, Maurer, guten Tag.

A: Guten Tag, hier spricht Grahl. Könnten Sie mich bitte mit Frau Pauli verbinden?

S: Tut mir leid, Frau Pauli ist außer Haus. Kann ich ihr etwas ausrichten?

A: Nein, danke. Ist denn sonst noch jemand aus der Export-Abteilung da?

S: Nein, es ist gerade Mittagspause. Da ist im Moment niemand da.

A: Gut, dann versuche ich es später noch einmal. Könnten Sie mir noch die Durchwahl von Frau Pauli geben?

S: Ja, gerne, das ist die 301. Also 9602-301.

A: Vielen Dank. Auf Wiederhören, und einen schönen Tag noch.

S: Danke, gleichfalls.

16 *Musterlösung*: <u>a</u> ... einen Arzttermin und kommt später in die Arbeit. Viele Grüße, Amelie Blau. <u>b</u> Liebe Frau Schön, Herr Hein aus der Export-Abteilung hat angerufen, er muss den Termin am 21.9 absagen. Er bittet Sie um Rückruf. Er möchte dann einen neuen Termin vereinbaren. <u>c</u> Sehr geehrte Frau Sporer, Herr Hassos von der Berliner Zeitung hat angerufen. Er möchte gern einen Termin vereinbaren. Sie sollen ihn bitten zurückrufen. Viele Grüße Andreas Meier <u>d</u> Liebe Susanne, hast du Zeit nach der Arbeit? Wollen wir noch etwas zusammen unternehmen? Vielleicht ein Glas Wein trinken oder ins Kino gehen. Gruß Gerd

19 ich: nicht – Rechnung – Nachricht – ausrichten – mich – möchte – Licht – Milch ...

auch: noch – Buch – Nachricht – Koch – besuchen – Sprache ...

D/E

20 **a** 1 Nachhilfe geben – 2 Kinder betreuen – 3 Zeitungen austragen

b 1 falsch 2 richtig 3 falsch 4 falsch

21 1 269 Euro 2 Café Peterhof in der Schillerstraße 3 Abflug 14:55 Uhr, Ankunft 16:35 Uhr

Lektion 5

A

1 **a** mich **b** euch – uns **c** sich – mich **d** sich – sich

2

ich	konzentriere	mich	wir	konzentrieren	uns
du	konzentrierst	dich	ihr	konzentriert	euch
er / es / sie	konzentriert	sich	sie / Sie	konzentrieren	sich

3 C Sie ärgert ihren Bruder. D Sie ärgert sich. E Er zieht das Baby aus. F Er zieht sich aus. G Sie kämmt ihre Tochter. H Sie kämmt sich. I Er wäscht das Baby. J Er wäscht sich.

5 **b** Wascht euch jetzt! **c** Dusch dich endlich! **d** Kämm dich jetzt endlich! **e** Zieht euch jetzt an! **f** ... bewegt euch endlich!

6 **b** dich **c** sich **d** sich **e** uns **f** euch **g** sich

7 **a** 2 Ziehen Sie sich nicht zu warm an! 3 Duschen Sie sich warm und kalt! 4 Bewegen Sie sich mehr! 5 Rauchen Sie nicht so viel!

b 2 Sie sollten sich nicht zu warm anziehen. 3 Sie sollten sich warm und kalt duschen. 4 Sie sollten sich mehr bewegen. 5 Sie sollten nicht so viel rauchen.

8 **b** Er ärgert sich immer über seinen Bruder. **c** Sie zieht sich heute eine Hose an. **d** Er legt sich jeden Mittag ins Bett. **e** Ich ernähre mich ab heute gesund.

9 **b** Immer ärgert er sich über seinen Bruder. **c** Heute zieht sie sich eine Hose an. **d** Jeden Mittag legt er sich ins Bett. **e** Ab heute ernähre ich mich gesund.

11 **a / b**

Man kann gesund bleiben	wenn man		nicht so fett	isst.
Man kann gesund bleiben	wenn man	sich	nicht so viel	ärgert.
Man kann gesund bleiben	wenn man		mehr Sport	macht.
Man kann gesund bleiben	wenn man		viel Obst und Gemüse	isst.
Man kann gesund bleiben	wenn man	sich	kalt und warm	duscht.
Man kann gesund bleiben	wenn man	sich	nicht zu warm	anzieht.
Man kann gesund bleiben	wenn man	sich	oft	ausruht.
Man kann gesund bleiben	wenn man		viel spazieren	geht.

12 *Musterlösung:* ... und mich mehr bewegen. Ich möchte zum Beispiel viel öfter spazieren gehen. Ich möchte mich gesund ernähren, mit viel Obst und Gemüse. Ich möchte mich weniger ärgern und mich dafür mehr ausruhen. Ich möchte auch mehr Konzentrationsübungen machen. Und ich will endlich weniger rauchen!

B

13 **b** dich – für **c** sich – für **d** euch – für **e** uns – für **f** sich – für **g** sich – für

14 *Musterlösung:* **b** Wir interessieren uns für Gymnastik. – Wir mögen Gymnastik. – Wir machen gern/oft Gymnastik. **c** Meine Freunde interessieren sich für Bücher. – Meine Freunde lesen gern Bücher. **d** Maria interessiert sich für Musik. – Maria mag Musik. – Maria hört viel Musik. **e** Meine Freundin interessiert sich für Tennis. – Meine Freundin mag Tennis. – Meine Freundin spielt gern Tennis.

15 **a** Heute Abend kümmere ich mich um die Kinder. – Hast du Lust auf ein Stück Schokolade? – Ich bin mit meinem Auto nicht zufrieden. – Ich erinnere mich nicht mehr an diese Person. **b** Manchmal träume ich von einem Urlaub in der Sonne. – Warten Sie auch auf den Bus nach Wiesbaden? – Ich verabrede mich nachher mit Klaus, o.k.? – Meine Tochter freut sich schon so sehr auf ihren zehnten Geburtstag. **c** Sprichst du noch mit ihr? – Denkst du bitte an die Blumen! – Ich ärgere mich immer über mein Auto. – Morgen treffe ich mich mit ein paar Freunden. – Hat er sich schon wieder über das Essen beschwert?

16

mit	auf	an	über	von	um
sich verabreden	warten	denken	sich ärgern	träumen	sich kümmern
sprechen	sich freuen	sich erinnern	sich beschweren		
sich treffen	Lust haben				
zufrieden sein					

17 **b** Ich denke nie an seinen Geburtstag. **c** Heute habe ich keine Lust auf Gymnastik. **d** Ich freue mich sehr auf die Sommerferien.

18 **b** den Urlaub **c** einem Auto **d** das Abendessen **e** den Zug **f** die Arbeit

19 **b** an dich **c** an die **d** von dir **e** mit dir **f** um die **g** auf den **h** über mich **i** auf die

20 **a** an dich **b** mit dir – Mit mir **c** auf dich – Auf mich **d** von mir – von dir

21 **B** Sie ärgern sich über ihre Kinder. **C** Unsere Kinder freuen sich schon auf Weihnachten. **D** Er wartet auf seine Freundin. **E** Entschuldigung, kann ich mal kurz mit Ihnen sprechen? **F** Ich möchte mich mal wieder mit dir treffen.

25 **a** Reise **b** wichtig **c** braun **d** Halt! **e** Herr **f** Hose

C

27 **b** Woran – Daran **c** worüber – darüber **d** worauf – darauf

28 **b** woran – daran **c** worüber – darüber, *aber*: dafür

29 **a** Woran – Worauf – Worüber – Woran **b** Daran – Darauf – Darüber – Daran

30 dafür – wofür, darüber – worüber, daran – woran

D

31 **b** Tennis **c** Golf **d** Eishockey **e** Handball **f** Tischtennis **g** Fußball **h** Wandern **i** Gymnastik **j** Skifahren **k** Snowboardfahren **l** Tanzen **m** Segeln

32 **b** Dienstags geht Susi mit Heidi joggen. **c** Mittwochs geht Susi zur Gymnastik. **d** Donnerstags geht Susi zum Tanzkurs. **e** Freitags geht Susi zum Schwimmen. **f** Samstags geht Susi ins Fitness-Studio zur Aerobic. **g** Sonntags geht Susi zum Klettern.

33 **b** 2 **c** 6 **d** 7 **e** 1 **f** 5 **g** 3

34

Situation	1	2	3	4	5
Anzeige	h	x	b	e	d

E

35 **a** machen: einen Spaziergang machen, Urlaub machen, Gymnastik machen, eine Reise machen, eine Busfahrt machen, Lärm machen

b gehen: ins Fitness-Studio gehen, tanzen gehen, ins Schwimmbad gehen, spazieren gehen

c fahren: Ski fahren, mit dem Fahrrad fahren

d spielen: Eishockey spielen, Handball spielen

36 **b** 2 **c** 5 **d** 3 **e** 1

37 **a** 1 Anrede: Liebe Susi, liebe Lisa; 2 „Unterschrift": Hanna; 3 Adresse: susi-q@weg.web; lisa-m@hin.de 4 Gruß: Viele Grüße; 6 Text: tut mir …

b 6, 3, 5, 7, 2, 4, 1

c *Musterlösung:*

Liebe Hanna, danke für deine Mail! Sport ist für mich wirklich wichtig. Ich sitze so viel im Büro – da brauche ich den Sport einfach. Ich mache jeden Morgen Gymnastik, dann gehe ich noch montags und freitags ins Fitness-Studio. Wenn ich kann, gehe ich zu Fuß: Ich kaufe zum Beispiel immer zu Fuß ein. Am Wochenende gehe ich joggen. Kommst du einmal mit zum Joggen? Das tut dir bestimmt gut.
Viele liebe Grüße
Lisa

Lektion 6

A

1 **b** 2 **c** 2 **d** 2 **e** 1 **f** 1

2 **b** durfte **c** sollte **d** wollte **e** durfte

3 **b** konnte **c** durfte **d** musste **e** konnte **f** sollte

4 **b** Am Dienstag wollte er mit Erika Eis essen, aber er musste mit seinem Vater Mathe lernen. **c** Am Mittwoch sollte er mit seiner Mutter Englisch lernen, aber er wollte lieber Skateboard fahren. **d** Am Donnerstag wollte er mit Inge ins Kino gehen, aber er musste das Geschirr spülen. **e** Am Freitag wollte er Fußball spielen, aber er musste Zeitungen austragen.

5 **b** ihr **c** ihr **d** sie, Sie **e** du **f** sie, Sie

6

ich	wollte	konnte	sollte	durfte	musste
du	wolltest	konntest	solltest	durftest	musstest
er / sie / es	wollte	konnte	sollte	durfte	musste
wir	wollten	konnten	sollten	durften	mussten
ihr	wolltet	konntet	solltet	durftet	musstet
sie / Sie	wollten	konnten	sollten	durften	mussten

7 **a** wollte, musste **b** Wollten, durften – wollte, musste **c** durfte, konnte

8 Als Kind wollte Lars Fußballspieler werden. Als Jugendlicher musste er mit seinen Eltern in eine neue Stadt umziehen. Mit 16 Jahren wollte Lars eine Lehre zum Mechaniker machen, aber er durfte nicht. Er sollte eine Lehre als Exportkaufmann machen. Nach der Lehre wollte Lars Abitur machen. Mit 22 Jahren hat Lars Abitur gemacht und er durfte studieren. Als Erwachsener konnte er endlich als Mathematiker arbeiten.

B

10 **b** Ich finde, dass er zu wenig für die Schule lernt. **c** Ich bin sehr froh, dass ich in Berlin studieren kann. **d** Es tut mir sehr leid, dass du schon wieder krank bist.

11 **a** Ich finde **b** Es tut mir leid **c** Es ist wichtig **d** Ich bin froh / Ich bin glücklich

12 **b** … ein gutes Zeugnis wichtig ist. **c** … Englisch langweilig ist. **d** … ich mehr Grammatik üben muss.

13 **a** … ich studieren durfte. **b** … eine gute Ausbildung wichtig ist. **c** … du schlechte Noten im Zeugnis hast. **d** … du fleißig bist. **e** … du ein bisschen mehr lernen kannst. **f** … unsere Kinder eine gute Schule besuchen können.

15 *Musterlösung*: **a** … ich wenig zu tun habe. **b** … ich frei habe. **c** … oft nicht streng genug sind. **d** … gute Noten in der Schule hat. **e** … nicht genug lernst. **f** … ich hier immer so viele Überstunden machen muss. **g** … Sie Ihre Lohnsteuerkarte schon abgegeben haben? **h** … der Bus Verspätung hatte. **i** … ich den Kollegen helfen kann.

16 wenig, langweilig, unwichtig, wichtig, ich, endlich, richtig, natürlich, eilig, zwanzig, pünktlich

17 glücklich – lustig – traurig – freundlich – ruhig – höflich – ledig – eilig – selbstständig – schwierig – langweilig – günstig – billig

19 Wein – Bier – bald – Brot – Wecker

20 **b** w 3x b / **c** w 2x b 1x **d** w 1x b 2x **e** w 2x b 1x **f** w 2x b 1x

C

22 **a** falsch **b** richtig **c** richtig **d** richtig **e** falsch

23 *Musterlösung*: **A** Alexander findet, dass die Schule oft langweilig ist. Er denkt, dass die Lehrer weniger Hausaufgaben geben sollen. Auch findet er schlecht, dass es zu wenig Sportunterricht gibt. **B** Seine Mutter meint, dass die Lehrer streng sein sollten. Sie findet schlecht, dass es zu wenig Unterricht in den Fächern Kunst und Musik gibt. Außerdem denkt sie, dass die Noten nicht so wichtig sind. **C** Sein Opa glaubt, dass die Schule heute besser als früher ist. Zum Glück sind die Lehrer heute nicht mehr so streng. Er findet gut, dass die Schüler mehr in Partnerarbeit und in Gruppen zusammenarbeiten.

24 **a** Sport **b** Kindergarten **c** froh **d** Handwerk **e** Krippe

25 **a** 2 – 6 – 1 – 4 – 3 – 5

b *Musterlösung*:

Liebe …,

wie geht es dir? Ich habe lange nichts von dir gehört. Seit zwei Monaten mache ich einen Deutschkurs in Wien. Jeden Morgen freue ich mich auf die Schule, weil ich einen sehr netten und lustigen Lehrer habe. In meiner Heimat waren die Lehrer nicht so nett. Sie waren streng. Das finde ich nicht so gut. Denn man lernt eine Sprache leichter, wenn die Lehrer freundlich sind, oder? Im Unterricht sprechen wir auch viel Deutsch und machen häufig Gruppenarbeit. Das macht so viel Spaß! Wie war der Sprachunterricht in deiner Schule? Bitte schreib mir bald! Ich freue mich auf eine Antwort von dir.

Viele Grüße

Samira

26 *Musterlösung*:

… Wie schön, dass dir der Unterricht in Deutschland gefällt. Meine Schulzeit war eigentlich recht schön: Ich bin nur in eine kleine Schule in Bolu gegangen. Mein Lieblingsfach war Musik. Unser Musiklehrer war nämlich sehr lustig. Er hat immer Witze erzählt und lustige Lieder mit uns gesungen. Die anderen Lehrer waren nicht so nett, aber mir hat die Schule gefallen. Schreib mir bald wieder über deine Zeit in Deutschland.

Herzliche Grüße

…

D

27 Schule: die Grundschule, das Fach, das Abitur, die Gesamtschule, die Note; Arbeit: der Angestellte, der Arbeitnehmer, die Bewerbung, der Arbeitsplatz, die Lehre, der Lohn, der Auszubildende, die Kündigung

28 **b** eine Datei speichern **c** an einem Kurs teilnehmen **d** ein Angestellter sein **e** Lohn bekommen

f sich für Politik interessieren **g** Recht haben **h** den Notarzt rufen

29 **a** Lehre **b** Einführung **c** Beratung **d** Kultur

30 **b** Voraussetzung **c** Angst **d** Ärger **e** Einführung **f** Erfahrung **g** Kontakt

32 **a** Hauptschule – Fachhochschule **b** 1 falsch 2 falsch 3 richtig 4 richtig

E

33 **a** 2 **b** 4 **c** 5 **d** 1 **e** 3 **f** 6

34 **A** Schauspieler **B** Flugbegleiterin/Stewardess **C** Ärztin

Lektion 7

A

1 **b** … seiner Schwester ein Buch. **c** … unseren Eltern eine Reise. **d** … ihrem Bruder eine Eintrittskarte. **e** … eurem Hund eine Wurst. **f** … ihren Großeltern eine Einladung zum Essen.

2

	Bruder	Kind	Schwester	Eltern	
Das ist / sind	mein	mein	meine	meine	.
Ich sehe	meinen	mein	meine	meine	morgen.
Ich schenke	meinem	meinem	meiner	meinen	nichts!

3 **b** mir – dir **c** euch **d** ihnen **e** uns **f** ihr **g** ihm **h** ihnen

4 **a** 2 ein Fahrrad 3 ein Kochbuch 4 einen Fußball 5 ein Spiel 6 ein Computerspiel

b 2 ihr ein Fahrrad 3 ihm ein Kochbuch 4 ihnen einen Fußball 5 ihr ein Spiel 6 ihm ein Computerspiel

5 **A** helfen – passt – steht **B** schmeckt **C** gehören

6 **b** Ich bestelle mir einen Salat. **c** Meine Freundin bringt mir Blumen mit. **d** Sie schenkt ihrer Oma Schmuck.
e Gibst du mir noch ein Stück Kuchen?

8 2 Steht 3 hilf 4 gefallen 5 wünsche 6 gehören
7 mitbringen 8 passen 9 schmeckt

11 Geburtstagsfest – Geburtstagsparty – Geburtstagskarte – Geburtstagsfeier – Geburtstagskuchen – Hochzeitstag – Hochzeitsfeier – Einkaufsbummel

B

13

	Ich kenne ...	Wer gibt ... zehn Euro?		Ich kenne ...	Wer gibt ... zehn Euro?
ich	mich	mir	**wir**	uns	uns
du	dich	dir	**ihr**	euch	euch
er	ihn	ihm	**sie / Sie**	sie / Sie	ihnen / Ihnen
es	es	ihm			
sie	sie	ihr			

14 **b** Hast du es deiner Schwester gegeben? **c** Können Sie ihn mir wirklich empfehlen? **d** Kannst du es mir leihen? **e** Ich schreibe sie dir auf. **f** Kannst du ihn mir bestellen?

15 **b** sie ihm **c** es uns **d** sie Ihnen **e** sie mir **f** sie dir

16 **b** ... Ihnen sehr empfehlen! **c** ... ihn Ihnen sehr empfehlen! **d** ... sie Ihnen sehr empfehlen.

17 *Musterlösung*: **b** Ich erkläre es dir. **c** ... es dir selbst kaufen. **d** ... gebe sie dir sofort. **e** ... hole ihn euch gleich. **f** ... bringe sie Ihnen.

18 **a** es **b** es **c** es **d** gebe ihn **e** ihn

C

20 **b** 2 Die Blumen hat sie von ihrem Sohn bekommen. 3 Den Wein hat sie von ihrem Chef bekommen. 4 Die Kette hat sie von ihrer Tochter bekommen. 5 Die Kaffeemaschine hat sie von ihrer Schwester bekommen. 6 Die Torte hat sie von ihren Nachbarn bekommen.

D

23

Bild	1	2	3	4	5	6
Satz	f	d	c	a	b	e

24 *Musterlösung*: ... Bernhard und Bianca haben die Ringe getauscht und ,Ja' gesagt. Vor der Kirche haben dann viele Freunde und Bekannte auf sie gewartet. Dann sind das Brautpaar und alle Gäste (hupend) durch die Straßen zum Restaurant gefahren. Nach dem Hochzeitsessen hat das Brautpaar zuerst getanzt. Es war sehr lustig und am Ende haben alle getanzt. Dann hat die Braut den Brautstrauß geworfen und wir Mädchen mussten ihn fangen. Clara hat ihn gefangen! Das heißt, dass sie als Nächste heiratet. Es war wirklich ein tolles Fest! Schade, dass du nicht dabei sein konntest ...

E

26 **b** tanzen **c** unterhalten **d** kochen **e** organisieren **f** kaufen **g** einladen **h** passen **i** dekorieren

27 **a** A 2 B 1 C 3
b *Musterlösung*:
Liebe(r) ...,
vielen Dank für die Einladung. Ich freue mich schon auf das Fest. Kann ich ein paar Freunde aus Italien mitbringen? Sie besuchen mich über Silvester. Wir bringen Jacken und Mäntel mit. Können wir, wenn es zu kalt ist, auch im Haus feiern? Brauchst du noch etwas zu essen oder zu trinken? Ich bringe gerne etwas mit. Auch meine CDs kann ich mitbringen. Bitte melde dich noch einmal.

Lösungen zu den Tests

Test zu Lektion 1

1 **a** ..., weil ihre Katze krank ist. **b** ..., weil sie nach Österreich fahren möchte. **c** ..., weil sie einkaufen muss. **d** ..., weil sie Kinder mag.

2

Ich habe ...	Ich bin ...
begonnen	abgefahren
erzählt	mitgekommen
verpasst	
aufgeschrieben	

3 *Musterlösung:*
a Sie hat (mit ihrem Freund) telefoniert. **b** Sie hat (Lebensmittel) eingekauft. **c** Er hat geschlafen. **d** Er ist nach Neuss gefahren. **e** Er hat ferngesehen. **f** Er ist aufgestanden.

4 **a** Der Vater von meinem Mann ist mein Schwiegervater.
b Der Sohn von meinem Sohn ist mein Enkelkind.
c Die Schwester von meiner Frau ist meine Schwägerin.
d Der Bruder von meinem Bruder ist mein Bruder.
e Die Schwester von meinem Vater ist meine Tante.
f Die Tochter von meiner Schwester ist meine Nichte.

5 *Musterlösung*:
Heute war wirklich in schrecklicher Tag. Zuerst bin ich zu spät aufgestanden. Dann bin ich in den falschen Bus eingestiegen und in die falsche Stadt gefahren. An der nächsten Haltestelle bin ich wieder ausgestiegen. Zwei Stunden später war ich wieder zu Hause. Dann habe ich mich vollkommen fertig auf das Sofa gelegt. Schließlich bin ich wieder eingeschlafen und habe meinen Deutschkurs verpasst.

Test zu Lektion 2

1 **a** am **b** am **c** im **d** Im **e** auf dem **f** an die **g** auf den

2 **a** Die Zeitung steckt in der Tasche. **b** Die Bücher liegen im Regal. **c** Die Zeitung steckt im Briefkasten. **d** Die Frau stellt die Fotos auf den Tisch. **e** Die Kleider hängen im Schrank.

3 **a** rauf **b** runter **c** rüber

4 **a** richtig **b** falsch **c** falsch **d** falsch **e** falsch

5 *Musterlösung:*
Liebe Anna! Ich muss heute eigentlich die Wohnung putzen, aber leider bin ich heute den ganzen Tag an der Uni! Ich habe einfach keine Zeit. Könntest du das heute machen? Das Bad und die Küche ... ? Würdest du bitte auch beim Vermieter anrufen, weil doch das Küchenfenster nicht mehr richtig schließt? Und sei doch bitte so nett und gieße auch die Blumen und füttere meine Lola? Ich habe das leider auch vergessen. Hoffentlich ist das alles in Ordnung! Du musst jetzt alles ganz alleine machen. Ich hoffe, wir sehen uns heute Abend. Dann koche ich für uns. Danke für deine Hilfe!

Liebe Grüße

...

Test zu Lektion 3

1 **a** nie **b** oft **c** selten / manchmal **d** meistens / fast immer **e** nie **f** manchmal / selten

2 **a** Ich brauche einen großen Topf. Manfred, bringst du mir bitte einen? **b** Ich brauche eine Schüssel. Klara, bringst du mir bitte eine? **c** Dazu brauche ich ein Messer. Marion, gibst du mir bitte eins? **d** Kaufst du bitte welche? **e** Ich brauche einen Bierkrug. Holst du mir bitte einen? **f** Tina, holst du uns bitte welche?

3 **2** c **3** e **4** a **5** b **6** f **7** g

4 *Musterlösung:*
Bild A:
Tina: „Hallo, schön, dass ihr da seid!
Marie +
Robert: Hallo! Wir haben dir ein paar Blumen für deine neue Wohnung mitgebracht.
Tina: Die sind aber schön, vielen Dank! Kommt doch rein, ich habe schon Kaffee gemacht.
Marie: Das ist aber nett. Wie geht es dir denn?
Tina: Gut, danke.

Bild B:
Robert: Hmm, der Kuchen schmeckt aber lecker, hast du den selbst gebacken?
Tina: Ja, das ist ein Rezept von meiner Oma. Den habe ich als Kind schon sehr gern gegessen.
Marie: Vielleicht kannst du es uns ja aufschreiben, dann kann ich es auch einmal ausprobieren.
Tina: Möchtest du noch ein Stückchen, Robert?
Robert: Ja, sehr gerne.

Test zu Lektion 4

1 **a** Sie sollten in die Kantine gehen, wenn Sie Hunger haben. **b** Ihr solltet jeden Tag Zeitung lesen! **c** Du solltest nicht so viel fernsehen! **d** Du solltest nicht so viele Überstunden machen! **e** Ihr solltet nicht dauernd streiten!

2 *Musterlösung:*
a Dann solltest du die Mietanzeigen lesen. **b** Dann sollte er Bewerbungen schreiben. **c** Dann solltest du Urlaub nehmen. **d** Dann solltest du einen Kurs machen.

3 **a** Wenn die Brezeln zu teuer sind, kaufen die Leute sie nicht beim Bäcker. **b** Wenn Herr Keller eine Arbeit braucht, muss er eine Bewerbung schreiben. **c** Wenn du Berufsanfänger bist, solltest du im Büro nicht privat

Lösungen zu den Tests

telefonieren. **d** Wenn die Kunden in der Apotheke nett sind, freut sich Susanne. **e** Wenn Paul später ins Büro kommt, muss er am Empfang anrufen.

4 **a** Nein, für dich hat niemand angerufen. **b** Nein danke, ich möchte nichts trinken. **c** Nein, ich habe ihr noch nicht gratuliert. **d** Nein, ich brauche nichts aus der Stadt. **e** Nein, ich habe noch nicht mit ihr gesprochen.

5 *Musterlösung*:
Liebe Maja,
gerade hat ein Herr Wunderlich angerufen. Er sagt, er braucht mehr Informationen über das Produktangebot. Könntest du ihn bitte zurückrufen? Die Nummer ist ...
Lieben Gruß
...

Test zu Lektion 5

1 **a** Er zieht sich aus. **b** Die Frau kämmt das Mädchen. **c** Der Vater zieht sein / das Kind an. **d** Er wäscht sich. **e** Er kämmt seine / die Kinder. **f** Sie kämmt sich.

2 **a** euch **b** sich **c** dich **d** sich **e** mich **f** euch

3 **b** 8 **c** 1 **d** 9 **e** 4 **f** 3 **g** 5 **h** 2 **i** 7

4 **a** Wofür **b** Worauf **c** Worüber **d** Worauf **e** Wovon

5 *Musterlösung:*
a Ich interessiere mich für Musik. **b** Ich habe nie Lust auf Sport. **c** Ich ärgere mich oft über meine Eltern. **d** Ich freue mich auf meinen Urlaub. **e** Ich habe heute von meinem Freund geträumt.

Test zu Lektion 6

1 **a** Petra wollte Lehrerin werden. Aber sie durfte die Schule in der Stadt nicht besuchen. Sie musste auf dem Bauernhof helfen. **b** Mein Bruder und ich wollten zusammen einen Bus kaufen. Aber wir hatten kein Geld. **c** Konntest du mit vier Jahren schon lesen? **d** Als Kinder durften wir nie allein in den Wald gehen. **e** Ich konnte noch nie gut rechnen. **f** Die Kinder mussten am Samstag immer das Auto waschen. Der Vater wollte das so.

2 **a** Es tut mir leid, ... **b** Es ist wichtig, ... **c** Ich bin froh, ... **d** Ich glaube, ... **e** Ich weiß, ...

3 **a** ..., dass er nicht in die Schule will. **b** ..., dass sie immer eine gute Schülerin war. **c** ..., dass die Kinder ihre Hausaufgaben machen müssen. **d** ..., dass sie ihren Sportlehrer liebt.

4 **a** Gesamtschule **b** Grundschule **c** Gymnasium **d** Universität

5 A3; B1; C2

6 **a** Kindergarten **b** Lieblingsfach **c** Zeugnis **d** sitzen bleiben **e** Beruf

Test zu Lektion 7

1 *Musterlösung:*
a Du schenkst deinem Vater einen Computer. **b** Wir schenken unseren Kindern Fahrräder. **c** Ihr schenkt eurer Freundin eine Puppe. **d** Ich kaufe meiner Schwester ein Bild. **e** Petra leiht ihrer Mutter eine CD.

2 **a** den **b** der **c** dem **d** dem **e** dem **f** den

3 **a** Nein, ich leihe es ihm nicht. **b** Nein, ich kann es euch nicht leihen. **c** Ich habe es ihnen schon gestern gegeben. **d** Ich bringe sie dir.

4 B7; C1; D2; E6; F3; G5